ХЛЕБ
НА
ВАШЕМ
СТОЛЕ

Р.А. Гаевая
М.А. Ященко

ХЛЕБ
НА ВАШЕМ СТОЛЕ

КИЕВ
«УРОЖАЙ»
1988

ББК 36.992
Г13

Рецензенты: Н. П. Божко, В. Г. Юрчак

Справочное издание

ГАЕВАЯ Раиса Алексеевна
ЯЩЕНКО Мария Алексеевна

**ХЛЕБ
НА ВАШЕМ
СТОЛЕ**

Зав. редакцией *Н. И. Михайленко*
Редактор *Л. И. Онищенко.*
Художники *А. Е. Кононов, Н. М. Кононова.*
Блюда для фотографирования
подготовили и оформили повара ресторана «Русь»
под руководством мастера-повара *Н. И. Павлюк.*
Фотографии *Б. А. Коробейникова.*
Художественный редактор *Н. М. Халява.*
Корректоры *Л. А. Ващенко, Т. М. Шморгун.*
Технические редакторы *Л. А. Новицкая, Н. Д. Кобзарь.*

Информ. бланк № 3604
Сдано в набор 29.06.87. Подписано к печати 21.01.88. БФ 04021. Формат
84×108/32. Бумага офсетная № 1. Гарн. Таймс. Печать офсетная.
Усл. печ. л. 15,12. Усл. кр.-отт. 61,85. Уч.-изд. л. 18,44 Тираж 100 000 экз.
Зак. 7—2380. Цена 2 р. 50 к.
Ордена «Знак Почета» издательство «Урожай», 252035, Киев-35,
ул. Урицкого, 45.

Головное предприятие республиканского производственного объ-
единения «Полиграфкнига». 252057, Киев-57, ул. Довженко, 3.

Г $\dfrac{2903000000—054}{М204(04)—88}$ КУ-№ 3-380-88(т. п. 88-153)

ISBN 5-337-00074-8

ХЛЕБ-КОРМИЛЕЦ

Издавна у славян существовал обычай: люди, преломившие хлеб, становятся друзьями на всю жизнь. Хлеб — посол мира и дружбы между народами, остается им и ныне.

Изменяется жизнь, переоцениваются ценности, а хлеб-батюшка, хлеб-кормилец остается самой большой ценностью.

С хлебом провожали на фронт. С хлебом встречали вернувшихся с войны. Хлебом поминали тех, кто уже никогда не вернется.

У каждого свой хлеб. Каждый по-своему помнит, воспринимает и ценит его. Но есть для всех без исключения одно общее: хлеб — это жизнь.

Наш народ хлебосолен. Хлеб, калиной перевитый, на праздничном столе всегда стоит на почетном месте. Дорогих гостей встречают хлебом-солью. Однако не каждый гость знает, что каравай нужно разломить, самому отведать и людям раздать, как велит обычай. Не каждый знает, что, принимая хлеб-соль на рушнике, хлеб следует поцеловать.

Как же научить уважать хлеб?

О хлебе, об отношении к нему следует говорить, писать, чтобы дети наши не росли невеждами, чтобы для них, как и для нас, отцов и матерей, со словами Родина, Революция, Мир, Отец, Мать, Ленинград рядом стояло слово Хлеб.

Любви и уважению к хлебу нужно учить с детства, прививать эту любовь и в семье, и в детском саду, и в школе.

Нравственное отношение к хлебу — отношение бережное. А у нас нередко наблюдаешь картину, которая болью отзывается в сердце: брошенный хлеб, растоптанный в грязи ломоть, булочки в мусоросборнике. Это свидетельство безнравственного поступка. Следует помнить о том, что хлеб на нашем столе появляется благодаря нелегкому труду людей 120 профессий.

В нашей стране изобилие хлеба и хлебных изделий. Но это изобилие не должно порождать расточительства, снижать то чувство уважения, которым хлеб пользовался во все времена, у всех народов, во всех странах.

Экономисты подсчитали в масштабах страны цену лишь одного выброшенного ломтя хлеба массой в сто граммов. Такие, казалось бы, незначительные ежедневные потери в каждой семье вырастают в громадную — шестизначную! — цифру. Чтобы восполнить их, необходимо вырастить примерно два миллиона тонн зерна.

Сохранение этого ломтика будет весомым вкладом каждого гражданина в выполнение Продовольственной программы, в воспитание нравственного отношения к хлебу.

* * *

Может, кто-то сам захочет испробовать свои силы — испечь хлеб. Как это сделать в домашних условиях, как рационально использовать его, какие блюда и изделия можно из него приготовить, рассказывает наша книга. В ней приведены рецепты блюд и изделий, простых и более сложных в приготовлении, для детей и людей пожилого возраста, для праздничного стола, рассказывается, как использовать в вашей семье каждый кусочек хлеба, чтобы он не пропал зря, чтобы огромная работа хлеборобов не была проделана впустую.

КОГДА И ГДЕ РОДИЛСЯ ХЛЕБ?

Ученые полагают, что впервые хлеб появился на земле свыше пятнадцати тысяч лет назад. Жизнь наших предков в те далекие времена была нелегкой. Главной заботой была забота о пропитании. В поисках пищи они-то и обратили внимание на злаковые растения. Эти злаки являются предками нынешних пшеницы, ржи, овса, ячменя.

Древние люди заметили, что брошенное в землю зерно возвращает несколько зерен, что на рыхлой и влажной земле вырастает больше зерен.

Долгое время люди употребляли в пищу зерна в сыром виде, затем научились растирать их между камнями, получая крупу, и варить ее. Так появились первые жернова, первая мука, первый хлеб.

Первый хлеб имел вид жидкой каши. Она и является прародительницей хлеба. Ее в наше время еще употребляют в виде хлебной похлебки в некоторых странах Африки и Азии.

У дикорастущей пшеницы зерна с трудом отделялись от колоса. И, чтобы облегчить извлечение их, древние люди сделали еще одно открытие.

К тому времени человек уже научился добывать огонь и применял его для приготовления пищи. Было подмечено, что подогретые зерна легче отделяются от колосьев. Собранные злаки начали нагревать на разогретых камнях, которые помещали в вырытые для этого ямы. Случайно человек обнаружил, что если перегревшиеся зерна, то есть поджаренные, раздробить и смешать с водой, каша получается гораздо вкуснее той, которую он ел из сырых зерен. Это и было вторым открытием хлеба.

Примерно шесть с половиной — пять тысяч лет назад человек научился возделывать и культивировать пшеницу и ячмень. В то время изобрели ручные мельницы, ступки, родился первый печеный хлеб.

Археологи предполагают, что однажды во время приготовления зерновой каши часть ее вылилась и превратилась в румяную лепешку. Своим приятным запахом, аппетитным видом и вкусом она удивила человека. Тогда-то наши далекие предки из густой зерновой каши стали выпекать пресный хлеб в виде лепешки. Плотные неразрыхленные подгорелые куски бурой массы мало напоминали современный хлеб, но именно с того времени и возникло на земле хлебопечение.

Когда древний человек с великим трудом взрыхлил землю, посеял зерно, собрал урожай и испек из него хлеб, тогда он обрел и родину. Прошло еще много времени и свершилось еще одно чудо. Древние египтяне научились готовить хлеб со сброженного теста.

Считают, что по недосмотру раба, готовившего тесто, оно подкисло и, чтобы избежать наказания, он все же рискнул испечь лепешки. Получились они пышнее, румянее, вкуснее, чем из пресного теста.

Как же пекли хлеб и относились к нему в древности?

Древние египтяне овладели искусством разрыхлять тесто с помощью брожения, которое вызывается мельчайшими организмами — дрожжевыми грибками и молочнокислыми бактериями, о существовании которых они и не подозревали. Так, пять-шесть тысяч лет назад в Древнем Египте было положено начало развитию хлебопекарного производства.

На разрезе хлеба, приготовленного со сброженного теста, видно множество мелких пор. Это результат жизнедеятельности дрожжевых грибков, которые вызывают в тесте спиртовое и молочнокислое брожение с образованием углекислого газа, спирта и молочной кислоты. Углекислый газ, стремясь выйти из теста, разрыхляет его и создает пористость, что делает хлеб пышным и рыхлым. Молочнокислые бактерии в процессе жизнедеятельности образуют в тесте молочную кислоту, которая способствует набуханию белков муки, улучшению вкуса и аромата выпеченного хлеба.

Хлеб из сброженного теста не только вкуснее, он дольше сохраняется свежим и лучше усваивается организмом.

Древнеегипетские хлебопеки готовили разнообразные виды хлеба: продолговатый, пирамидальный, круглый, в форме плетенок, рыб, сфинксов. На хлебе ставили знаки в виде розы, крестика, знака семьи или рода, на изделиях для детей — в виде петуха, котенка, индюка и др. Выпекали сладкие хлебцы, в состав которых входили мед, жир, молоко, ценились они дороже, чем обычный хлеб.

Искусство приготовления разрыхленного хлеба со сброженного теста от древних египтян перешло в Грецию и Рим. Такой хлеб считался в этих государствах деликатесом, доступен был только богатым, для рабов выпекался черный хлеб — плотный и грубый.

Специально выпекали хлеб для спортсменов, которым предстояло участвовать в Олимпийских играх. По случаю спортивных состязаний в Олимпии для участников и гостей пекли особый белый, хорошо разрыхленный хлеб и подавали его с маслинами и рыбой.

Во все времена хлеб высоко ценился и почитался человеком. Он был поставлен в один ряд с золотом и солнцем. В принятой в Древнем Египте скорописи солнце, золото и хлеб обозначались одинаково — кружочком с точкой посредине.

В честь хлеба слагались гимны.

В Древней Греции хлеб считали совершенно самостоятельным блюдом и употребляли как и каждое отдельно подаваемое блюдо. Чем богаче дом и чем знатнее хозяин, тем обильнее и щедрее угощал он своих гостей белым хлебом.

К хлебу относились и с суеверным почтением. Считалось, что человек, съевший пищу без хлеба, совершал большой грех и за это будет наказан богами.

Например, в Индии преступникам в зависимости от тяжести преступления не давали хлеба определенное время.

Неуважение к хлебу приравнивалось к самому страшному оскорблению, какое можно нанести человеку.

У многих народов хлеб считался целебным средством от многих заболеваний: нюхая свежеиспеченный хлеб, можно лечить насморк, а черствый — помогает при заболевании желудка и кишечника.

Так же, как к хлебу, народ с давних времен относился к труду тех, кто его пек. В древних государствах пекари были в большом почете и занимали самые высокие посты.

Тех, кто готовил хлеб низкого качества, наказывали: могли остричь наголо, выпороть, привязать к позорному столбу или даже отправить в изгнание.

Согласно древним германским законам преступник, убивший пекаря, наказывался строже, чем за убийство человека другой профессии.

Мастера-пекари рецепты хлеба держали в строжайшей тайне и передавали их из поколения в поколение. В честь мастеров возводились монументы. Так, до настоящего времени в Риме сохранилось надгробие — монумент высотой тринадцать метров пекарю Марку Вергилию Эврисаку, жившему две тысячи лет назад, основателю нескольких больших пекарен. Эти пекарни обеспечивали хлебом почти все население Рима.

В средние века над входом в пекарни, хлебные лавки часто вывешивали большие крендели, вырезанные из металла или дерева и покрытые позолотой,— символ мастеров-хлебопеков того времени.

* * *

В нашей стране хлебопечение начало развиваться с незапамятных времен. На территории нынешних республик Закавказья в VIII—IX веках было развито земледелие. Здесь археологи находят большие склады для зерна, печи для выпечки хлеба из пшеницы, ячменя.

Во время раскопок поселений на территории современной Украины найдены остатки глинобитных домов, состоящих из нескольких помещений. Кроме жилых, здесь были и хранилища для зерна, печи для выпечки хлеба, найдены зернотерки, глиняные сосуды для хранения зерна.

Печи, зернотерки, кремневые лезвия серпов обнаружены археологами на Урале, в Ярославле, Вологде.

На Руси выращивали рожь, пшеницу, овес, ячмень, просо. Выпечка хлеба считалась делом почетным и ответственным.

Качество хлебных изделий контролировалось. Назначались хлебные приставы, которые ходили по рынкам и торжкам, проверяли и взвешивали хлеб и хлебные изделия. Если они обнаруживали нарушения, виновных штрафовали.

Кроме маленьких пекарен, так называемых хлебных изб, были и хлебные дворцы, которые выпекали хлеб в большом количестве.

Приготовление хлеба было тяжелым изнурительным ручным трудом и оставалось таким до середины XIX века. Лишь во второй половине XIX века появились в России механизированные тестомесильные машины, тестоделители, конвейерные печи.

За всю историю человечество не могло обеспечить себя хлебом в достаточном количестве, люди никогда не ели его вдоволь.

Особо голодали трудящиеся России. Поэтому одним из первых лозунгов восставших против царизма был: «Мир — народам, хлеб — голодным!»

Великая Октябрьская социалистическая революция положила начало решительной борьбе с голодом. В. И. Ленин в письме к питерским рабочим «О голоде» писал: «Когда народ голодает... каждый, кто укрывает лишний пуд хлеба,.. является величайшим преступником».

В первые годы существования Советской власти забота о хлебе стала острейшей проблемой. Как решить ее, думали все — от рабочего и крестьянина до главы Советского правительства. Народ голодал, а спекулянты, кулаки скрывали хлеб, рассчитывая на повышение цен. И тогда формируются продотряды. Хлеб стоил многих жизней лучших представителей рабочего класса. Как и за свободу, за хлеб рабочий класс расплачивался кровью. В ноябре 1919 года Ленин призывал: «...Ни один фунт хлеба не должен находиться вне учета...»

Разрабатывались и принимались декреты, направленные на

то, чтобы навсегда избавить народ от страха голода, обеспечить население хлебом. Нелегко давался хлеб Стране Советов. Долгие годы мы сражались за него. Упорный труд освобожденного от угнетателей народа решил проблему снабжения страны хлебом. Разгромив банды белых, отбросив интервентов, молодая, еще не окрепшая республика приступила к мирному строительству. На повестку дня партия ставила новые задачи: на селе — подъем сельскохозяйственного производства на основе кооперирования крестьянских хозяйств, в городах — реконструкция и модернизация старых промышленных предприятий, строительство новых фабрик и заводов.

Хлебопекарная база России перед Великой Октябрьской социалистической революцией состояла в основном из 140 тысяч мелких кустарных пекарень. За годы предвоенных пятилеток в стране было построено 280 хлебозаводов, создана мощная государственная хлебопекарная промышленность. Уже в 1940 году на хлебозаводах вырабатывалось более 55 процентов всей хлебной продукции. Дальнейшему ее развитию и совершенствованию помешало вероломное нападение на нашу страну фашистской Германии. Вопрос о хлебе снова был поставлен на повестку дня. Фронту был нужен хлеб.

Во все времена враг первый удар почти всегда наносит хлебу. Страшно смотреть, когда горит хлеб на корню.

А какую высокую цену заплатили защитники блокадного Ленинграда, когда доставляли хлеб через Ладогу осажденному, умирающему, но несдающемуся городу. Что такое блокадный хлеб? 125 граммов на человека. В нем пищевой целлюлозы 10 процентов, жмыха — 10, обойной пыли — 2, выбоек из мешков — 2, хвои — 1, муки ржаной обойной — 75 процентов. Формы для выпечки смазывали соляровым маслом.

Не будь хлеба — не было бы и Победы!

...Позади остались тяжелейшие годы войны. Страна подымалась из пепла. Нужно было резко увеличить производство зерна. Преодолевая огромные трудности, страна освоила 42 миллиона гектаров целины. Спасая хлеб от огня, люди нередко жертвовали своей жизнью.

Сейчас все это в прошлом: война, карточки, освоение целинных и залежных земель.

Но разве и сегодня не достойно уважения бережное отношение к хлебу? Каждый человек, знающий свою историю, любящий свой народ, не может небрежно отнестись к хлебу. Беречь его должны не только те, кто сеет, убирает, хранит зерно в закромах, выпекает из него хлеб, а каждый из нас ежедневно обязан помнить, что хлеб — бесценное сокровище.

Бережливость, уважение к хлебу не от скупости, не от бедности. Мы знаем, что в хлебе заложен не только труд наших современников — земледельцев, в нем пот и кровь предков. Хлеб — общее богатство, и мы должны воспитывать к нему уважение будущих поколений.

Хлебопекарная промышленность страны сегодня — это тысячи хлебозаводов, оснащенных высокопроизводительным оборудованием. Ежедневно они выпекают до 82 тысяч тонн хлеба и хлебобулочных изделий около 800 наименований.

Теперь хлеб пекут машины. Они делают все, начиная от просеивания муки и кончая выпечкой его в газовых и электрических печах.

Приемка муки, хранение ее в бункерах, отпуск для приготовления хлеба осуществляются автоматически.

Хлеб пекут из пшеничной и ржаной муки. Из пшеничной тесто готовят безопарным и опарным способами. Муку просеивают на специальных устройствах, где для удаления металлических частиц установлены магниты. Сложные механизмы, заменяющие труд сотен людей, месят тесто, формуют его и по конвейеру направляют в печь, которая представляет собой автоматизированные конвейерные агрегаты. Здесь в печи из белой массы и рождаются буханки ароматного хлеба. Такие огромные печи выпекают в сутки по 10—12 тысяч буханок, на некоторых заводах — 80—90 тысяч. Одна печь может обеспечить хлебом более 200 тысяч человек в день.

Затем готовый хлеб в закрытых контейнерах доставляют в хлебные магазины.

Советская хлебопекарная промышленность — самая мощная в мире — на естественных заквасках и опарах из натурального сырья производит хлеб в широком ассортименте. Многие зарубежные гости с большой похвалой отзываются о нашем хлебе, которому по качеству нет равного в мире.

●

ХЛЕБОБУЛОЧНЫЕ ИЗДЕЛИЯ — НА ЛЮБОЙ ВКУС

В зависимости от вида муки пекут хлеб ржаной, ржано-пшеничный и пшеничный, по способу выпечки — подовый и формовой, по рецептуре — простой, улучшенный и сдобный.

Многие названия хлеба отражают особенности рецептуры, национальные традиции.

Хлеб ржаной простой выпекают из обойной муки. Из нее же выпекают улучшенные сорта хлеба — ржаной заварной, ржаной московский, бородинский.

Хлеб ржаной из обдирной и сеяной муки выпекают из ржаной обдирной муки и пеклеванный из сеяной муки, а также сорта хлеба, в которых часть ржаной муки заменена пшеничной.

Хлеб ржано-пшеничный и пшенично-ржаной из обойной муки. Ржано-пшеничный состоит из 60 % ржаной и 40 % пшеничной обойной муки, а хлеб пшенично-ржаной — из 60 % пшеничной и 40 % ржаной обойной муки. Группу пшеничного заварного хлеба составляют ржано-пшеничный, пшенично-ржаной, украинский, украинский новый и минский хлеб.

К улучшенному ржано-пшеничному хлебу относятся ржано-пшеничный заварной, орловский, рижский, бородинский, столовый подмосковный.

Хорошо сохраняется свежим рижский ржано-пшеничный хлеб, который отличается кисловато-сладким вкусом. Более мягкий вкус присущ бородинскому хлебу. Он эластичный, пористый. Его лучше подавать к чаю, молоку.

Большим разнообразием видов и сортов отличается пшеничный хлеб. Из обойной муки выпекают **хлеб пшеничный простой.** С добавлением пшеничной муки второго сорта пекут **хлеб забайкальский.**

Из пшеничной *муки второго сорта* выпекают хлеб простой, красносельский, паляницу украинскую, арнаут киевский, хлеб целинный, молочный и другие, а также хлеб карельский и чайный.

Из пшеничной *муки первого сорта* готовят хлеб простой, горчичный, домашний, молочный, красносельский, калач саратовский, паляницу украинскую и др.

К наиболее распространенным сортам, выпекаемым из пшеничной *муки высшего сорта*, относятся хлеб простой, сытный с изюмом, молочный, калач саратовский и др.

В настоящее время разработано свыше 100 сортов хлебобулочных изделий с использованием натурального цельного молока или обрата, сухого цельного или обезжиренного молока, пахты или молочной сыворотки. Среди них хлеб молочный и городской. Эти виды хлеба можно подавать к завтраку, к чаю или кофе.

В состав паляницы николаевской входит сыворотка, которая придает ей молочный вкус и аромат. Мякиш паляницы рыхлый, пористый.

Хлеб «Ромашка» округло-выпуклой формы формуют в виде лепестков, которые легко отделяются. Он удобен в туристическом походе, дольше обычного сохраняет свежесть.

Недавно начат массовый выпуск новых видов хлеба. Среди них российский, столичный, дарницкий, которые выпекаются из смеси ржаной обдирной и пшеничной муки первого сорта. Эти виды хлеба имеют светлый мякиш, ароматный вкус, небыстро черствеют. В их состав по сравнению со старыми видами (орловским, столовым, украинским новым) входит больше дрожжей, сахара и меньше соли, воды.

Внедряется также хлеб формовой и подовый. Его выпекают из пшеничной муки высшего, первого и второго сортов.

Ассортимент хлеба

Простые булочные изделия пекут из муки второго, первого и высшего сортов. Это батоны нарезные, простые, столичные, булки городские, сайки, калачи, халы, плетенки, витушки, подковки. В рецептуру многих из них входит жир и сахар. Некоторые булочные изделия не содержат жира и сахара.

Сдобные булочные изделия в отличие от простых содержат повышенное количество сахара, жира, яиц. В их состав входят такие продукты, как патока, молоко, изюм, мак. Сдобные изделия изготавливаются различной формы. К этой группе отнесена булочная мелочь (московские розанчики, подковки, калачи ленинградские, гребешки, жаворонки), а также различные виды хлеба (донецкий, сдобный из пшеничной муки высшего сорта и др.), хлебцы, булочки и специальные мелкоштучные изделия, называемые сдобой. Различают сдобу обыкновенную, выборгскую, фигурную и любительские изделия. Разновидностью сдобы является слойка — мелкоштучные изделия из теста, прослоенного в раскатанном состоянии животным жиром.

Сдобные крупноштучные изделия. В эту группу входят: хлеб сдобный, который выпекается в формах, охлаждается и упаковывается в парафинированную бумагу; витушки сдобные крученой формы без начинки, поверхность посыпана крошкой или маком, с начинкой — посыпана пудрой; рожки в виде рулетов с начинкой, поверхность посыпана сахарной пудрой, на поперечном разрезе хорошо видны витки начинки; рожки с маком и корицей — поверхность смазана яйцом и посыпана маком и корицей; а также разнообразные булки, хлебцы, батончики.

Сдобные мелкоштучные изделия по рецептуре делят на сдобу обыкновенную (простые по форме, поверхность смазана только яйцом), сдобу выборгскую (в виде бабочек, бантиков, лепешек с повидлом, пирожков с зубчиками), поверхность изделий смазана яйцом, посыпана маком, крошкой, сахарной пудрой.

Бараночные изделия выпекаются в виде колец и челночков. К ним относятся баранки, бублики, сушки — старинные русские изделия, без которых не обходилось ни одно чаепитие в будни и в праздники.

Сушки — маленькие тонкие колечки, почти не содержащие влаги. Баранки немного крупнее, большей влажности. Бублики крупнее и толще, влажность их еще выше.

Баранки и сушки представляют собой, по существу, хлебные консервы. Благодаря низкой влажности могут храниться долгое время, не теряя вкусовых качеств.

К хлебным консервам можно отнести и хрустящие хлебцы из ржаной и пшеничной муки. Такой сухой хлеб можно рекомендовать путешественникам, морякам, туристам, геологам. Он легче, компактнее, лучше выдерживает транспортировку, не может зачерстветь, изменить качество.

Бублики следует использовать свежевыпеченными.

Из пшеничной муки второго сорта пекут баранки сахарные и сушки простые, из первого сорта — бублики (украинские весовые и штучные, бублики с маком, тмином или кунжутом — штучные и бублики молочные), баранки (простые, горчичные, сахарные, молочные) и сушки (простые и соленые). Из муки высшего сорта выпекают баранки (ванильные, лимонные, сахарные с маком, розовые и сдобные) и сушки (простые, с маком, розовые, ванильные, горчичные и лимонные).

Долго могут храниться и известные с давних времен пшеничные и ржаные сухари, имеющие низкую влажность.

Сухари сдобные готовят из пшеничной сортовой муки. Муку второго сорта используют на сухари городские, первого сорта — сухари сахарные, кофейные, московские, дорожные, пионерские, муку высшего сорта — на сухари детские, любительские, сливочные, ванильные, славянские и др.

Сухари простые могут храниться длительное время, их готовят из ржаного или ржано-пшеничного хлеба, нарезанного ломтиками. Благодаря низкому содержанию влаги они пригодны к потреблению в любых температурных условиях, что является их ценным качеством.

Самые мелкие сухари — детские, самые крупные — рязанские, дорожные.

Хлебные палочки, соломку сладкую и соленую выпекают из муки высшего сорта с добавлением сахара, маргарина, растительного масла и дрожжей. Из муки высшего сорта с высоким содержанием клейковины готовят соломку киевскую, муки первого сорта — сладкую, соленую, ванильную. Поверхность соленой соломки посыпают солью, а киевской — маком.

Национальные сорта хлебобулочных изделий

Ассортимент хлеба в нашей стране в силу многонационального состава населения шире, чем в какой-либо иной стране мира. В союзных республиках существует исторически сложившийся ассортимент хлебобулочных изделий, разнообразный по форме и составу. В центральной части и северо-западных районах страны предпочитают ржаной и пшеничный хлеб, в восточных, южных и юго-западных — в основном пшеничный.

На территории РСФСР издавна большим спросом пользуются калачи — уральский, саратовский и другие, хлеб московский, ленинградский, орловский, ставропольский из ржаной, ржано-пшеничной и пшеничной муки.

На Украине очень популярны паляница, арнаут киевский, калач, булочки дарницкие, рогалики закарпатские.

Белорусские хлебные изделия в своем составе содержат

молочные продукты. Широко распространён подовый белорусский хлеб из смеси ржаной сеяной муки и пшеничной муки второго сорта, минский хлеб, белорусский калач, молочный хлеб, минская витушка и др.

Хорошей плотностью, чудесным сильным хлебным ароматом и ярко выраженным вкусом обладает молдавский серый пшеничный хлеб, выпекаемый из муки простого помола.

Полезный хлеб, в состав которого входят натуральное или сухое молоко, молочная сыворотка, выпекаемый в республиках Прибалтики. Из ржаной обойной и обдирной муки выпекают литовский и каунасский хлеб, рулет аукштайчу с маком, хлеб латвийский домашний, булочки рижские дорожные, высокосортное изделие светку-мейзе и др. Хлебопеки Эстонии создали новое изделие, содержащее молочные продукты,— валгаскую булку, которая отличается высокими вкусовыми качествами.

В республиках Средней Азии популярны всевозможные лепешки, чуреки, баурсаки. В Узбекистане благодаря вкусовым качествам и затейливому узору славятся лепешки гиджа, пулаты, оби-нон, катыр, сутли-нон, кульча. По форме и приготовлению близки и таджикские лепешки чаботы, нони-рагвани, лаваш, джуйбори, туркменские кулче, киргизские чуй-нан, колюч-нан и др.

В Армении из тончайших листов теста пекут знаменитый, древнейший из хлебов лаваш. Грузинские мастера издавна славятся выпечкой тандырного хлеба: мадаули, шоти, трахтинули, саоджахо, мргвали, кутхиани.

У азербайджанцев популярен чурек.

Такие высококачественные многообразные виды хлеба, булок, булочек и других изделий в праздник и будничный день может использовать многонациональное население страны.

Диетические сорта
хлебобулочных изделий

Диетические хлебные изделия для лечебного и детского питания — это продукты определенного химического состава. Готовят их по специально разработанным рецептурам. Для обогащения изделий полноценными белками, витаминами группы В, полинасыщенными жирными кислотами, липотропными веществами, йодом в рецептуру вводят морскую капусту, сухое обезжиренное молоко, отруби, соевую дезодорированную муку.

Бессолевой (ахлоридный) хлеб выпекают из муки первого сорта с использованием молочной сыворотки вместо воды.

Хлеб обдирной бессолевой. В его составе смесь муки ржаной обдирной и пшеничной первого сорта, замешанной на молочной сыворотке.

Хлеб зерновой «Здоровье» и хлеб барвихинский готовят

из смеси муки высшего сорта и грубо раздробленного зерна пшеницы. Можно подавать к первым и вторым блюдам.

Докторский хлеб выпекают из пшеничной и обойной муки.

Докторские хлебцы. В составе их пшеничная мука высшего сорта и пшеничные отруби с добавлением сливочного масла и сахара.

Хлебцы отрубные с лецитином пекут из пшеничной муки первого сорта и пшеничных отрубей с добавлением фосфатидного концентрата и сухого обезжиренного молока.

Булочки диетические с лецитином выпускают с теми же, что и хлебцы отрубные с лецитином, добавками из равного количества пшеничной муки первого сорта и соевой дезодорированной необезжиренной муки.

Сегодня в нашей стране нет такого места, где бы не выпекали хлеб. Его пекут и в больших, и в малых городах, рабочих поселках, в селах и деревнях, на далеких зимовках. Хлеб потребляют в любое время дня, в любом возрасте. Его едят в походных палатках, на сейнерах, в салонах самолетов.

Хлеб нужен всем. Он — неотъемлемая и важнейшая часть рациона питания космонавтов. Ни один космический полет не обходится сегодня без этого продукта. Хлеб всегда радовал космонавтов своим земным вкусом и ароматом. Для них разработаны и выпекаются в особой «космической» пекарне хлеб ржаной, рижский, пшеничный, бородинский, столовый. В первом завтраке — хлеб бородинский, во втором — медовая коврижка, на обед — хлеб столовый, к ужину — опять бородинский. Космические хлебцы выпекаются одной массы — по 4,5 грамма. Их упаковывают (по десять) в конверт из прозрачной пленки, стерилизуют и вкладывают во второй пакет полиэтиленовый, также прозрачный, края тщательно заваривают. Такой хлеб сохраняется свежим в течение шести месяцев. Он пользуется заслуженной любовью космонавтов.

●

РОЛЬ ХЛЕБА
В ПИТАНИИ ЧЕЛОВЕКА

Хлеб никогда не приедается, не надоедает — таково его удивительное свойство. Он является одним из главных продуктов питания многих народов мира. С хлебом организм получает белки, жиры, углеводы, витамины, минеральные соли, причем количество этих веществ колеблется в зависимости от его сорта.

Ежедневная норма потребления хлеба в различных странах составляет от 150 до 500 граммов на душу населения. Потребляя ежедневно 350 граммов хлеба, человек обеспечивает более чем на треть потребность в белках и углеводах, на 25—60 % — в витаминах, в значительной степени — в минеральных веществах.

Основную часть содержащихся в хлебе углеводов представляет крахмал, который связывает воду в процессе приготовления теста и удерживает ее во время выпечки хлеба, что оказывает влияние на свойства его мякиша. Разные виды хлеба содержат неодинаковое количество крахмала. Чем выше сорт муки, тем оно больше. Так, в пшеничном хлебе из низких сортов муки крахмала меньше, чем в хлебе из муки высшего сорта, в ржаном его несколько больше, чем в пшеничном того же сорта.

Как известно, к углеводам относится и клетчатка, которую содержит оболочка зерна. Чем больше очищают зерно от оболочек, тем белее мука (высший и первый сорт) и тем меньше в ней и хлебе, выпеченном из нее, клетчатки.

Клетчатка не усваивается, но ей принадлежит важная роль в пищеварении. Она усиливает перистальтику кишечника и способствует более быстрому прохождению пищи по желудочно-кишечному каналу. Поэтому исключительное потребление белого хлеба может снизить перистальтику кишечника.

Сахара́ оказывают заметное влияние на свойства теста и хлеба: они ускоряют или замедляют брожение теста, обусловливают окраску корки, форму готовых изделий. Пшеничный хлеб из муки низших сортов содержит больше сахаров, чем из муки высших сортов.

Благодаря содержанию крахмала и простых сахаров — главных поставщиков калорий — хлеб является высококалорийным продуктом.

Наибольшей калорийностью обладают хлебные изделия из муки высших сортов, которые имеют наименьшую влажность и содержат большое количество жира (сдобные сухари и т. п.).

Приводим калорийность некоторых сортов хлебобулочных изделий:

	Мука	Ккал на 100 г изделия
Ржаной формовой	Обойная	198
Ржаной подовый	Обойная	208
Ржаной подовый	Сеяная	220
Пшеничный формовой	Обойная	219
Булки городские	I сорта	267
Сдоба выборгская	Высшего сорта	258
Сухари сливочные	Высшего сорта	373
Баранки простые	I сорта	319

Белков в хлебе содержится от 4,7 % (ржаной формовой) до 8,3 % (сытный пшеничный, рожки и другие сорта). В составе белков, особенно ржаного хлеба из муки низких сортов, имеются незаменимые аминокислоты, однако среди них мало лизина. Чтобы повысить долю этой аминокислоты, в некоторые сорта добавляют обезжиренное молоко, пахту, сыворотку, богатые лизином. Очень полезно съесть кусок хлеба со стаканом молока, так как оно восполняет недостающие в хлебе пищевые компоненты и прекрасно с ним сочетается. Содержание белков в том или ином сорте хлеба зависит в основном от сорта муки. Например, в ржаном их меньше, чем в пшеничном.

Есть в хлебе и жиры: от 0,6 % в пшеничном формовом до 12 % в сдобном пшеничном. Содержание собственных жиров зависит от содержания их в зародыше зерна. Поэтому при очистке зерна от оболочек вместе с ними удаляется зародышевая часть и с нею жиры. Больше жиров в хлебе и во всех продуктах, приготовленных из пшеничной муки. Ржаная мука вообще содержит меньше жиров.

Витамины B_1, B_2, PP в основном находятся в оболочке зерна. Поэтому в муке высшего и первого сортов содержание их в два-четыре раза ниже, чем в муке грубого помола, значит и в хлебе из муки низших сортов витаминов гораздо больше, а наибольше их в хлебе из обойной муки.

Мука грубых помолов содержит ценные витамины группы Е. Они участвуют в обмене белков, оказывают положительное влияние на деятельность щитовидной железы, половых желез, благоприятно воздействуют на мышечную систему.

Большой набор в хлебе минеральных веществ: калий, кальций, магний, натрий, фосфор, сера, хлор, железо, медь, йод, фтор, марганец. Их содержание зависит от сорта муки: чем ниже он, тем богаче хлеб минеральными солями. Они, как известно, регулируют многие физиологические процессы в организме.

Ржаной хлеб особенно полезен детям и беременным женщинам, так как он богат солями железа. Необходимо знать и учитывать, что при потреблении пшеничного хлеба обеспечение организма минеральными веществами резко снижается.

Определяя пищевую ценность хлеба по химическому составу, учитывают и физиологическую его роль в питании. Так, усвояемость в значительной степени зависит от его вкуса, внешнего вида, аромата, консистенции. Если хлеб правильно приготовлен, с румяной нежной корочкой, привлекателен по виду, он возбуждает аппетит. Вкус и аромат во многом обусловливают состав и свойства муки, процессы, которые происходят во время приготовления хлеба. На вкус и аромат оказывают влияние также условия его хранения. От степени разрыхленности мякиша зависит пищевая ценность хлеба. Чем лучше он разрыхлен, нежнее мякиш, тем полнее усваивается.

Важно также время употребления хлеба, прошедшее после его выпечки.

Многие стремятся покупать свежий, даже горячий хлеб. Однако он не очень полезен. Он с трудом разжевывается, скатывается в комки, которые в желудке слабо пропитываются пищеварительными соками, и, значит, хуже перевариваются. Поэтому хлеб лучше есть спустя три-четыре часа после выпечки.

Хлеб не только сам хорошо усваивается, но и улучшает усвоение других видов пищи, повышает эффективность работы пищеварительных органов.

Однако, несмотря на все положительные свойства и качества, хлеб содержит недостаточно белков, а имеющиеся в нем бедны незаменимыми аминокислотами.

Недостаточно в хлебе солей кальция и целого ряда витаминов. Так, в нем отсутствует витамин С, мало B_1, недостаточно B_2. Чтобы повысить пищевую ценность, его обогащают недостающими веществами.

Пищевую ценность хлеба можно повысить составлением наиболее полного рациона питания: включением в него натуральных пищевых продуктов, богатых теми веществами, которых недостает в хлебе. Биологическая ценность повышается при сочетании его, например, с молоком, мясом, творогом, использовании в рационе продуктов растительного происхождения.

Значительно улучшают химический состав хлеба вводимые в него натуральные продукты. Содержание белка повышают за счет молока и молочных продуктов, при добавлении которых улучшается качество хлеба, особенно вкус и аромат.

В настоящее время в нашей стране вырабатывается свыше 100 сортов хлеба, в состав которых входят различные молочные продукты. Это хлеб полесский, молочный, белорусский, городской, батоны молочные, детские булочки «Октябренок» и «Зарница» и многие другие.

Около 75 % ежегодно вырабатываемого хлеба обогащается таким ценным продуктом, как молочная сыворотка, которая, кроме белка, содержит соли фосфора, кальция, витамины и другие полезные вещества.

Улучшает химический состав хлеба соевая мука, содержащая в четыре-пять раз больше полноценного белка, чем пшеничная.

Соевая мука входит в состав хлеба любительского, амурского, приморского, батонов амурских, булочек с лицитином и других сортов.

Требуется обогащение хлеба и минеральными солями. Оптимальное по физиологическим нормам, например, соотношение кальция и фосфора в пределах от 1:1,5 до 1:2. Чтобы этого достичь, хлеб обогащают кальцием, широко используя молоко и молочные продукты.

Обеспечить потребность в витаминах в значительной степени можно при потреблении сортов хлеба с высоким содержанием отрубей. К таким изделиям относятся белково-отрубной, зерновой, барвихинский, хлеб из целого зерна, эстонский хлеб «Виру» и др.

Какое же количество и какой хлеб лучше всего потреблять?

Количество зависит от возраста, массы тела, занятий, индивидуальных особенностей организма, количества и состава других продуктов, входящих в рацион питания. Например, людям, не занятым физическим трудом, можно съедать 300—350 г в день; для тех, кто занимается спортом, физическим трудом, норма потребления хлеба увеличивается на 10—15 %.

Ученые рекомендуют потреблять как ржаной, так и пшеничный хлеб. Однако здесь огромную роль играют вкусы и привычки, которые передаются от поколения к поколению. Например, трудно рекомендовать северянину есть только пшеничный хлеб, а человеку, выросшему на Кавказе,— ржаной. Поэтому можно дать такой совет: есть такой хлеб, какой больше по вкусу.

Но вот людям среднего и пожилого возраста не следует увлекаться изделиями с высоким содержанием сахара и жира. Им лучше потреблять пшеничный и ржаной хлеб в соотношении 3:1. Для питания страдающих различными заболеваниями или склонных к ним, выпекаются изделия специальных диетических сортов. Например, при заболеваниях почек, сердечно-сосудистой системы, пищеварительных органов следует потреблять хлеб бессолевой обдирной, ахлоридный, сухари и сушки ахлоридные, а больным сахарным диабетом, при ожирении, остром ревматизме врачи советуют включать в рацион изделия с добавлением белка, ксилита и сорбита (белково-отрубной, грузинский диабетический, булочки на сорбите и др.).

Люди пожилого возраста, а также те, кто страдает атонией кишечника, могут включать в рацион хлеб зерновой, барвихинский, хлебцы докторские, хлеб ржаной «Ругялис», приготовленные с добавлением дробленого зерна и отрубей. Для нормализации обменных процессов при ряде заболеваний, связанных с их нарушением, эффективным лечебным и профилактическим средством являются хлебные изделия с добавлением лецитина (хлеб и батоны амурские, хлебцы диетические отрубные с лецитином, булочки диетические с лецитином, рогалики «Здоровье», в состав которых входят пшеничные отруби, соевая мука и другие вещества). Их можно рекомендовать при атеросклерозе, ожирении, болезни печени, нервном истощении.

Изделия с добавлением морской капусты можно использовать в лечебном питании при заболевании щитовидной железы, сердечно-сосудистой системы, а также в профилактических рационах для людей пожилого возраста. Например, хлебцы и булочки диетические отрубные с лецитином и морской капустой.

Восполнить недостаток йода, особенно в районах, где его недостает, можно, добавляя в тесто порошок морской капусты или йодистый калий (хлеб ржаной с морской капустой).

Тем, у кого повышенная кислотность желудочного сока, рекомендуются булочки с пониженной кислотностью. При язвенной болезни желудка и двенадцатиперстной кишки, при гастритах и заболеваниях печени, желчных путей в стадии обострения полезен хлеб пшеничный из муки второго сорта (арнаут, хлеб киевский), ржаной из сеяной и обойной муки, докторский хлеб после суточной выдержки. При этом полезнее употреблять вчерашний или слегка подсушенный хлеб, ибо он легче переваривается и усваивается. Но и черствый хлеб, пролежавший двое-трое суток, не полезен: он плохо пропитывается соками и хуже переваривается.

Приготовление диетических хлебных изделий для лечебного и детского питания осуществляется по специально разработанным рецептурам под наблюдением врачей-диетологов.

Как видим, хлеб — не только один из основных продуктов питания, но и помощник врачей-диетологов. Для каждой диеты рекомендован специальный сорт хлеба:

Номер диеты	Сорт хлеба
1, 8, 9	Хлеб белково-пшеничный
1, 2, 8, 9	Хлеб белково-отрубной
7—10	Хлеб ахлоридный
2	Хлеб «Здоровье»
1, 8, 9	Сухари белково-пшеничные
8, 9	Хлеб белково-высевной
1, 5	Булочки пониженной кислотности
1	Булочки молочные
1, 5	Сухари пониженной кислотности
1	Булочки с повышенной калорийностью
9	Булочки для диабетиков
9	Сайки формовые для диабетиков
8, 9	Рогалики творожные
8	Рогалики «Здоровье»
5, 7, 8, 10	Булочки диетические с лецитином
7, 10	Сушки ахлоридные
1, 2, 7, 10	Сухари ахлоридные

Но прежде чем использовать диетический хлеб в лечебном питании, следует обратиться к лечащему врачу за более точными рекомендациями с учетом особенностей заболевания и состояния организма.

ПРИГОТОВЛЕНИЕ ХЛЕБА
В ДОМАШНИХ УСЛОВИЯХ

В нашей стране изобилие хлеба и хлебобулочных изделий. Хлеб постоянно присутствует на нашем столе и в будни и в праздники, сопровождает нас в дальних походах, путешествиях. Изобилие хлеба и доступность его — это одно из величайших завоеваний советского народа.

Мы привыкли к хлебу, купленному в булочных. Но ведь может случиться так, что нам самим понадобится испечь хлеб.

Представьте, что вы оказались вдали от населенных мест, в дальнем туристическом походе, в экспедиции или в строящемся таежном поселке, где нет еще пекарни. Или захотите порадовать свежеиспеченным хлебом, булкой или праздничным караваем гостей.

Хлеб испечь под силу каждому. Женщины старшего поколения в большинстве умеют готовить хлеб, особенно в селах. Но молодое поколение хозяек не знают, как испечь обычный хлеб, булку, каравай.

Для тех, кто захочет выпечь хлеб в домашних условиях, приводим советы по его приготовлению. Но сначала следует познакомиться с особенностями продуктов, используемых для приготовления хлеба.

Хлеб готовят из пшеничной и ржаной муки. Пшеничную муку выпускают пяти сортов: крупчатка, высший, первый, второй и обойная.

Мука одного сорта, но полученная при разных типах и способах помола, существенно отличается качеством: цветом, зольностью, содержанием белков, и, следовательно, хлебопекарными свойствами.

Самым ценным сортом пшеничной муки является *крупчатка*. Ее получают из смеси зерна стекловидных сортов мягкой и твердой пшеницы. Эта мука отличается низкой зольностью (0,6 %) и высоким выходом клейковины (30—35 %). Цвет крупчатки белый с желтым оттенком.

Муку высшего сорта получают из зерна стекловидных и полустекловидных сортов мягкой пшеницы. Как и крупчатка, она имеет высокое содержание белков и крахмала. Цвет муки белый с легким желтоватым оттенком.

Мука первого сорта — продукт переработки зерна полустекловидных сортов мягкой пшеницы. По размеру частичек она менее однородна, чем мука высшего сорта. Цвет белый с желтым оттенком, но по сравнению с мукой высшего сорта несколько темнее. Этот сорт пшеничной муки наиболее распространенный. Из крупчатки, муки высшего и первого сортов лучше всего выпекать булки, пироги, сдобные изделия.

Муку второго сорта получают из зерна мягкой пшеницы. Она состоит из неоднородных и более крупных частиц, чем мука первого сорта. Цвет белый с серым оттенком. Мука имеет высокую зольность и низкое содержание клейковины.

Обойную муку получают из зерна мягкой пшеницы без отделения отрубей. Она состоит из сравнительно крупных неоднородных частиц, цвет сероватый.

Для столовых сортов хлеба лучше использовать пшеничную муку второго сорта.

Ржаную муку вырабатывают трех сортов: сеяную, обдирную и обойную.

Лучшим сортом является *сеяная мука,* которая имеет белый цвет и невысокую зольность. *Обдирная* отличается серовато-белым цветом. Низшим сортом является *обойная* мука, которая содержит до 25 % отрубей и имеет серовато-белый цвет.

Качество муки определяют по цвету, вкусу, запаху, хрусту при разжевывании, влажности, крупности помола, содержанию примесей, зараженности вредителями и другим показателям.

Чем тоньше помол, тем белее мука. Нельзя использовать муку, которая имеет посторонние запахи (плесени, затхлости и пр.), привкус горечи и кислоты, хруст. Влажная мука быстро самосогревается, прокисает, слеживается.

Крупность помола определяют просевом через сито. Муку тонкого помола называют мягкой, она быстрее набухает и образует тесто.

Важнейший фактор, характеризующий технологические свойства муки,— содержание и свойства клейковины.

Качество клейковины на хлебозаводах определяют по ее растяжимости, способности сохранять после отмывания форму и не расплываться.

Клейковину и муку делят на «сильную», «среднюю» и «слабую». «Сильная» клейковина после отмывания сразу образует эластичный комок, растяжимость ее хорошая, в течение 20—30 мин она не расплывается. «Слабая» быстро теряет упругость, легко растягивается, вскоре после отмывания расплывается.

Важное значение имеет способность муки поглощать воду. Она характеризуется количеством воды, поглощаемым мукой при образовании теста нормальной консистенции. Чем выше «сила» муки, тем больше она поглощает воды.

«Слабая» мука поглощает меньше воды, тесто из нее плохо удерживает газы, изделия получаются низкого качества.

Из «средней» муки можно испечь хороший каравай.

«Сильная» мука содержит больше белков, качество клейковины выше и хлеб из нее получают высококачественный. Эта мука может быть улучшателем других видов. Если к «слабой» подмешать 20—30 % «сильной» муки, то хлеб будет хорошего качества.

Эти качественные показатели важны для выпечки хлеба. Например, из 100 кг муки с низкими технологическими свойствами можно выпечь 91 кг хлеба, а из «сильной» — 115 кг питательного и очень вкусного хлеба.

В продажу мука поступает с нормальными хлебопекарными свойствами. Если же у вас возникнет желание в домашних условиях оценить муку, сделать это можно простейшими способами.

Взяв небольшое количество муки в руку, можно ощутить влажность ее. По запаху определяют ее свежесть. Чтобы запах ощутить сильнее, следует согреть муку в руке дыханием или растереть в фарфоровый ступе с теплой водой. После этого положить щепотку согретой (или пробу из ступки) муки в рот, пережевывая ее, определить вкус. Хорошая мука должна иметь нежный приятный сладковатый вкус. У недоброкачественной он горьковатый неприятный. По тягучести (ощущению на языке) можно судить о содержании клейковины.

Кроме муки, для приготовления теста нужны дрожжи, которые обеспечивают брожение теста и разрыхление хлеба. Прессованные дрожжи хорошего качества должны быть плотными, легко ломаться, иметь приятный.спиртовой запах. Хранить их рекомендуется в холодильнике при температуре 2—4 °С. В таких условиях они хорошо сохраняют бродильные свойства в течение двух недель.

Дрожжи должны быть всегда свежими. Если же они долго лежали, их можно попытаться обновить: добавить ложку теплой воды и растереть, затем добавить чайную ложку сахара. Если через 10 мин они начнут пузыриться, значит ожили. Темные, неожившие кусочки отобрать и выбросить. Возобновленных дрожжей для выпекания хлеба надо брать почти вдвое больше, чем свежих. На один килограмм муки и других компонентов теста следует использовать не меньше 35 и не больше 50 г дрожжей в зависимости от их качества.

Жидкость для замеса теста должна состоять, как минимум, из полстакана воды для разведения дрожжей. Остальное количество жидкости может состоять из воды, молока, сметаны, сыворотки, пахты, кефира, смешанных в любых пропорциях.

В хлебном изделии могут быть использованы жиры животного и растительного происхождения. Лучше растительное масло, а также сливочное, бараний жир, свиное и говяжье сало. Если жиры твердые, то их перед введением в тесто следует растопить. Жиры, как и жидкости, можно смешивать между собой в любых пропорциях.

Для получения ржаного и пшеничного хлеба хорошего качества необходимо в тесто добавлять небольшое (от 1 до 1,5 % массы муки) количество соли, которая не только придает изделиям определенный вкус, но и улучшает свойства теста и качество хлеба. Соль и сахар перед введением растворяют в воде. Для приготовления некоторых сортов хлебобулочных изделий используют яйца, пряности (перец, тмин, кориандр, лук, анис), равномерно распределяя их в тесте. Важно соблюдать пропорции: все сухие, нерастворимые, добавки — сыр, творог, пряности — вместе не должны превышать по объему полстакана на каждые два стакана жидкости в составе теста, иначе оно будет плохо подниматься. Чтобы тесто не было сухим, истонченным, количество жира не должно превышать полстакана на каждый стакан жидкости (воды, молока). Молоко придает тесту пышность, мягкость, эластичность и упругость, однако им не следует злоупотреблять, то есть его всегда должно быть меньше, чем воды, или столько же, чтобы хорошо пропекалось тесто.

Зная, как оценить качество муки для приготовления хлеба, в каких пропорциях ее лучше использовать, можно приготовить и тесто.

Приготовление ржаного хлеба. Для теста из ржаной муки характерны высокая вязкость, пластичность и малая способность к растяжению, низкая упругость.

Чтобы замесить тесто для ржаного хлеба необходимо приготовить закваску. Ржаную муку следует просеять, насыпать в кастрюлю, добавить теплую (28—30 °С) воду, в которой предварительно развести дрожжи. Массу тщательно перемешать, накрыть и поставить в теплое место. Закваска должна бродить в течение суток, после чего ее нужно обновить, то есть добавить муку, воду и оставить бродить на 4—5 ч. На закваске приготовить опару и тесто.

Чтобы приготовить 500 г такой закваски, берут 1,5 стакана муки, 1 стакан воды и 2,5 г прессованных дрожжей. При регулярной выпечке ржаного хлеба часть закваски можно сохранять для следующих замесов. Для этого 500 г приготовленной закваски делят на две равные части, затем к оставляемой добавляют 450 г муки, 0,35 л воды и тщательно перемешивают, поверхность посыпают мукой и ставят на холод (холодильник, погреб).

Оставленную для хранения закваску следует периодически обновлять и чем чаще, тем лучше и стабильнее будет ее качество.

Если закваску хранят длительное время, поверхность ее посыпают мукой и солью. Густая закваска на холоде может храниться три-четыре дня, а затем ее освежают, то есть добавляют к ней муку и воду (на 1 часть муки 0,7 части воды) и перемешивают.

Хорошо приготовленная закваска имеет приятный спиртовой запах и кисловатый вкус. Ее можно также приготовить из остатков хлеба. Кусочки черного хлеба замочить и поставить в теплое место, чтобы они закисли. На этой закваске замешивают жидкое тесто из ржаной муки и ставят для брожения в теплое место.

К той части, которая будет расходоваться, добавляют 500 г муки, 0,5—0,55 л воды при температуре 30—32 °С и тщательно перемешивают. Таким способом готовят опару. Ее накрывают чистой тканью и ставят в теплое место для брожения на 3—3,5 ч.

Чтобы замесить тесто, к готовой опаре добавляют 500 г муки, 15 г соли, хорошо вымешивают и оставляют для брожения в теплом месте на 1—1,5 ч. Готовое тесто делят на куски нужной величины, придают им шарообразную форму, укладывают на листы, смазывают растительным маслом и оставляют для расстойки на 40—60 мин.

Чтобы определить окончание расстойки, слегка надавливают на поверхность теста, если углубление исчезнет в течение нескольких секунд, то тесто можно сажать в печь (духовку). Выпекать следует при температуре 230—240 °С в течение 60—65 мин для хлеба массой 1,5 кг. Готовый хлеб вынимают из печи (духовки) и сбрызгивают водой, чтобы поверхность его стала глянцевой.

Иногда верхняя корка хлеба отстает от мякиша. Чтобы предупредить отставание ее, сразу после выпечки хлебы следует уложить близко один к другому и накрыть полотенцем. При этом тепло будет уходить медленно, и мякиш не отстанет от корки.

Приготовление пшеничного хлеба. Хлеб и булочки из пшеничной муки можно приготовить безопарным или опарным способом.

При *безопарном* способе замешивают тесто сразу из всех компонентов. Воду подогревают до 30 °С, добавляют соль, сахар, дрожжи, муку, можно жир и все перемешивают до получения однородной массы. Хорошо вымешанное тесто должно легко отделяться от посуды. Посуду с тестом накрывают и ставят в теплое место на 3—3,5 ч для брожения. Во время брожения его один-два раза обминают — кратковременное (2—3 мин) перемешивание теста.

При обминке из теста выделяется часть образовавшегося углекислого газа и оно насыщается воздухом, что оказывает благоприятное влияние на качество хлеба, пористость мякиша.

Готовое тесто делят на куски нужной величины, придают им необходимую форму, оставляют для расстойки, после чего выпекают.

На 1 кг муки необходимо взять 0,4—0,45 л воды, 20—30 г дрожжей, 10—15 г соли, по 20—40 г сахара и жира. Для сдобных изделий содержание сахара и жира превышает 100—140 г. Однако хлеб, приготовленный этим способом, уступает по качеству выработанному опарным способом.

Опарный способ состоит из двух операций: приготовление опары и приготовление теста.

Для приготовления опары берут около половины общего количества муки, смешивают с 2/3 количества воды, добавляют все количество дрожжей, предназначенное для теста. Замешанную опару ставят бродить при температуре 29—30 °C на 3,5—4 ч. При этом она увеличивается в объеме в 1,5—2 раза. Опара считается готовой, когда начинает оседать. Затем в нее добавляют оставшуюся муку, воду, соль, сахар, жир, месят тесто и ставят для брожения на 1,5 ч.

Из теста формуют хлебы и ставят на расстойку, после чего выпекают.

На 1 кг муки берут 10—15 г дрожжей, соль, сахар и жир — в таком же количестве, как и при безопарном способе.

В путешествиях, туристических походах опару можно приготовить на потухших углях костра (за ночь), замесить тесто и выпечь на сковородках лепешки (перепички).

Лепешки можно приготовить более быстрым способом. Для этого берут 0,5 кг муки, 0,25—0,3 л воды, 7—8 г соли и 5—6 г обычной питьевой соды. Растворить соль в воде, вылить в посудину, всыпать муку, соду и тщательно перемешать, сформовать из теста плоские лепешки массой 70—100 г. Лепешку уложить на смазанную жиром сковородку и выпечь на углях костра или на горелке печи в течение 15—20 мин, за 7—10 мин до конца выпекания перевернуть ее. Готовые лепешки сложить одна на другую и накрыть полотенцем. Такие лепешки быстро черствеют, поэтому их лучше всего использовать свежими.

В качестве жидкой основы для лепешек, кроме воды, используют молоко, кефир или другие молочные продукты.

Из 500 г муки можно приготовить 7 лепешек.

Что следует помнить. Перед замешиванием теста муку необходимо несколько раз просеять. Просеянная мука впитывает больше воздуха, что способствует увеличению пористости хлеба.

Прежде чем готовить тесто для хлеба, следует правильно рассчитать количество муки и воды. Если тесто замесить круто — хлеб потрескается, слабо — будет быстро черстветь.

При замешивании теста воду или молоко нужно вливать понемногу, тонкой струйкой, одновременно помешивая, тогда тесто будет без комков.

Дрожжевое тесто не будет прилипать к рукам при разделке, если ладони смазать растительным маслом.

Недосоленное тесто можно подсолить, если влить в него небольшое количество воды или молока с растворенной в них солью и тщательно перемешать.

Тесто поднялось высоко и вот-вот начнет опадать — пора готовить каравай в печь.

Чтобы тесто больше не подходило, нужно накрыть его хорошо смоченной в воде бумагой.

Чтобы определить, готова ли печь (духовка) для выпекания хлеба, следует бросить на под горсть муки: если мука почернеет, значит температура высокая, нужно повременить; если же мука только побуреет, значит время ставить хлеб в печь.

Ниже приведены рецептуры и способы приготовления некоторых сортов хлеба и булочных изделий из пшеничной муки.

Хлеб подовый из пшеничной муки можно приготовить опарным и безопарным способами.

При опарном способе 10 г прессованных дрожжей растворяют в 0,35 л теплой воды, всыпают 500 г просеянной муки, перемешивают и ставят для брожения. В готовую опару добавляют 500 г муки, 0,2 л воды, в которой предварительно растворено 12 г соли. После брожения из теста формуют хлебы круглой формы массой 1,55 кг, помещают на смазанный маслом лист и оставляют на расстойку в течение 40—45 мин, затем выпекают при температуре 220—230 °C за 50—60 мин.

Можно выпечь хлеб из его остатков. Остатки хлеба залить горячей водой и оставить для разбухания, после чего размять, чтобы не было комков, добавить дрожжи, соль, сахар, пшеничную муку и замесить тесто. Последующие приемы такие же, как в предыдущем рецепте.

Булки русские готовят безопарным или опарным способом. При безопарном способе на 1 кг муки берут 0,5 л воды, 20 г дрожжей, 15 г соли, 50 г сахара, замешивают тесто и ставят на брожение. Готовое тесто делят на кусочки массой 110 г, выделывают шарики и укладывают на смазанные растительным маслом листы, затем расстаивают 30—40 мин и в течение 12—15 мин выпекают при температуре 220—230 °C.

Булочки сдобные лучше готовить опарным способом. Для опары следует взять 500 г муки, 30 г прессованных дрожжей, 0,15 л воды и 0,15 л молока. Опара бродит на протяжении 4—4,5 ч, а затем на ней замешивают тесто, добавляя 500 г муки, 10 г прессованных дрожжей, 10 г соли, 260 г сахара, 150 г маргарина, 3 яйца и 0,2 л воды. Тесто ставят для брожения на 2—2,5 ч, после чего формуют шарики массой 110 г, укладывают на смазанные жиром листы и оставляют на 60—80 мин. Перед выпечкой поверхность булочек смазать яйцом. Выпекают в течение 25—30 мин при температуре 200—220 °C.

Сувенирный каравай готовят к праздничному столу: свадьбе, дню рождения, юбилею. Тесто готовят опарным способом. На один каравай берут 1,5 кг муки, половину этой нормы используют для опары, добавляют 30 г дрожжей, 0,3 л молока, 0,1—0,2 л воды. Опара бродит 4—4,5 ч при температуре 28—30 °C. Затем в нее всыпают 750 г муки, 20 г соли, 150 г сахара, вмешивают 100 г маргарина, 2 яйца, 0,2—0,3 л воды и ставят в теплое место для брожения на 80—90 мин. Из готового теста формуют заготовку массой 2,2 кг круглой формы.

Каравай можно оформить различными фигурами в виде цветов, листьев, колосьев. Заготовку помещают на смазанный маслом лист и оставляют для расстойки на 30—40 мин. Перед выпечкой поверхность смазывают яйцом. Выпекают в духовом шкафу или печи при температуре 190—210 °C в течение 85—95 мин.

Как украсить каравай? Для изготовления цветов можно использовать недрожжевое тесто. Из него раскатать плоскую ленту длиной 12—15 см и шириной 2 см, затем сделать параллельные надрезы с одного края глубиной 2 см. Свернуть ленту и закрепить на каравае, подрезать ее концы, из которых и образуются лепестки.

Из такого же теста можно вырезать «листья», сформовать жгуты, которым затем придать форму колосьев. Перед посадкой в печь листья и жгуты для колосьев смазать яйцом и надрезать. Можно из жгутов теста длиной примерно 75 см сплести косичку и уложить ее у основания каравая после отделки и расстойки его.

Сувенирный каравай

Каравай должен быть нарядным, красивым, хорошо выпеченным и вкусным.

Пампушки вместо хлеба. Приготовить опарное дрожжевое тесто, сформовать шарики массой 30 г, уложить на смазанную маслом сковороду и оставить для расстойки. Затем поверхность их смазать яйцом и выпечь в течение 7—8 мин. Можно подавать к первым блюдам, борщу украинскому.

●

КАК СОХРАНИТЬ СВЕЖЕСТЬ ХЛЕБА

Свежесть хлеба — важный показатель его качества, поэтому сохранение ее является первостепенной задачей.

Купленный в булочной или выпеченный в домашних условиях хлеб в процессе хранения при обычной температуре (15—20 °C) примерно через 10—12 ч начинает черстветь.

Черствение — это естественное старение хлеба, которое, с одной стороны, связано с усыханием его (потеря части влаги), с другой — со сложными физико-химическими, коллоидными и биохимическими процессами.

Как же замедлить черствение хлеба?

В хлебопечении применяются наиболее рациональные способы и режимы технологического процесса, сырье и специальные добавки (молоко, молочная сыворотка, патока и др.), разрабатываются упаковочные материалы.

Если упаковать хлеб сразу после выпечки в полимерные пленки и специальную бумагу, то через 3—4 суток он будет в три раза мягче, чем незавернутый.

В нашей стране для упаковки хлеба используют пленку из полиэтилена высокого давления. Она морозостойкая (выдерживает температуру до —70 °C), стойкая к кислотам, щелочам и органическим растворителям, эластична, паронепроницаема.

Запатентован способ выпекания хлеба в целлюлозной пленке. В пакет из такой пленки помещают столько теста, чтобы 3/4 его объема оставалось свободным. Во время выпекания тесто заполняет свободное пространство. Хлеб, выпеченный таким образом, сохраняет свежесть в течение 5—7 суток.

Во Всесоюзном научно-исследовательском институте хлебопекарной промышленности испытана съедобная пленка. Состоит такая пленка из пищевого желатина, глицерина, уксусной или лимонной кислоты, воды, сахара. В нее можно упаковывать мелкоштучные булочные изделия в горячем и в холодном виде.

Скорость черствения, как установлено, зависит от температуры. Быстрее хлеб черствеет при температуре от +20 до —7 °С и не черствеет, если хранить его при температуре +60 или —30 °С. Учитывая эти факторы, используется еще один способ сохранения свежести хлеба — замораживание его.

Замораживание мелкоштучных булочных изделий происходит при —30 °С с последующим хранением при температуре —18 °С. Они сохраняют свежесть, вкус и аромат свеже-выпеченных.

В домашних условиях свежесть хлеба можно сохранить при температуре 20—25 °С. Хлеб из ржаной муки сохраняется с момента его выпечки в течение 36 ч, из пшеничной — 24 ч, мелкоштучные изделия массой 200 г и менее — 16 ч. Соломка соленая и сладкая может храниться до трех месяцев, киевская — до месяца, сухари — от месяца (сдобные, с большим содержанием жира) до года (простые). В сухарях, хрустящих хлебцах и сушках черствение почти не происходит, а в баранках идет медленнее, чем в хлебе.

Хранить хлеб и булочные изделия непродолжительное время можно в пакетах из полиэтилена или в специальных хлебницах, в которых они хорошо сохраняют свежесть в течение одного-двух дней.

Если хлебобулочные изделия еще теплые, полиэтиленовый пакет и хлебницу надо держать открытыми, а после остывания закрыть. Класть хлеб следует на нижнюю корку, чтобы он не деформировался и не так быстро зачерствел, так как верхняя корка менее паропроницаемая.

Не реже одного раза в неделю из хлебницы следует удалять хлебные остатки — кусочки, ломтики, крошки, протирать ее слабым 1—2%-ным раствором уксуса или питьевой соды, а затем хорошо просушивать. Желательно ржаной и пшеничный хлеб хранить раздельно, так как белый хлеб легко воспринимает запах черного и теряет вкус.

Баранки, сушки и сухари нужно хранить отдельно от хлеба и булочных изделий. При совместном их хранении баранки, сушки и сухари теряют хрупкость, размягчаются, а хлеб быстрее черствеет.

При хранении в полиэтиленовых пакетах их также время от времени необходимо промывать теплой водой и хорошо просушивать или же часто менять.

Если в хлебницу поместить разрезанное яблоко, кусочек очищенного картофеля или немного соли, хлеб будет черстветь медленнее.

Для хранения хлеба можно использовать разнообразные хлебницы, которые выпускает местная промышленность: металлические, пластмассовые, деревянные, последние наиболее пригодные.

Деревянные хлебницы часто украшают рисунками и орнаментом в национальном стиле и они не только хорошо сохраняют свежесть хлеба, но и украшают кухню или столовую.

При хранении в берестяных хлебницах он остается свежим в течение нескольких суток.

Не следует держать хлеб в темном сыром месте, в холодильнике, так как он поглощает влагу и быстро плесневеет.

Как хранить хлеб, вы ознакомились, а теперь будет полезно узнать, как обращаться с ним.

Всегда ли мы относимся к нему так, как он того заслуживает? К сожалению, далеко не всегда.

Уже известно, сколько хлеб может храниться и какие условия для этого необходимы, поэтому при покупке его следует помнить об этом и брать столько, сколько потребуется для семьи на день-два.

Не рекомендуется в магазинах самообслуживания свежесть хлеба определять руками — это негигиенично и свидетельствует о недостатке культуры. Для этого нужно пользоваться специальными вилками или ложками, которые всегда имеются на прилавках.

При покупке хлеба ни в коем случае не следует класть его в сумку с другими продуктами — овощами, мясом, рыбой, подвергая себя опасности инфекции, заворачивать в газету, «обогащая» его типографской краской. Купив хлеб, необходимо поместить его в чистый полиэтиленовый пакет, желательно отдельно черный и белый.

Носить хлеб в хозяйственной сумке без упаковки не рекомендуется, поскольку он легко впитывает своей поверхностью влагу, пыль, посторонние запахи, споры микроорганизмов.

Для нарезания хлеба нужно иметь специальный нож, который всегда должен быть остро заточенным. Не следует нарезать его навесу, как иногда это делают опытные хозяйки в деревнях. Безопаснее и удобнее нарезать его тонкими аккуратными ломтиками на чистой деревянной доске. Лучше режется хлеб слегка зачерствевший. Чтобы нарезать очень свежий хлеб тонкими ломтиками, нужно нагреть нож, опустив его на минуту в кипяток.

Батоны удобнее нарезать поперек с небольшим наклоном (наискось). Формовой хлеб надо сначала разрезать вдоль на две половинки, а затем нарезать поперек тонкими ломтиками. Так же рекомендуется разрезать на две половинки и большие подовые изделия — круглые караваи ржано-пшеничных сортов хлеба, паляницы, хлеб красносельский и др.

Такие национальные изделия, как лепешки, лаваш, чуреки и другие, резать ножом не принято. Их разламывают на части заранее, а затем подают к столу.

При резке хлеба непременно остаются крошки, которые не следует выбрасывать. Если их собрать за неделю, то будет достаточно, чтобы прокормить птицу. «Крошки — тоже хлеб» — утверждает пословица датчан.

В знак особого уважения к хлебу и труду тех, кто его производил, в русских деревнях, украинских селах, в кавказских аулах и селениях, прибалтийских хуторах — всегда во время еды бережно собирали хлеб до самой маленькой крошки.

Подготавливая хлеб к подаче, необходимо помнить, что тонкие ломти черствеют очень быстро, поэтому не следует нарезать полностью батон или буханку. Для взрослого члена семьи на завтрак, обед и ужин достаточно трех ломтей хлеба, а если потребуется больше, можно его нарезать во время еды.

При сервировке стола нарезанный ломтиками хлеб подают на блюде, плетеной тарелке или подносе. Желательно, чтобы ломтики были аккуратно уложены: ступенчатой горкой, веером, спиралью и т. п. Перед едой блюдо или поднос с хлебом следует поднести каждому гостю. Хлеб берут руками, а не накалывают на вилку.

Хлебницы

Неэстетично во время еды вытирать хлебом губы. Есть его следует, отламывая от ломтя небольшие кусочки.

Бутерброды с сыром, мясом или колбасой кладут на свою тарелку и едят, отрезая ножом и пользуясь вилкой.

Не следует покупать хлеба больше, чем может понадобиться. Недопустимо хлебом вскармливать скот!

По отношению к хлебу можно определить и уровень культуры, и гражданскую позицию каждого конкретного человека и общества в целом.

Если же случилось так, что хлеб все-таки зачерствел, нельзя его выбрасывать. Черствый хлеб можно освежить, сделать его снова аппетитным и вкусным. Для этого батон или буханку черствого хлеба сбрызнуть водой и поместить в духовку, нагретую до температуры 150—160 °С на 3—5 мин.

Можно поступить еще и так: в кастрюлю налить немного воды, поставить на дно решетку (вода должна быть ниже уровня решетки), на нее положить нарезанный ломтиками черствый хлеб, кастрюлю закрыть крышкой и поставить на огонь, через 5—7 мин после того, как закипит вода, кастрюлю снять с огня. Хлеб снова станет мягким и ароматным. Его следует использовать сразу, так как уже через два—три часа он черствеет. Если хлеб очень черствый, его можно освежить таким же образом в течение 10—12 мин.

Черствый хлеб и булочные изделия будут вкуснее, если их обжарить в тостере или на сковороде. При этом на ломтиках образуется тонкая, хорошо окрашенная корочка, мякиш становится мягким и эластичным, улучшается его вкус и запах.

Из черствого хлеба можно приготовить много разнообразных вкусных блюд и изделий. Ниже приводятся рецепты таких блюд. Если ими воспользоваться, то черствый хлеб никогда не будет пропадать, а питание семьи будет разнообразнее и дешевле. И самое главное — мы сбережем наше общее богатство — хлеб.

* * *

Выход блюд по описанным рецептам рассчитан на семью из четырех человек.

●

ЗАКУСКИ

Закуски входят в состав завтраков, ужинов, их подают и перед обедом. При их приготовлении можно широко использовать черствый хлеб, который смягчает резкий вкус некоторых продуктов (сельдь, лук, сыр), разнообразит вкус блюд, обогащает углеводами, белками и, что особенно важно, витаминами B_1, B_2, PP.

Для большинства закусок хлеб подсушивают, поджаривают, натирают на терке или замачивают в воде или молоке.

Оформляют закуски теми же продуктами, которые входят в их состав. Листья салата, зелень петрушки, сельдерея используют как универсальное украшение. Закуски должны выглядеть красивыми, привлекать внимание и возбуждать аппетит.

Подают закуски в холодном, а некоторые в горячем виде.

ХОЛОДНЫЕ ЗАКУСКИ

САЛАТ «ЗАГАДКА»

250 г хлеба пшеничного черствого, 2 луковицы или 120 г зеленого лука, 2 яйца, 3 ст. ложки нарезанной зелени петрушки, $1/2$ стакана майонеза или растительного масла, соль по вкусу.

Хлеб и вареные яйца натереть на терке со средними отверстиями, добавить нашинкованный лук и петрушку, тщательно перемешать, заправить майонезом или растительным маслом, если есть необходимость — посолить.

САЛАТ «ВЕСНА»
С ХЛЕБНОЙ КРОШКОЙ

100 г хлеба ржаного, 200 г салата зеленого, 200 г редиса, 1 свежий огурец средней величины, $1/2$ стакана лука зеленого измельченного, 2 яйца, $3/4$ стакана сметаны, соль по вкусу

Хлеб натереть на терке. Крупно нарезать зеленый салат; вареные яйца, редис и огурцы нарезать тонкими пластинками, лук нашинковать. Все продукты перемешать и заправить перед подачей солью и сметаной. Украсить яйцом и хлебной крошкой.

САЛАТ ЛЕТНИЙ
С ХЛЕБНОЙ КРОШКОЙ

100 г хлеба ржаного, 2 помидора, 1 огурец, 100 г редьки, 1 луковица, 1 яйцо, 2 ст. ложки масла растительного, уксус, перец молотый, соль по вкусу. Зелень для оформления

Хлеб натереть на терке. Помидоры, огурцы, редьку, лук репчатый, вареное яйцо нарезать ломтиками. Все продукты соединить, заправить маслом, солью, перцем и уксусом. При подаче украсить зеленью и входящими в состав салата продуктами.

САЛАТ АППЕТИТНЫЙ

300 г хлеба ржаного или пшеничного, черствого, 3 ст. ложки масла растительного, 1 луковица средней величины, 100 г сыра твердого, $1/4$ стакана зеленого горошка, перец молотый, соль по вкусу, зелень петрушки

Хлеб нарезать мелкими кубиками и слегка обжарить на растительном масле. Охладить и добавить мелко нарезанный лук, тертый сыр, зеленый горошек. Перемешать, заправить солью, перцем и растительным маслом. Уложить горкой и украсить входящими в салат продуктами и зеленью петрушки.

САЛАТ ОСТРЫЙ
ИЗ ХЛЕБА И ОВОЩЕЙ

200 г хлеба пшеничного, 1 морковь, $3/4$ стакана горошка зеленого консервированного, 1 луковица, 2 зубка чеснока, 3 ст. ложки растительного масла или майонеза, соль по вкусу

Хлеб нарезать кубиками и подсушить, нарезать кубиками вареную морковь и ломтиками лук. Чеснок потолочь в ступке. Все продукты соединить и смешать с горошком. Посолить и заправить растительным маслом или майонезом. При подаче украсить зеленью и маслинами.

КОКТЕЙЛЬ-САЛАТ
КАРТОФЕЛЬНЫЙ
С СЕЛЬДЬЮ И ХЛЕБОМ

100 г хлеба ржаного или пшеничного, черствого, 2—3 картофелины, $2/3$ стакана лука зеленого нарезанного, 2 сельди, 3 ст. ложки масла растительного, $1/2$ стакана майонеза, зелень петрушки

Хлеб нарезать мелкими кубиками и обжарить на растительном масле. Отваренный очищенный картофель и филе сельди нарезать мелкими кубиками. Зеленый лук нашинковать. Продукты уложить и оформить двумя вариантами.

I в а р и а н т: подготовленные продукты уложить горизонтально слоями в креманки или фужеры, распределив так, чтобы они оттеняли друг друга. Каждый слой полить майонезом. Сверху салат также полить майонезом и украсить входящими в его состав продуктами и зеленью.

II в а р и а н т: $1/3$ продуктов разложить вертикально слоями по стенкам креманки, а $2/3$ части их смешать, заправить майонезом и уложить горкой на слои продуктов. Сверху полить майонезом и украсить входящими продуктами.

КОКТЕЙЛЬ-САЛАТ
КАРТОФЕЛЬНЫЙ
С ГРИБАМИ И ХЛЕБОМ

100 г хлеба ржаного или пшеничного, черствого, 2—3 картофелины, $2/3$ стакана лука зеленого нарезанного, 1 стакан грибов соленых или маринованных, 3 ст. ложки масла растительного, $1/2$ стакана майонеза, зелень.

Украшения из овощей

Хлеб нарезать мелкими кубиками и обжарить на растительном масле. Отваренный очищенный картофель и промытые соленые или маринованные грибы нарезать мелкими кубиками. Зеленый лук нарезать. Приготовить и оформить салат в креманках или фужерах одним из вариантов, описанных в предыдущем рецепте.

КОКТЕЙЛЬ-САЛАТ
ИЗ ВЕТЧИНЫ
С СЫРОМ И ХЛЕБОМ

100 г хлеба ржаного или пшеничного, черствого, 100 г сыра твердого, 100 ветчины, 1,5—2 огурца свежих, 2 яйца, 50 г перцев болгарских маринованных, $3/4$ стакана майонеза, 50 г салата зеленого

Хлеб нарезать мелкими кубиками и обжарить на растительном масле. Сыр, ветчину, свежие огурцы, вареные яйца, маринованный перец нарезать кубиками или ломтиками. Салат зеленый нашинковать. Приготовить и оформить салат в креманках или фужерах одним из вариантов, описанных в предыдущем рецепте.

КОКТЕЙЛЬ-САЛАТ
ЯИЧНЫЙ
С ХЛЕБНОЙ КРОШКОЙ

100 г хлеба ржаного или пшеничного, 10 яиц, 3 соленых огурца, 2 луковицы, 1 ст. ложка горчицы столовой, 1 стакан майонеза, зелень петрушки

Черствый хлеб натереть на терке, сварить вкрутую яйца, огурцы очистить от кожицы и зачистить от семян. Яйца, огурцы, репчатый лук мелко нарезать, добавить готовую горчицу, майонез. Перемешать и выложить в креманки или фужеры. Сверху полить майонезом, посыпать хлебной крошкой и украсить входящими продуктами и зеленью.

ИКРА ИЗ ХЛЕБА И ЧЕСНОКА

(болгарская кухня)

250 г хлеба пшеничного, черствого, 3 средних головки чеснока, 30 грецких орехов, 3 ст. ложки растительного масла, сок $1/2$ лимона или 1 ст. ложка уксуса столового 9%-ного, 15 маслин, соль по вкусу

Растереть чеснок с солью, добавить измельченные ядра орехов и снова растереть. Замоченный в воде хлеб отжать и смешать с чесночно-ореховой массой. Смесь взбить деревянной веселкой, постепенно добавляя растительное масло. Заправить икру лимонным соком или уксусом. Украсить маслинами.

Салат «Весна» с хлебной крошкой

ИКРА ИЗ ХЛЕБА И ТЫКВЫ

200 г хлеба пшеничного, 800 г тыквы, 3 ст. ложки растительного масла, 3 ст. ложки томатного сока, 2 луковицы, уксус, соль, перец по вкусу.

Очищенную от кожицы и семян тыкву нарезать ломтиками, посолить и оставить на 20—30 мин, после чего обжарить на растительном масле с двух сторон до золотистой корочки. Прокипятить томатный сок до загустения. Нарезать репчатый лук. Пшеничный хлеб замочить в 3%-ном уксусе и отжать. Все подготовленные охлажденные продукты перемешать и пропустить через мясорубку, заправить солью, перцем и растительным маслом.

ИКРА ИЗ ХЛЕБА

200 г хлеба пшеничного или ржаного, черствого, 2 яблока, 2 луковицы, 2 ст. ложки масла растительного, 1 ст. ложка уксуса, соль по вкусу.

Салат аппетитный

Хлеб замочить в воде, свежие яблоки очистить от кожицы и семян. Репчатый лук нарезать и спассеровать на растительном масле. Хлеб отжать, смешать с подготовленными яблоками и луком, пропустить через мясорубку. Заправить растительным маслом, солью и уксусом.

ФОРШМАК
ИЗ БАКЛАЖАНОВ И ХЛЕБА

200 г хлеба пшеничного черствого, 2 баклажана средней величины, 1 луковица средней величины, 1 головка чеснока средней величины, 1 яблоко свежее, 1 яйцо, 2 средних помидора, 3 ст. ложки растительного масла, зелень петрушки, укроп, перец молотый, соль

Хлеб замочить в воде. Баклажаны испечь, очистить от кожицы и мелко нарубить. Лук, яблоко очистить и пропустить

Салат острый из хлеба и овощей

через мясорубку вместе с помидорами, сваренными вкрутую яйцами и отжатым хлебом. Полученную массу соединить с баклажанами, перемешать, довести до кипения, заправить солью, толченым чесноком, перцем и растительным маслом. Охладить. При подаче посыпать зеленью.

ФОРШМАК
ИЗ КАПУСТЫ
И РЖАНОГО ХЛЕБА

100 г хлеба ржаного, черствого, $1/2$ среднего кочана капусты, 1 средняя луковица, 1 помидор, 2 яйца, 1 кислое свежее яблоко, 3 ст. ложки растительного масла, уксус, перец молотый, соль по вкусу; помидоры, огурцы, зелень петрушки, укроп для украшения

Капусту без кочерыжек отварить в подсоленной воде, охладить, отжать и пропустить через мясорубку вместе с хлебом, луком, помидорами, подогреть. Добавить рубленые сваренные вкрутую яйца, измельченное на крупной терке яблоко, растительное масло, соль, перец, уксус. Массу вымешать. Подавать в охлажденном виде, украсив зеленью, помидорами, огурцами.

ЗАКУСКА
ИЗ РЖАНОГО ХЛЕБА
И СЕЛЬДИ

200 г хлеба ржаного, 2 средних сельди, 2 луковицы, 2 яблока, 2 ст. ложки растительного масла, 1 ст. ложка уксуса, 1 яйцо, зелень для оформления

Филе сельди пропустить через мясорубку вместе с репчатым луком, хлебом, предварительно замоченным в воде и отжатым. Массу перемешать, заправить уксусом, маслом. В селедочницу уложить нарезанное кусочками филе сельди (без кожи и костей), сверху выложить подготовленную массу, придав форму сельди. Украсить рубленым яйцом, нарезанными яблоками, луком, зеленью.

ЗАКУСКА ПО-ЕРЕВАНСКИ

200 г хлеба пшеничного, 2 сельди, $1/2$ стакана молока, 2 ст. ложки майонеза, 2 помидора, 2 ст. ложки тертого сыра, зелень петрушки

Вымоченное в воде или молоке филе сельди (без кожи и костей) пропустить через мясорубку с предварительно замоченным и отжатым хлебом, добавить майонез, перемешать, протереть через сито, взбить и выложить в селедочницу в форме сельди. Украсить дольками свежих помидоров, зеленью петрушки и посыпать тертым сыром.

Коктейль-салат из ветчины
с сыром и хлебом

ЗАКУСКА ТЮРЯ

200 г хлеба ржаного, черствого, 1 луковица, 2 ст. ложки растительного масла, соль по вкусу

Хлеб нарезать кубиками 1×1 см, нарезать ломтиками репчатый лук. Смешать, заправить солью и растительным маслом.

ФОРШМАК СЕЛЕДОЧНЫЙ
С ХЛЕБОМ

200 г булки, 200 г молока, 1 большая сельдь, 1 луковица, 1 яблоко, 1 яйцо, 3 ст. ложки растительного масла, 2 ст. ложки уксуса, 1 ст. ложка зелени нарезанной, перец по вкусу

Сельдь отделить от костей и кожи и вымочить в воде или молоке (соленую дряблую сельдь — в настое чая). Пропустить филе сельди вместе с предварительно замоченным в воде или молоке и отжатым хлебом, луком, яблоком. Заправить уксусом, перцем и растительным маслом. Выложить в селедочницу в фор-

Перец, фаршированный хлебными фаршами

ме сельди, украсить зеленью, рубленым яйцом и входящими продуктами.

СЕЛЬДЬ ПО-КИЕВСКИ
С ХЛЕБОМ

(украинская кухня)

200 г хлеба пшеничного, черствого, 1 крупная сельдь, 100 г сыра твердого, 1 стакан молока, $1^1/_2$ ст. ложки горчицы, 200 г сливочного масла, перец, зелень

Хлеб замочить в молоке. Сельдь отделить от костей и кожи, полученное филе пропустить через мясорубку вместе с отжатым хлебом. Полученную массу протереть через сито, добавить размягченное сливочное масло, твердый тертый сыр. Перемешать и заправить горчицей, перцем. Оформить в виде сельди или горки, украсить зеленью и сливочным маслом.

Огурцы, фаршированные хлебными
фаршами с яблоками и сельдью

ПОМИДОРЫ,
ФАРШИРОВАННЫЕ ХЛЕБНЫМ ФАРШЕМ
С ЯБЛОКАМИ И СЕЛЬДЬЮ

200 г хлебного фарша (см. с.207), 6 помидоров, 3 ст. ложки майонеза, зелень петрушки, укропа

Помидоры вымыть, срезать сверху часть мякоти, ложкой вынуть мякоть. Подготовленные помидоры зафаршировать хлебной начинкой с яблоками и сельдью, сверху полить майонезом и посыпать рубленой зеленью.

ОГУРЦЫ,
ФАРШИРОВАННЫЕ ХЛЕБНЫМ ФАРШЕМ
С ЯБЛОКАМИ И СЕЛЬДЬЮ

200 г хлебного фарша (см. с.207), 4 огурца, 3 ст. ложки майонеза, зелень петрушки, укропа

Свежие огурцы средних размеров промыть, очистить от кожицы, разрезать вдоль на две половинки, ложкой выбрать сердцевину и уложить на блюдо.
Подготовленные половинки зафаршировать хлебной начинкой с яблоками и сельдью. Сверху полить майонезом и посыпать зеленью.

ГОРЯЧИЕ ЗАКУСКИ

ПЮРЕ ИЗ ШПИНАТА
С ГРЕНКАМИ

300 г шпината, 1 стакан молока, 1 ст. ложка сливочного масла, 1 ч. ложка пшеничной муки, 1 ч. ложка сахара, $1^1/_2$ яйца, 80 г хлеба, соль, мускатный орех по вкусу

Листья шпината промыть и варить в бурно кипящей воде 5—10 мин, затем откинуть на дуршлаг, отжать от воды и протереть. Полученное пюре прогреть, добавить густой молочный соус (см. с. 194), соль, сахар, сливочное масло, мускатный орех. Все перемешать и довести до кипения. Подать, выложив горкой, посыпав рубленым яйцом. Вокруг горки уложить гренки из фигурно нарезанного хлеба, поджаренные на масле в яично-молочной смеси (см. с. 112).

ПЮРЕ ИЗ ШПИНАТА
С КРАПИВОЙ И ГРЕНКАМИ

По 200 г шпината и крапивы, 1 луковица, 2 ст. ложки сливочного масла, 1 ч. ложка муки пшеничной, 2 яйца, 80 г хлеба белого, $^1/_4$ стакана молока, $^1/_2$ ч. ложки сахара, перец, мускатный орех, соль по вкусу

Помидоры, фаршированные хлебным фаршем с яблоками и сельдью

Весеннюю крапиву или неогрубевшие верхушки летней крапивы с 4—5 верхними листочками промыть несколько раз холодной водой, затем погрузить в кипящую воду, проварить 3—5 мин и откинуть на дуршлаг, отжать и пропустить через мясорубку с крупной решеткой. Так же обработать свежий шпинат. Крапиву и шпинат смешать, добавить пассерованный лук и тушить в закрытой посуде 10—15 мин. Заправить солью, перцем, мускатным орехом. Добавить смешанную со сливочным маслом пшеничную муку и, помешивая, прогреть до загустения. При подаче пюре уложить горкой, посредине поместить сваренное «в мешочек» яйцо, а вокруг гренки (см. с. 112).

МОРКОВЬ
С ЗЕЛЕНЫМ ГОРОШКОМ
В МОЛОЧНОМ СОУСЕ С ГРЕНКАМИ

3 моркови, $^3/_4$ стакана горошка зеленого консервированного, 2 ст. ложки маргарина, 1 стакан молока, 1 ч. ложка муки пшеничной, 1 ст. ложка сливочного масла, 1 ч. ложка сахара, 80 г хлеба пшеничного.

Морковь, очищенную и нарезанную мелкими кубиками, припустить в воде с жиром до готовности. Горошек зеленый консервированный прогреть в отваре и откинуть на дуршлаг. Припущенную морковь соединить с готовым зеленым горошком, соусом молочным (см. с. 194), добавить соль, перемешать и довести до кипения. При подаче полить растопленным сливочным маслом или маргарином, вокруг уложить гренки (см. с. 112).

ЯЙЦА НА КРУТОНАХ
ПОД СОУСОМ

200 г хлеба пшеничного, 2 ст. ложки сливочного масла, 2 яйца, 50 г шпика, 1 помидор

Для соуса: 2 ст. ложки сливок, 2 желтка, 2 ст. ложки сыра твердого тертого, 1 ст. ложка вина десертного, перец молотый, соль по вкусу

Хлеб нарезать тонкими ломтиками, слегка обжарить на масле. Приготовить яичницу-глазунью. Шпик и дольки помидоров слегка обжарить. На ломтик хлеба положить шпик, помидоры, глазунью. Полить соусом и сразу подать к столу.

Для приготовления соуса сливки, желтки яиц, вино, тертый сыр смешать и, помешивая, прогреть до загустения на водяной бане. Заправить солью и перцем.

ЯИЧНИЦА-ГЛАЗУНЬЯ
С ХЛЕБОМ

200 г хлеба пшеничного или ржаного, 3 ст. ложки сливочного масла, 6 яиц, зелень, соль по вкусу

Хлеб нарезать тонкими ломтиками или кубиками и обжарить, сверху выпустить яйца так, чтобы желток не расплылся, посолить и поджарить до загустения белка. Подавать в горячем виде, посыпав мелко нарезанной зеленью.

ЯИЧНИЦА С ХЛЕБОМ И ЗЕЛЕНЫМ ЛУКОМ

(армянская кухня)

200 г хлеба пшеничного, 3 ст. ложки мелко нарезанного зеленого лука, 3 ст. ложки сливочного масла, 4 яйца, 2 ст. ложки сыра твердого или брынзы тертых, соль, перец по вкусу

Хлеб нарезать кубиками, перемешать с луком и обжарить на сливочном масле. Затем залить взбитыми подсоленными и поперченными яйцами, посыпать сыром или брынзой и запечь в духовке. Подать в горячем виде как горячую закуску.

ЯЙЦА ПО-УКРАИНСКИ

240 г (4 ломтика) хлеба пшеничного, 2 ст. ложки сливочного масла, $1/2$ стакана сыра твердого, 4 яйца, перец молотый, соль по вкусу

Хлеб нарезать ломтиками с углублением с одной стороны, намазать маслом и уложить на сковороду углублением кверху. Посыпать тертым сыром и в углубление выпустить осторожно яйцо. Посыпать сверху перцем, сбрызнуть растопленным маслом и запечь. Подать как горячую закуску.

●

БУТЕРБРОДЫ

Основой бутербродов является хлеб. В приготовлении их часто используют масляные смеси, описанные в разделе «Соусы».

На ржаном хлебе готовят бутерброды с продуктами, имеющими острый (кильки, сельдь) и слабовыраженный вкус (яйцо, неострые плавленые сыры)

Бутерброды можно использовать как самостоятельное блюдо, как закуску на завтрак, перед обедом или ужином, к супу, к чаю или кофе, брать с собой в походы, на пикники и т. д. Можно приготовить бутерброды, когда неожиданно приходят гости. Чтобы сделать красивые и вкусные бутерброды, нужно лишь продумать, каким образом, из каких имеющихся в доме продуктов достичь наилучших комбинаций.

Хорошо приготовленные бутерброды нравятся всем. Даже дети охотно съедают их с теми продуктами, которые они не очень любят. Внимание детей важно привлечь красивым оформлением блюд, поэтому бутерброды для них следует оформлять особенно ярко и привлекательно.

Продукты для бутербродов подбирают в соответствии с временем года. На один и тот же бутерброд можно класть несколько видов подходящих по вкусу продуктов. Если использовать гастрономические и кулинарные изделия или консервы, на приготовление бутербродов потребуется совсем немного времени, если же все составные части готовить самому, это увеличит объем работы.

Бутерброды бывают холодными и горячими, солеными и сладкими. Кроме того, их можно разделить на обыкновенные (или простые), калорийные, канапе (закусочные), слоеные, бутербродные рулеты, детские.

ПРОСТЫЕ БУТЕРБРОДЫ

Простые бутерброды удобны в повседневном потреблении. Готовить их несложно, особенно, если продукты заготовлены заранее. Хлеб нарезают прямоугольными или овально-округлыми ломтиками толщиной 1 см, длиной или диаметром 8 см. Сверху на них укладывают подготовленные продукты.

БУТЕРБРОДЫ СО СТУДНЕМ

200 г хлеба ржаного, 50 г сливочного масла, 150 г студня, 2 помидора

Ломтики хлеба намазать маслом. Сверху уложить тонкий ломтик студня, смазанный горчицей. Украсить ломтиками помидора.

БУТЕРБРОДЫ С КИЛЬКОЙ

200 г хлеба ржаного, 50 г яичного масла, 1 ч. ложка рубленого зеленого лука, 8—10 килек

Ломтики хлеба намазать яичным маслом, сверху положить очищенные кильки, посыпать рубленым зеленым луком.

БУТЕРБРОДЫ С КОПЧЕНОЙ РЫБОЙ

200 г хлеба ржаного или пшеничного, 4 ст. ложки майонеза, 150 г копченой рыбы, 1 помидор, зелень укропа, петрушки

Ломтики хлеба покрыть толстым слоем майонеза. Сверху положить кусочки очищенной копченой рыбы, ломтики помидора, украсить зеленью.

БУТЕРБРОДЫ С СЕЛЬДЬЮ

200 г хлеба ржаного, 50 г сливочного масла, 1 ст. ложка рубленой зелени (петрушка, укроп), $1/2$ филе сельди, лимонная кислота, соль

Ломтики хлеба намазать зеленым маслом, сверху положить ломтики сельди, посыпать рубленым зеленым луком или украсить кольцами репчатого лука.

Для зеленого масла промытые холодной водой листья зелени ошпарить кипятком, быстро охладить, подсушить, мелко нарубить, растереть с солью, лимонной кислотой и смешать с маслом.

БУТЕРБРОДЫ
С ЛУКОМ И ПОМИДОРОМ

200 г хлеба ржаного или пшеничного, 4 ст. ложки майонеза или сметаны, 2 луковицы, 2 помидора, соль, перец, зеленый лук

Ломтики хлеба смазать майонезом или сметаной, сверху уложить вперемешку тонкие ломтики помидора и лука. Посыпать специями и зеленью.

Бутерброды с ветчиной

БУТЕРБРОДЫ
СО ШПИКОМ

200 г хлеба ржаного, 20 г горчичного масла, 100 г шпика, 2 ч. ложки тертого хрена, зелень

Ломтики хлеба смазать горчичным маслом, сверху положить тонкие ломтики шпика и тертый хрен. Украсить зеленью.

БУТЕРБРОДЫ С ОГУРЦОМ

200 г хлеба ржаного или пшеничного, 30 г томатного масла, 1 свежий огурец, 1 ч. ложка рубленого укропа

Ломтики хлеба смазать томатным маслом, сверху уложить ломтики огурца. Посолить и посыпать рубленым укропом.

БУТЕРБРОДЫ
С ПОМИДОРОМ

200 г хлеба ржаного или пшеничного, 50 г сырного, ветчинного или сливочного масла, 4 помидора, соль, перец

Бутерброды с паштетом

Ломтики хлеба смазать маслом или масляной смесью, сверху уложить толстые ломтики помидора, посыпать солью, перцем.

БУТЕРБРОДЫ
С КОЛБАСОЙ

200 г хлеба ржаного или пшеничного, 100 г сливочного масла, 100 г колбасы вареной, $1/4$ соленого огурца, $1/4$ помидора свежего.

Ломтики хлеба смазать маслом, уложить ломтики колбасы, украсить ломтиками огурца и помидора.

БУТЕРБРОДЫ
С СЫРОМ

200 г хлеба ржаного или пшеничного, 100 г сыра, 30 г сливочного масла, 1 помидор или сладкий перец

Ломтики хлеба смазать маслом, сверху уложить ломтики сыра. Украсить ломтиком помидора или полосками сладкого перца.

БУТЕРБРОДЫ
С ЯЙЦОМ

200 г хлеба белого, 4 ч. ложки майонеза, 2 сваренных яйца, соль, зеленый лук или укроп

Ломтики хлеба смазать майонезом, сверху положить ломтики яйца, посолить и посыпать рубленым зеленым луком или укропом.

БУТЕРБРОДЫ
С ЖАРЕНЫМ МЯСОМ

200 г хлеба ржаного или пшеничного, 40 г горчичного или зеленого масла, 2—3 кусочка (40 г) свинины жареной, зелень петрушки

Ломтики хлеба смазать горчичным маслом (или зеленым), сверху положить кусочек свинины, рядом натертый хрен и украсить листиками петрушки.

БУТЕРБРОДЫ
С ПАШТЕТОМ ИЗ МАСЛИН

200 г хлеба пшеничного, 12 маслин, 30 г сливочного масла, 1 ч. ложка нарезанного зеленого лука, перец

Маслины без косточек протереть через сито, добавить размягченное сливочное масло, лук, перец. Полученную смесь взбить деревянной лопаткой и намазать на ломтики пшеничного хлеба.

БУТЕРБРОДЫ
С ВЕТЧИНОЙ

200 г хлеба ржаного, 30 г масла горчичного или с хреном, 100 г ветчины, $^1/_4$ соленого огурца или помидора

Хлеб смазать горчичным маслом или маслом с хреном. Сверху положить ломтик ветчины, украсить ломтиком огурца или помидора.

КАЛОРИЙНЫЕ БУТЕРБРОДЫ

Так называются бутерброды, обильно покрытые различными продуктами, которые по своей калорийности могут заменить завтрак или ужин. Их готовят из расчета на одного или нескольких человек. Для приготовления используют любой хлеб, нарезанный ломтями толщиной 1 см полуовальной, четырехугольной, круглой или треугольной формы. На один бутерброд обычно идет 75— 100 г хлеба, 15—20 г масла или майонеза и 75—150 г начинки. Калорийные бутерброды можно готовить и большие. Продукты на них укладываются слоями.

Подаются целыми на блюде, а перед едой разрезаются на отдельные куски.

БУТЕРБРОДЫ
С ЖАРЕНЫМ МЯСОМ И ХРЕНОМ

500 г хлеба ржаного, 25 г хренного или зеленого масла, 4—6 ломтиков (200—250 г) жареного мяса, 4—6 листиков салата зеленого, 2 ст. ложки тертого хрена, 1 ст. ложка сметаны, 2—3 ст. ложки салата овощного или мясного

Ломти хлеба намазать маслом, положить лист салата, ломтик жареного мяса, украсить смесью из сметаны, тертого хрена и любого мясного или овощного салата.

БУТЕРБРОДЫ
СО СТУДНЕМ

500 г хлеба ржаного, 30 г горчичного или хренного масла, 400 г студня, 1 луковица, 2—3 помидора, уксус, листья салата и петрушки

Ломти хлеба намазать горчичным или хренным маслом. Сверху уложить тонкий кусок студня, сверху — тертый лук или резаный зеленый лук, сбрызнуть уксусом, положить половинки помидоров. Украсить листьями салата и петрушки.

БУТЕРБРОДЫ
С ВЕТЧИНОЙ, ЯЙЦОМ И СЫРОМ

500 г хлеба, 20 г масла или маргарина, 200 г ветчины или нежирной колбасы, 150 г сыра, 3 яйца, 2—3 ст. ложки сметаны, 2 помидора или стручковых перца, 1 огурец, соль, перец, томат-пюре, листья салата или укроп

Ломти хлеба слегка поджарить на масле или маргарине. Ветчину или колбасу, сыр, круто сваренные яйца нарезать мелкими кубиками, смешать со сметаной, посолить, поперчить, добавить томат-пюре. Полученный салат уложить горкой на подготовленный хлеб, украсить ломтиками огурца, помидора или стручкового перца (сладкого), листьями салата, укропа.

БУТЕРБРОДЫ С КОТЛЕТОЙ

500 г хлеба ржаного, 30 г зеленого масла, 5 котлет, 2 соленых огурца, 2 ст. ложки тертого хрена, 2 ст. ложки сметаны, зелень петрушки

Ломти хлеба намазать зеленым маслом, сверху уложить котлету, разрезанную пополам, рядом положить кусочки соленого огурца и смешанный со сметаной тертый хрен. Украсить листьями петрушки.

Бутерброды с колбасой

БУТЕРБРОДЫ
С ПЕЧЕНОЧНЫМ ПАШТЕТОМ
И ОГУРЦОМ

500 г хлеба ржаного или пшеничного, 25 г сливочного масла, 250 г паштета печеночного, 1 огурец соленый

Ломти хлеба намазать маслом, сверху — паштетом и на него уложить ломтики огурца.

БУТЕРБРОДЫ
С МЯСОМ И ЯЙЦОМ

500 г хлеба, 20 г сливочного масла, 250 г жареного и отварного мяса, 1 луковица, 2 ст. ложки томат-пюре, 2 ст. ложки белого соуса, 4—6 яиц, соль, перец, горчица

Ломти хлеба смазать маслом и слегка поджарить на масле. Мясо и лук нарезать мелкими кубиками, смешать с соусом белым и томатом-пюре, заправить горчицей. Яйца поджарить, посолить и поперчить. На подготовленный хлеб уложить мясную смесь, а сверху яичницу. Украсить листьями петрушки.

БУТЕРБРОДЫ
С СЕЛЬДЬЮ ИЛИ КИЛЬКОЙ И ЯЙЦОМ

500 г хлеба ржаного, 20 г сливочного масла, 10 килек или 1 сельдь, 4—5 листьев салата, 5 яиц, 2 помидора, 2 ст. ложки зеленого нарезанного лука

Хлеб слегка поджарить на масле или намазать им, сверху уложить лист салата, на который с одной стороны положить сваренное без скорлупы яйцо, рядом — мелкие кусочки сельди или свернутые колечком кильки и ломтики помидора. Посыпать нарезанным зеленым луком.

БУТЕРБРОДЫ С КАРТОФЕЛЕМ,
СЕЛЬДЬЮ И ЛУКОМ

500 г хлеба ржаного, 30 г горчичного или яичного масла, 5 картофелин отварных, 1 сельдь, 1 луковица, зелень, помидор или сладкий перец.

Ломти хлеба смазать маслом, покрыть кусочками отварного картофеля, сверху уложить кусочки сельди, покрыть луком, нарезанным кольцами. Украсить зеленью укропа или петрушки, ломтиками сладкого красного перца или свежих помидор.

БУТЕРБРОДЫ
СО СВЕЖИМИ ОГУРЦАМИ

500 г хлеба ржаного или пшеничного, 30 г сливочного масла, 3—4 свежих огурца, 4 яйца, 1 стакан майонеза, зелень укропа

Ломти хлеба намазать маслом или слегка поджарить, уложить на них кусочки огурца, посыпать солью и покрыть ломтиками вареных яиц. Сверху аккуратно полить майонезом, посыпать мелко нарезанной зеленью укропа.

БУТЕРБРОДЫ
С РЫБОЙ И ХРЕНОМ

500 г хлеба ржаного, 30 г сливочного масла, 5 кусков по 50 г рыбы отварной, жареной или копченой, 3 ст. ложки тертого хрена, 3 ст. ложки сметаны, 2 помидора или моркови, красный сладкий перец, зелень петрушки, укроп, зеленый лук

Ломти хлеба поджарить на масле, сверху уложить большие куски вареной, жареной или копченой рыбы. Рядом положить тертый хрен, смешанный со сметаной, ломтики свежего помидора или отварной моркови, сладкого перца. Украсить нарезанным зеленым луком, зеленью петрушки, укропа.

БУТЕРБРОДЫ
С САРДИНАМИ И ЯИЧНИЦЕЙ

500 г хлеба белого, 30 г сливочного масла, 5—6 небольших сардин, 5 яиц, 10 редисок или 2 свежих огурца, зелень петрушки

Ломти хлеба намазать маслом, сверху положить яичницу, вокруг — ломтики огурца или редиса, по бокам — сардины. Украсить зеленью петрушки.

БУТЕРБРОДЫ С ТЕЛЯТИНОЙ
И ЗЕЛЕНЫМ САЛАТОМ

500 г хлеба белого, 30 г сливочного масла, 5 кусков телятины жареной по 50 г, 3 ст. ложки майонеза, 100 г салата зеленого, 2 соленых огурца, 2 ст. ложки варенья брусничного или рябинового, 3 ст. ложки сыра тертого, 2 помидора или 5—6 редисок.

Ломти белого хлеба поджарить на масле или маргарине, остудить и покрыть тонким слоем майонеза. На каждый ломтик положить вареную телятину. Сбоку уложить приготовленный салат. Украсить ломтиками свежего помидора или редиса, зимой — консервированными помидорами или сладким перцем.

Для салата: мелко нарезать зеленый салат и огурец, смешать с вареньем и тертым сыром.

БУТЕРБРОДЫ
С ЯЙЦОМ, ОВОЩАМИ И МЯСОМ

200 г хлеба ржаного, 30 г сливочного масла, 2 свежих огурца или помидора, 2 вареных яйца, 150 г жареного мяса или колбасы, 2 ст. ложки сметаны, 2 ст. ложки тертого хрена, салат зеленый, зелень петрушки и укропа.

На поджаренный или смазанный маслом большой ломоть хлеба уложить слой за слоем нарезанные кружочками огурец или помидор, яйца, листья салата, ломтики жареного мяса или колбасы, смесь сметаны и тертого хрена. Украсить листьями петрушки и укропа.

Подавать на блюде и разрезать перед едой.

БУТЕРБРОД
С САЛАТОМ ИЗ ПТИЦЫ
И АПЕЛЬСИНОВ

1 батон, 400 г жареной птицы, 4 апельсина, 2 стакана фруктов из компота, 2 яйца, 2 луковицы, 4 ст. ложки дробленого миндаля, 1 стакан майонеза, сладкий перец

Батон разрезать вдоль на две части и с каждой половинки удалить часть мякиша, оставив его толщиной 1 см. Смазать внутри маслом и вложить в каждую половину подготовленный салат так, чтобы он был чуть выше краев батона. Украсить кусочками апельсина, зеленым сладким перцем и дробленым миндалем. Получится два больших бутерброда, каждый из них разрезать поперек на куски.

Для салата: жареную птицу, фрукты из компота, вареные яйца нарезать крупными кубиками (1×1 см), смешать и добавить нарезанный лук, поджаренный миндаль. Заправить майонезом.

ЗАКУСОЧНЫЕ БУТЕРБРОДЫ
(КАНАПЕ)

Это маленькие бутерброды толщиной 0,5—0,8 см, шириной или диаметром 3—4 см, приготовленные на любом хлебе или печенье. Их подают к кофе, чаю, как закуску к ужину или перед обедом. По форме они могут быть треугольные, четырехугольные, круглые, квадратные, ромбовидные и др.

Хлеб лучше использовать плотный, не ноздреватый, слегка черствый. Мягкий хлеб подсушивают в духовке или поджаривают на масле до получения румяной корочки сверху, а внутри он должен остаться мягким. Хлеб удобнее нарезать по всей длине буханки на ломтики толщиной 0,5—0,8 см. Если нужно, их поджарить, охладить, намазать маслом или масляными смесями, уложить продукты, затем нарезать, придавая нужную форму, украсить. Канапе прокалывают шпажкой, при помощи которой их удобно есть. Из 50 г черного или белого хлеба выходит 4—8 бутербродов.

КАНАПЕ
СО СВЕКЛОЙ

200 г хлеба ржаного, 100 г ветчинного или селедочного масла, $^1/_2$ свеклы отварной, 1 соленый огурец

Хлеб зачистить от корок, нарезать тонкими ломтиками, намазать с одной стороны ветчинным или селедочным маслом. Разрезать на маленькие бутербродики, на каждый положить ломтик свеклы, а сверху — ломтик соленого огурца.

КАНАПЕ
С СЫРОМ

200 г хлеба ржаного или пшеничного, 40 г сливочного масла, 150 г сыра, томатная паста

Хлеб зачистить от корок, нарезать тонкими ломтиками, намазать с одной стороны сливочным маслом, покрыть ломтиками сыра, нарезать на маленькие бутерброды желаемой формы. Середину каждого из них украсить розовой точкой из смеси томатной пасты со взбитым маслом.

КАНАПЕ
С СЫРОМ И РЕДЬКОЙ

200 г хлеба ржаного или пшеничного, 80 г сливочного масла, 200 г сыра, $^1/_4$ стакана тертой редьки, $^1/_2$ стакана сметаны, зелень петрушки, помидор или сладкий перец

Хлеб зачистить от корок, нарезать тонкими ломтиками, намазать с одной стороны сливочным маслом, уложить на сливочное масло с одной стороны тонко нарезанный сыр, с другой — смесь тертой редьки со сметаной. Нарезать на маленькие бутерброды желаемой формы и каждый украсить зеленью петрушки, ломтиками помидора или красного сладкого перца.

КАНАПЕ
С СЫРОМ И КОЛБАСОЙ

200 г хлеба ржаного или пшеничного, 40 г сливочного масла, 80 г сыра, 100 г колбасы вареной, зелень петрушки

Хлеб зачистить от корок, нарезать ломтями, намазать маслом. Сыр и колбасу нарезать полосками одинаковой толщины, уложить на ломти, которые затем нарезать на бутерброды нужной величины и желаемой формы. Украсить зеленью.

КАНАПЕ
С СЫРОМ И ФРУКТАМИ

200 г хлеба белого, 60 г сливочного или сырного масла, 3 ст. ложки тертого сыра, 3 ст. ложки толченых орехов, фрукты из компота

Хлеб без корок нарезать ломтями, намазать сливочным маслом (или сырным), посыпать смесью тертого сыра с толчеными орехами и нарезать на бутербродики желаемой формы. Украсить каждый бутерброд фруктами из компота.

КАНАПЕ
С СЫРОМ И ЯЙЦОМ

200 г хлеба белого, 80 г сливочного или сырного масла, 100 г плавленого сыра, 2 яйца, 1 ст. ложка томата-пюре

Маленькие ломтики белого хлеба поджарить на масле, охладить, намазать сырным или сливочным маслом. Яйцо сварить вкрутую, желток размельчить вилкой, смешать с натертым на терке плавленым сыром, заправить томатом-пюре и полученной смесью покрыть подготовленный хлеб. Украсить яичным белком.

КАНАПЕ
С СЫРОМ И ОКОРОКОМ

200 г хлеба пшеничного, 40 г сливочного масла, 80 г окорока, 60 г сыра, 1 яйцо, зелень

Длинные полоски сыра и окорока уложить по краям ломтика намазанного маслом хлеба. Между ними разложить нарезанные яйца и зелень. Разрезать на маленькие бутерброды.

Закусочные бутерброды (канапе)

Украсить сливочным маслом, выпустив в виде сетки на каждый бутерброд из корнетика (сделанный из пергаментной бумаги кулечек с узким отверстием).

КАНАПЕ
С СЫРОМ И ПОМИДОРОМ

200 г хлеба пшеничного, 80 г сливочного масла, 80 г сырного масла, 2 помидора

Хлеб нарезать длинными ломтиками, намазать сливочным маслом и покрыть толстым слоем сырного масла, разрезать на маленькие бутерброды и украсить каждый ломтиком свежего помидора.

КАНАПЕ
С СЫРОМ И ГРЕЦКИМИ ОРЕХАМИ

200 г хлеба пшеничного, 60 г сливочного масла, 100 г сыра, 7 грецких орехов, консервированные плоды — по 1 на бутерброд, редис

Ломти хлеба намазать маслом, сверху положить ломтики сыра. Разрезать на квадратные бутерброды, каждый посыпать толчеными грецкими орехами, украсить редисом и консервированными плодами.

КАНАПЕ
С РАКАМИ

200 г хлеба пшеничного, 2 ст. ложки сливочного масла, 6—7 раков, 3 помидора, 3 яичных белка, 1 ст. ложка майонеза, 1 ст. ложка резаной зелени петрушки

Хлеб нарезать на ломтики и круглой выемкой вырезать кружочки, поджарить на масле, охладить и слегка смазать майонезом, сверху горкой положить фарш, украсить половинками разрезанных вдоль раковых шеек. По краям ломтиков хлеба сделать ободок из нарезанной петрушки.

Для фарша: мякоть шеек и клешней вареных раков нарезать кубиками, оставив целыми несколько очищенных раковых шеек для украшения; помидоры нарезать мелкими кубиками и положить на 20—25 мин в дуршлаг, чтобы стек лишний сок, белки крутых яиц мелко порубить. Перемешать подготовленные продукты и заправить их майонезом.

КАНАПЕ
С КРАБАМИ

200 г хлеба пшеничного, 2 ст. ложки сливочного масла, 3 корнишона, 100 г мякоти крабов, 1 ст. ложка майонеза, 1 ст. ложка резаной зелени петрушки, $1/2$ стакана бульона, 1 ч. ложка желатина

Хлеб нарезать ломтиками и круглой выемкой вырезать кружочки, поджарить их на масле, охладить и слегка смазать майонезом. Сверху на каждый горкой уложить заправленную майонезом смесь из мелко нарезанных маринованных огурцов с мякотью крабов. По краям насыпать ободок из резаной зелени петрушки. Охладить канапе в холодильнике. Залить сверху полузастывшим желе.

Для желе: в прозрачный теплый бульон ввести предварительно замоченный в холодной воде желатин. Довести при помешивании до кипения, затем охладить.

КАНАПЕ
С САРДИНАМИ

200 г хлеба пшеничного, 100 г сливочного масла, 10 сардин, $1/2$ свежего огурца, 1 помидор, 1 белок яйца, 5 маслин, зелень петрушки

Хлеб нарезать небольшими прямоугольниками — длиной 6, шириной 2 см, поджарить на масле, охладить, намазать сливочным маслом. Посредине каждого бутербродика положить половину разделанной вдоль сардины. По бокам уложить с одной стороны полоски свежего огурца, а с другой — полоски помидора. Украсить канапе зеленью петрушки, на середину каждого положить кусочек белка, а в кружок его — кусочек маслины.

КАНАПЕ
С СЕЛЬДЬЮ

200 г хлеба ржаного, 100 г хренного масла, 150 г сельди, зеленый лук

Ломти хлеба намазать хренным маслом, разрезать на маленькие бутерброды желаемой формы. На каждый бутерброд уложить ломтик сельди и украсить его зеленым луком.

КАНАПЕ
С СЕЛЕДОЧНЫМИ ТРУБОЧКАМИ
И ПОМИДОРАМИ

200 г хлеба ржаного, 50 г сливочного масла, 2 сельди, 1 луковица, горчица, 2 помидора, зелень петрушки

Маленькие ломтики хлеба намазать маслом. Филе сельди (без костей) нарезать длинными ломтиками, смазать их горчицей, посыпать нарезанным репчатым луком и свернуть рулетиками, которые уложить на хлеб, сверху украсить ломтиком помидора и листиком петрушки. Проткнуть бутербродной шпажкой.

КАНАПЕ
С КИЛЬКОЙ И ЯЙЦОМ

200 г хлеба ржаного, 50 г сливочного масла, 1 яйцо, 15 килек, $1/2$ свежего огурца, зеленый лук

Ломти хлеба разрезать на маленькие кусочки круглой формы и поджарить на масле. Посредине уложить кружочек вареного яйца, сверху — кружочек огурца, на него — филе кильки в виде кольца. Середину оформить мелко нарезанным зеленым луком.

КАНАПЕ
С КОПЧЕНОЙ РЫБОЙ

200 г хлеба пшеничного, 40 г сливочного масла, 200 г копченой рыбы, 2 ст. ложки майонеза, зелень петрушки или помидоры

Ломти хлеба в виде полос намазать сливочным маслом, разрезать на маленькие бутерброды и на каждый положить кусочек очищенной рыбы, сверху — майонез. Украсить зеленью петрушки или ломтиками свежих помидоров.

КАНАПЕ
С ПАШТЕТОМ

200 г хлеба пшеничного, 40 г сливочного масла, 100 г паштета, 1 яйцо, перец сладкий красный, зелень петрушки

Ломти хлеба в виде полос намазать тонким слоем сливочного масла, разрезать на маленькие бутерброды, на каждый выпустить из кондитерского мешка паштет из печени. Украсить полосками сладкого красного перца, рубленым вареным яйцом и зеленью.

КАНАПЕ
С РУБЛЕНЫМИ ЯЙЦАМИ
И ВЕТЧИНОЙ

200 г хлеба ржаного, 120 г сливочного масла, 50 г ветчины, 1 яйцо, 1 ст. ложка горчицы

Хлеб зачистить от корки, нарезать в виде палочек шириной 1 см, длиной 6—7 см, обжарить в масле, охладить, смазать со всех сторон сливочным маслом, растертым со столовой горчицей. Вареные яйца протереть через дуршлаг. Ветчину пропустить через мясорубку. Палочки обвалять с двух сторон (противоположных) в рубленых яйцах, а другие две стороны обвалять в подготовленной ветчине (прижать рукой).

КАНАПЕ
С ПАЮСНОЙ ИКРОЙ

100 г хлеба пшеничного, 50 г сливочного масла, 30 г икры паюсной, 1 яйцо, $\frac{1}{2}$ свежего огурца

Ломти хлеба в виде полос покрыть тонким слоем сливочного масла. Разрезать на бутерброды различной формы и на каждый уложить икру. Украсить кружочками огурца, рубленым яйцом, сливочным маслом.

КАНАПЕ
С ИКРОЙ И СЕВРЮГОЙ

200 г хлеба пшеничного, 50 г сливочного масла, 20 г икры черной или красной, 100 г севрюги, $^1/_2$ свежего огурца, зеленый лук

Полосы хлеба покрыть тонким слоем сливочного масла, сверху уложить ломтики севрюги так, чтобы они полностью закрывали хлеб. Нарезать на бутерброды желаемой формы, сверху горкой уложить икру. Оформить свежими огурцами и зеленым луком.

КАНАПЕ
С ЯЙЦОМ И ИКРОЙ

200 г хлеба пшеничного, 50 г сливочного масла, 2 яйца, 30 г икры черной или красной, зелень петрушки

Ломти хлеба в виде полос поджарить на сливочном масле, разрезать на маленькие гренки круглой формы, охладить и смазать сливочным маслом. Сверху на каждый положить ломтик яйца, посредине его икру. Украсить листиками петрушки.

КАНАПЕ
С МЯСОМ

200 г хлеба ржаного, 100 г хренного масла, 150 г мяса жареного, колбасы или ветчины, зеленый салат или помидор

Ломти хлеба смазать хренным маслом, разрезать на квадратные бутерброды. Сверху к каждому из них с помощью бутербродной шпажки прикрепить свернутый в трубочку кусочек жареного мяса, колбасы или ветчины. В трубочку воткнуть листик салата или кусочек помидора.

КАНАПЕ
С ПАШТЕТОМ И ФРУКТАМИ

200 г хлеба пшеничного, 60 г хренного или сливочного масла, 120 г паштета, маринованные фрукты или чернослив

Ломти белого хлеба намазать хренным или сливочным маслом, разрезать на маленькие бутерброды произвольной формы. Покрыть их толстым слоем паштета или ливерной колбасы. Украсить кусочками маринованных фруктов или половинкой вареного чернослива.

КАНАПЕ
«МОЗАИКА»

200 г хлеба ржаного, 100 г ветчины, 10 маслин, 1 яйцо, 2 ст. ложки майонеза, соль, лимонный сок, горчица, перец черный молотый

Хлеб нарезать маленькими ломтиками произвольной формы. Мелко нарезать ветчину, маслины без косточек, круто сваренные яйца. Перемешать, добавить майонез, заправить солью, лимонным соком, столовой горчицей, черным молотым перцем. Хорошо растереть и нанести на ломтики хлеба.

КАНАПЕ
С ОТВАРНЫМ ЯЗЫКОМ

200 г хлеба ржаного, 2 ст. ложки сливочного масла, 100 г языка отварного, 50 г хренного масла, $1/2$ яйца, $1/2$ огурца или помидора, 2 ст. ложки майонеза, 1 ст. ложка нарезанной зелени

Хлеб нарезать кружочками и обжарить на масле. Полученные гренки намазать хренным маслом, сверху уложить кружочек отварного языка, смазать майонезом, положить кружочек свежего огурца или помидора, посыпать смесью нарезанной зелени и вареного яйца.

СЛОЕНЫЕ БУТЕРБРОДЫ

Слоеные бутерброды состоят из двух или нескольких положенных друг на друга ломтей хлеба, между которыми кладут различные продукты. Для этих бутербродов используют целые буханки. Хлеб разрезают на тонкие ломтики толщиной 0,5— 2 см. Можно готовить бутерброды двухслойные, многослойные, бутербродные торты, башни или пирамиды.

Если в слоеных бутербродах используют различные салаты, пасты, соус майонез, то для них лучше использовать черствый хлеб.

СЫРНЫЕ БУТЕРБРОДЫ

200 г (8 ломтиков) хлеба пшеничного, 50 г сливочного масла, $1/2$ апельсина, 100 г (4 ломтика) сыра острого, соль

Белый хлеб нарезать тонкими ломтиками. Масло растереть, заправить солью, добавить апельсиновые цедру и сок, хорошо взбить и полученной смесью намазать ломтики. На половину из них уложить кусочки сыра, накрыть их оставшимися ломтиками хлеба. Можно разрезать на маленькие бутерброды.

БУТЕРБРОДЫ
С ТВОРОГОМ

200 г (8 ломтиков) хлеба ржаного, $1/2$ стакана творога, 2—3 сардины (шпроты), $1/2$ лимона, перец, соль

Хлеб нарезать тонкими ломтиками. Творог протереть, добавить измельченные шпроты или сардины, заправить перцем, лимонными цедрой и соком, солью. Половину ломтиков покрыть толстым слоем полученной массы, оставшиеся уложить сверху и придавить.

Если бутерброды готовить из черствого хлеба, их следует выдержать на холоде 1—2 ч для пропитывания хлеба.

БУТЕРБРОДЫ
С ПАСТОЙ ИЗ ОРЕХОВ,
ЧЕСНОКА И МАЙОНЕЗА

1 батон (желательно вчерашний), 100 г сливочного масла, 1 плавленый сырок, 2 стакана грецких орехов (ядро), 2 ст. ложки майонеза, 5 зубков чеснока, соль и перец по вкусу

С батона срезать корку, придав ему форму прямоугольника. Разрезать вдоль на 4 прямоугольных ломтя. Два из них смазать маслом и покрыть приготовленной пастой, сверху уложить оставшиеся ломти. Завернуть в полиэтиленовый мешочек или пергаментную бумагу и на 1—2 ч оставить в холодильнике для пропитывания. Перед употреблением разрезать на одинаковые по размеру бутерброды (сандвичи).

Для пасты: чеснок и орехи пропустить через мясорубку. Плавленый сырок растереть с майонезом и смешать с чесночно-ореховой массой.

БУТЕРБРОДЫ
С ПАСТОЙ ИЗ ЯИЦ
СО СВЕЖИМ ОГУРЦОМ
И ЗЕЛЕНЫМ ЛУКОМ

1 батон (желательно вчерашний), 100 г сливочного масла, 1 огурец, 3 яйца, 1 ст. ложка зеленого резаного лука, $1^{1}/_{2}$ ст. ложки майонеза, соль и перец по вкусу

Приготовить бутерброды, как указано в предыдущем рецепте, используя пасту из вареных яиц со свежими огурцами и зеленым луком.

Для пасты: мелко порубить вареные яйца и огурцы, смешать их с луком и майонезом. Посолить, поперчить и перемешать.

БУТЕРБРОДЫ
С ПАСТОЙ ИЗ ТЕРТОЙ МОРКОВИ
И ЧЕСНОКА

1 батон (желательно вчерашний), 100 г сливочного масла, 2 стакана моркови тертой, 3—4 зубка чеснока, 2 ст. ложки майонеза, соль, сахар, перец по вкусу

С батона срезать корку, придав ему форму прямоугольника. Нарезать вдоль на прямоугольные ломти (4 штуки), два из них намазать маслом, положить на них пасту, сверху покрыть оставшимися ломтями, завернуть в полиэтиленовый мешочек или пергаментную бумагу и на 1—2 ч оставить в холодильнике. Перед употреблением разрезать на одинаковые по размеру бутерброды (сандвичи).

Для пасты: смешать сырую тертую морковь, толченый чеснок, соль, сахар, перец с майонезом.

БУТЕРБРОДЫ
С ЛИВЕРНОЙ КОЛБАСОЙ

200 г хлеба пшеничного, 50 г сливочного масла, 100 г ливерной колбасы, 1 помидор

Хлеб нарезать на тонкие ломтики. Масло взбить, добавить измельченную ливерную колбасу и этой смесью намазать половину ломтиков, сверху уложить оставшиеся и слегка придавить. Украсить сверху свежими помидорами.

МНОГОСЛОЙНЫЕ БУТЕРБРОДЫ

В многослойных бутербродах все слои хлеба и начинки должны плотно прилегать друг к другу, чтобы их можно было разрезать на тонкие полосатые ломтики. Основным скрепляющим продуктом является масло или масляные смеси, которыми намазывают обе стороны ломтей. С одной стороны намазывают лишь ломти, расположенные снизу и сверху бутерброда. Между ломтями хлеба укладывают начинку.

Приготовленный многослойный бутерброд необходимо положить между двумя досками, придавив сверху не очень тяжелым предметом, и дать постоять в прохладном месте 3—4 ч. Благодаря этому бутерброды не разваливаются при разрезании.

Слоеные бутерброды вкусны в том случае, если слои хлеба равномерно тонкие, а начинка сочная. Чтобы они выглядели более аппетитно и привлекательно, их желательно готовить из разных сортов хлеба и начинок, сочетающихся по вкусу. Ниже приведены некоторые рецепты многослойных бутербродов, познакомившись с которыми вы сможете создать и более сложные, используя черствый хлеб и самые различные продукты.

БУТЕРБРОД
ИЗ БЕЛОГО ХЛЕБА И СЫРА

200 г хлеба пшеничного, 50 г сливочного масла, 20 г сырного масла, 50 г сырного масла с томатом

Хлеб зачистить от корки и нарезать на 4 тонких ломтика. Один ломоть намазать маслом, затем более толстым слоем сырного масла. Накрыть ломтем, намазанным маслом, слегка придавив. Верхнюю сторону намазать сливочным и сырным маслом, заправленным томатом. Затем уложить следующий ломоть, предварительно намазанный с одной стороны маслом, а с другой маслом и сырным маслом. Сверху уложить четвертый ломоть маслом вниз. Прижать бутерброд легким прессом и поставить в холодное место. Перед подачей на стол разрезать на куски желаемой формы.

БУТЕРБРОД
С ЗЕЛЕНЫМ МАСЛОМ
И ВЕТЧИНОЙ

200 г хлеба ржаного, 100 г масла зеленого, 100 г ветчины

Хлеб зачистить от корок и нарезать на 5 тонких ломтиков. Покрыть каждый ломтик с одной стороны зеленым маслом. На смазанную сторону одного ломтя уложить равномерным слоем тонкие ломтики ветчины, накрыть вторым ломтем, смазанной стороной вниз. Сверху намазать слоем зеленого масла и уложить ломтики ветчины. Таким образом уложить все ломти хлеба. Верхний ломоть прижать. Под легким прессом поставить в холодное место. Перед подачей разрезать поперек на маленькие бутерброды в виде ломтиков.

БУТЕРБРОД
С ВЕТЧИНОЙ И СЫРОМ

200 г хлеба пшеничного или ржаного, 50 г сливочного масла, 100 г ветчинного масла, 50 г сырного масла

Хлеб зачистить от корки и нарезать на 4 одинаковых тонких ломтика. Один из них намазать ветчинным маслом, уложить сверху второй, намазанный сливочным и сырным маслом, сверху уложить третий ломтик, намазанный сверху ветчинным маслом, покрыть четвертым, прижать и поставить на холод на несколько часов. Перед подачей разрезать на небольшие бутерброды: на срезе они будут иметь две розовые полоски.

БУТЕРБРОД С ЯИЧНЫМ
И СЕЛЕДОЧНЫМ МАСЛОМ

200 г хлеба ржаного, 80 г яичного масла, 80 г селедочного масла (см. с. 202), 100 г сливочного масла

Хлеб зачистить от корки и нарезать на 5 тонких ломтиков, три из них покрыть толстым слоем сливочного масла, один намазать селедочным маслом, на него уложить второй ломтик вниз стороной, намазанной маслом, сверху его намазать яичным маслом. Потом уложить третий ломтик, намазанный маслом стороной вниз, сверху намазать селедочным маслом, четвертый ломтик положить намазанной маслом стороной вниз и намазать его яичным маслом, прижать пятым ломтиком смазанной маслом стороной вниз. Слегка придавить и поставить на несколько часов в холодное место. Разрезать при подаче на тонкие полосатые бутербродики.

Многослойные бутерброды

БУТЕРБРОД
С ЗЕЛЕНЫМ МАСЛОМ
И ПАСТОЙ «ОКЕАН»

200 г хлеба пшеничного или ржаного, 100 г зеленого масла, 100 г пасты «Океан»

Хлеб зачистить от корки и нарезать на 4—5 одинаковых тонких ломтика. Покрыть каждый с одной стороны зеленым маслом, а сверху пастой «Океан» (прогретой и охлажденной). Подготовленные ломтики уложить друг на друга так, чтобы ненамазанные стороны были снизу и сверху. Бутерброд под легким прессом поместить на холод на несколько часов. Перед подачей разрезать поперек на бутерброды желаемой формы и размера.

БУТЕРБРОДНЫЕ ТОРТЫ

Бутербродные торты с большим количеством начинки, хорошо оформленные, можно готовить из самых разнообразных продуктов и разной формы: круглые, овальные, прямоугольные и др.

Можно готовить однослойные, двухслойные и многослойные торты. Основное отличие от бутербродов состоит в том, что их украшают сверху майонезом, сметаной, маслом или масляной смесью, всеми входящими продуктами и зеленью. Оформлять торт желательно непосредственно перед подачей на стол, чтобы украшения не высохли и не завяли.

Бутербродный торт можно составить из отдельных бутербродиков, красиво оформленных и уложенных на блюдо так, чтобы имитировать торт.

Многослойный тортовый бутерброд подать на стол целиком. Разрезать его целесообразнее до украшения. При этом торт и при подаче должен оставаться красивым.

ТОРТ БУТЕРБРОДНЫЙ
ОДНОСЛОЙНЫЙ
С РАЗНЫМИ ПРОДУКТАМИ
(польская кухня)

250 г хлеба пшеничного, 100 г ветчинного масла, 50 г сливочного масла, 100 г сырного масла, 100 г паштета, 3 ст. ложки майонеза, 1 ст. ложка сметаны с хреном, 1 яйцо, 1 помидор, 1 огурец, 1 ст. ложка мелко нарезанного зеленого лука или петрушки

Круглый хлеб зачистить от корки, разрезать в виде круглой лепешки, которую намазать маслом, и кончиком ножа начертить 5 кругов, начиная с центра. Круг в центре посыпать зеленым луком или зеленью петрушки. Следующий круг намазать смесью сметаны, тертого хрена и мелко рубленного яйца. Следующий круг покрыть ветчинным маслом, четвертый — сырным маслом. Последний пятый круг намазать паштетом. Отделить круги ободками из густого майонеза. Края украсить кружочками небольших свежих помидоров и огурцов. Охладить и нарезать на порции.

ТОРТ БУТЕРБРОДНЫЙ
С ПАШТЕТОМ

250 г хлеба ржаного, 250 г пшеничного, 100 г зеленого или томатного масла, 250 г паштета, чернослив, маринованные фрукты, зелень петрушки

Черный и белый хлеб зачистить от корки, разрезать каждый на два ломтика, одинаковых формы и размера, покрыть зеленым или томатным маслом, сверху уложить слой паштета и сложить все ломти вместе намазанными сторонами. С боков и сверху торт намазать паштетом, томатным или зеленым маслом, украсить черносливом, маринованными фруктами и зеленью.

Бутербродный торт

Если использовать формовой белый и черный хлеб, то такой торт можно оформить в виде шахматной доски. Для этого разрезать готовый торт на одинаковые квадратные бутербродики и повернуть их в шахматном порядке разными половинками. Паштетом смазать только бока торта и украсить темные бутербродики темными продуктами, а белые — светлыми.

ТОРТ БУТЕРБРОДНЫЙ
С СЫРНЫМ ИЛИ
ВЕТЧИННЫМ МАСЛОМ

500 г хлеба ржаного, 250 г ветчинного масла, 4—6 ломтиков ветчины, 150 г сырного масла, помидоры или красный сладкий перец, укроп или листья петрушки, маринованные ягоды, редис

Хлеб зачистить от корки, разрезать на 4 ломтя, намазать их ветчинным маслом и сложить друг на друга. С боков и сверху намазать сырным маслом, а по краям — оставшимся

Торт бутербродный с сельдью

ветчинным. Сверху украсить свернутыми в трубочки ломтиками ветчины, ломтиками помидора или перца, укропом или листьями петрушки, маринованными ягодами, красиво разрезанной редиской.

Торт можно составить из маленьких двухслойных бутербродов, уложенных на блюде и соответственно оформленных.

ТОРТ БУТЕРБРОДНЫЙ
С СЫРОМ И ВЕТЧИНОЙ
(венгерская кухня)

500 г хлеба пшеничного или ржаного, 300 г сырного масла, 150 г ветчины, 2 яйца, 1 огурец свежий, зелень петрушки

Хлеб зачистить от корки и разрезать на 4 ломтя. Смешать сырное масло с мелко нарезанной ветчиной и мелко рубленным вкрутую сваренным яйцом. Этой смесью намазать ломти, сложить их друг на друга, сверху и с боков смазать сырным маслом, посыпать мелко нарезанным огурцом, рубленым яйцом и украсить ломтиками ветчины, зеленью петрушки.

Торт можно составить из отдельных слоеных бутербродов, уложенных на блюде и соответственно оформленных.

ТОРТ БУТЕРБРОДНЫЙ
«СМЕСЬ»

500 г хлеба пшеничного или ржаного, 50 г сливочного масла, 1 плавленый острый сырок, 1 помидор свежий, 50 г ветчины

Для начинки из яиц: 1 яйцо вареное рубленое, 8 маслин рубленых, 1 ч. ложка горчицы, 1 ст. ложка майонеза, соль по вкусу

Для начинки из моркови и капусты: 1 тертая морковь, 100 г нашинкованной капусты, 1 ст. ложка майонеза

Хлеб круглый зачистить от корки и нарезать на 5 лепешек толщиной 1—2 см. Приготовить начинки, для чего смешать указанные для каждой из них продукты.

Нижнюю лепешку намазать тонким слоем сливочного масла и посыпать половиной порции тертого сыра. На нее уложить вторую лепешку, намазать маслом и уложить половину ветчины, нарезанной ломтиками, на третью — начинку из яиц, на четвертую — начинку из моркови и капусты. Пятую (верхнюю) лепешку намазать маслом и выложить на нее оставшуюся ветчину, посыпать второй половиной порции сыра и украсить нарезанными помидорами. Бока торта также намазать маслом и посыпать сыром.

ТОРТ БУТЕРБРОДНЫЙ
С ТВОРОГОМ И ОКОРОКОМ

500 г хлеба пшеничного, 200 г творога, 150 г сливочного масла, 100 г окорока, зелень, редис, помидор

Хлеб зачистить от корки и разрезать на несколько тонких ломтиков. Намазать каждый из них массой из творога, сливочного масла и мелко нарезанного вареного окорока. Уложить подготовленные ломтики друг на друга в виде торта, бока смазать сливочным маслом и обсыпать протертым через сито творогом. После охлаждения украсить зеленью, ломтиками окорока, редиса, помидора.

ТОРТ БУТЕРБРОДНЫЙ
С СЕЛЕДОЧНЫМ МАСЛОМ

500 г хлеба ржаного, 1 огурец свежий или 100 г кукурузных хлопьев

Для начинки: 150 г сливочного масла, $^1/_2$ сельди, 1 ч ложка горчицы

Хлеб круглый зачистить от корки и разрезать на лепешки толщиной 1—2 см. Каждую намазать селедочным маслом и уложить одну на другую. Верхнюю лепешку можно украсить свежими огурцами или, намазав сливочным маслом, посыпать кукурузными хлопьями.

ТОРТ БУТЕРБРОДНЫЙ
С СЫРНЫМ МАСЛОМ

500 г хлеба пшеничного, 400 г сырного масла, редис или помидоры

Хлеб зачистить от корки и разрезать на 4 ломтя. Намазать сырным маслом и сложить. Получившийся торт с боков также покрыть сырным маслом, а сверху в виде сеточки выжать это масло с кондитерского мешка или кулечка-корнетика с пергаментной бумаги. В квадратики сеточки уложить украшение из редиса или помидора.

ТОРТ БУТЕРБРОДНЫЙ
С СЕЛЬДЬЮ И ГРИБАМИ

250 г хлеба пшеничного, 250 г ржаного, 200 г сельди (филе), 200 г сливочного масла, 5—8 грибов сушеных, 2 вареных яйца, 1 помидор свежий, зелень укропа, петрушки

Ржаной и пшеничный хлеб зачистить от корки и разрезать каждый на два ломтика. Сельдь без кожи и костей нарезать мелкими кусочками (оставить часть для украшения), добавить мелко нарезанные вареные, поджаренные и охлажденные грибы, сливочное масло. Массу вымешать и намазать ею подготовленные ломтики хлеба. Уложить их друг на друга и под легким прессом поставить в холодильник на 2—3 ч. После охлаждения торт с боков смазать сливочным маслом, обсыпать рубленым яйцом. Сверху украсить кусочками сельди, маленькими грибами, розочками из сливочного масла,

Бутерброды с сыром

ромашками из вареного яйца, ломтиками свежего помидора, зеленью укропа, петрушки.

Если после охлаждения торт разрезать на одинаковые квадратные бутербродики, то его можно оформить в виде шахматной доски, повернув бутербродики в шахматном порядке разными сторонами, чередуя черный и белый хлеб. Украсить темные части торта темными продуктами, а белые — светлыми.

ТОРТ БУТЕРБРОДНЫЙ
С ТВОРОГОМ

250 г хлеба ржаного, 250 г хлеба пшеничного

Для начинки: 1 стакан творога, 2 сырых желтка, 2 ст. ложки сахара

Пшеничный и ржаной хлеб зачистить от корки и нарезать на лепешки, уложить их одна на другую, предварительно намазав каждую массой из хорошо взбитого творога, желтков, сахара. Поставить на холод под легким прессом. Украсить начинкой.

ТОРТ БУТЕРБРОДНЫЙ
С МЯГКИМ ОСНОВАНИЕМ
(сельдь)

400 г хлеба ржаного, 1 сельдь, 1 стакан сметаны, 4 яйца, 1 луковица, 100 г масла зеленого или томатного, редис, свежие огурцы, помидоры или сладкий красный перец, кильки, зелень

Черствый хлеб натереть на терке. Соединить его с пропущенными через мясорубку сельдью и луком. Добавить мелко рубленное вареное яйцо, сметану. Вымешать и полученной массе придать форму торта (при формовке посыпать доску и массу тертым хлебом). Переложить торт на блюдо, поставить на 2—3 ч в холодильник. После охлаждения с боков и сверху торт смазать зеленым или томатным маслом. Украсить кусочками редиса, свежего огурца, яйца, сладкого перца или свежего помидора, очищенными кильками и зеленью.

БУТЕРБРОДЫ-БАШНИ
ИЛИ ПИРАМИДЫ

Бутерброды-башни или бутерброды-пирамиды состоят из уложенных друг на друга и скрепленных спичкой или бутербродной шпажкой бутербродов одного или различных видов. Готовят 3—4 вида бутербродов средней величины или маленьких круглой либо четырехугольной формы.

Бутерброды одной формы, постепенно уменьшая, создают бутерброд-пирамиду, а из бутербродов одной формы и размеров выкладывают бутерброды-башни. Употреблять такие бутерброды необходимо, начиная с нижнего и кончая верхним бутербродом. На каждого человека следует готовить одну башню или пирамиду из расчета 100—200 г хлеба, 20—25 г масла и 100—150 г продуктов.

Ниже даны некоторые рецепты таких бутербродов, но умея готовить простые, можно и самому скомбинировать различные бутерброды-башни или пирамиды.

БУТЕРБРОД-БАШНЯ С КИЛЬКОЙ, ВЕТЧИНОЙ И СЫРОМ

300 г хлеба ржаного, 100 г пшеничного, 45 г горчичного или хренного масла, 75 г яичного масла, 15 г сливочного масла, 12—15 килек, 150 г ветчины, 50 г сыра, 4 сливы маринованных, 4 помидора свежих мелких, сладкий перец или редис, зелень

Ржаной хлеб разрезать на два одинаковых ломтика, белого взять один ломтик такой же величины и приготовить из них три бутерброда: из черного хлеба с килькой, с ветчиной (см. с. 52), из белого — с сыром (см. с. 55). Уложить бутерброды друг на друга: нижний — с килькой, верхний — с сыром. Украсить верхний целой сливой, небольшим свежим помидором, ломтиками красного сладкого перца или редисом и пышной зеленью укропа. Скрепить бутербродной шпажкой.

БУТЕРБРОД-БАШНЯ С СЫРОМ

200 г хлеба пшеничного, 200 г ржаного, 60 г сливочного масла, 200 г сыра, свежие помидоры или маринованные ягоды

Одинаковые ломтики черного и белого хлеба толщиной 0,7—1 см намазать маслом и положить ломтики сыра. Полученные бутерброды уложить (по 3—4) друг на друга, верхний украсить целой сливой, вишней или кусочком свежего помидора и скрепить шпажкой.

БУТЕРБРОД-БАШНЯ С СЫРОМ И КОЛБАСОЙ

400 г хлеба пшеничного, 200 г сливочного масла, 200 г сыра, 100 г колбасы вареной, $^1/_2$ соленого огурца, 1 помидор, маринованные ягоды, зелень петрушки или укропа

На одинаковые ломтики хлеба намазать масло и уложить на часть из них кусочки колбасы и огурца, а на оставшиеся — сыра. Полученные бутерброды аккуратно уложить друг на друга (по 3—4), верхний украсить кружочками помидора, ягодой, веточкой зелени петрушки или укропа. Скрепить шпажкой.

БУТЕРБРОД-БАШНЯ
С ВЕТЧИНОЙ

200 г хлеба ржаного, 30 г ветчинного, горчичного или хренного масла, 100 г ветчины, $^1/_4$ соленого огурца или помидора, зеленый салат, зелень укропа или петрушки

Ломтики хлеба намазать масляной смесью и разрезать на квадратные кусочки. На каждый положить одинаковые ломтики ветчины, огурца или помидора, на все это — листочек салата. Бутерброды аккуратно уложить друг на друга (по 3—4), украсить зеленью укропа или петрушки. Скрепить шпажкой.

БУТЕРБРОД-БАШНЯ
С СЕЛЬДЬЮ И ЯЙЦОМ

200 г хлеба ржаного, 50 г яичного или горчичного масла, $^1/_2$ сельди, 1 луковица, 1 яйцо, 1 ст. ложка сметаны

Ломтики хлеба намазать масляной смесью и разрезать на трехугольные или четырехугольные кусочки. На каждый

Бутерброд-башня

из них уложить ряд тоненьких кусочков сельди, сверху посыпать мелко нарезанным луком и покрыть ломтиками вареного яйца. Готовые бутерброды аккуратно уложить друг на друга (по 3—4), верхний полить густой сметаной и украсить кружочками лука. Скрепить бутербродной шпажкой.

БУТЕРБРОД-ПИРАМИДА
С ВЕТЧИНОЙ, СЫРОМ И ЯЙЦОМ

300 г хлеба пшеничного, 30 г хренного масла, 20 г сырного масла, 15 г зеленого масла, 50 г ветчины, 30 г сыра, $^1/_2$ яйца вареного, 4 сливы маринованных, или 2 редиски, $^1/_4$ свежего помидора, $^1/_4$ свежего огурца

Различные по величине, но одинаковые по форме три ломтика хлеба намазать разными масляными смесями. На самый большой ломтик уложить кусочки ветчины и свежего помидора такой же формы, покрыть листиком салата. На средний уложить кусочек сыра и кружочек свежего огурца, на меньший — кружочек яйца и целую сливу или разрезанную в форме цветочка редиску. Уложить бутерброды друг на друга по мере уменьшения. Скрепить шпажкой.

БУТЕРБРОДЫ-РУЛЕТЫ

Для приготовления бутербродов-рулетов лучше использовать хлеб, который после нарезки на пласты легко сгибается и не ломается, или целые батоны.

Пласты хлеба намазать густым слоем начинки и туго свернуть, чтобы не оставалось между ними пустот, затем завернуть в целлофан или пергаментную бумагу и оставить на холоде на 3—4 ч. Перед подачей на стол нарезать.

Если использовать батон, то его следует разрезать вдоль на две половины, вынуть часть мякиша, оставив его на 1 см у корочки, заполнить углубление фаршем, соединить половинки, придав вид целого батона, охладить и перед подачей на стол разрезать поперек.

БУТЕРБРОД-РУЛЕТ
СО СМЕШАННОЙ НАЧИНКОЙ
(венгерская кухня)

1 батон (400 г), 200 г ветчины, 100 г копченого языка, 100 г колбасы, 100 г бараньего жира, 6 шпрот, 100 г сыра твердого, 100 г сливочного масла, 2 яйца вареных

Батон разрезать вдоль на две половинки, выскоблить мякоть, оставив ее на 1 см. Мякиш натереть на терке, соединить с измельченными на мясорубке ветчиной, языком, колбасой, бараньим жиром, шпротами, яйцом, добавить тертый сыр и размягченное сливочное масло. Вымешать и этой массой начинить половинки батона, соединить их, завернуть в плотную бумагу и оставить в холодильнике на несколько часов. Перед употреблением нарезать тонкими ломтями.

БУТЕРБРОД-РУЛЕТ
С ВЕТЧИННЫМ МАСЛОМ

400 г хлеба пшеничного, 200 г масла ветчинного

Хлеб зачистить от корки и нарезать правильными прямоугольными пластами толщиной 0,5—0,8 см. Каждый пласт густо смазать ветчинным маслом, туго свернуть рулетом, завернуть в целлофан или пергаментную бумагу, поставить на 3—4 часа в холодильник. После охлаждения рулет нарезать на отдельные тонкие ломти поперек.

БУТЕРБРОД-РУЛЕТ
С МЯСНЫМИ ПРОДУКТАМИ

1 батон (400 г), 100 г сливочного масла, 2 ст. ложки томатной пасты, 1 луковица, 200 г мясных продуктов (язык, ветчина, колбаса, консервы), 1 соленый огурец

Батон разрезать вдоль на две половинки, выскоблить мякиш, оставив его слоем 1 см. Обе половинки заполнить фаршем, соединить их, завернуть в целлофан или пергаментную бумагу и оставить в холодильнике на несколько часов. Перед подачей на стол нарезать тонкими ломтями. Для фарша взбить масло, добавить томат-пасту, мелко нарезанный репчатый лук и соленый огурец, нарезанные мелкими кубиками мясные продукты, мякиш хлеба.

БУТЕРБРОДЫ ДЛЯ ДЕТЕЙ

Для детей лучше готовить бутерброды маленьких размеров. Используемые продукты должны быть нарезаны так, чтобы ребенок мог есть без вилки и ножа.

Бутерброды эти готовить несложно, поэтому можно привлекать к их приготовлению и детей.

Готовить нужно из расчета 50—75 г хлеба, 10—15 г масла и 50—60 г других продуктов или их смесей на одного ребенка. Из этого количества должно получиться 2—4 бутербродика.

БУТЕРБРОДЫ
С ТВОРОГОМ
(«Снежная баба»)

200 г хлеба пшеничного, 30 г сливочного масла, 150 г творога, 3—4 ст. ложки молока или сливок, $1^1/_2$ ст. ложки сахара, изюм

Хлеб нарезать длинными ломтиками и намазать маслом. Творог растереть с сахаром, добавить сливки или молоко, вымешать и сформовать творожные шарики, которые уложить на подготовленные ломтики хлеба, чтобы получилось изображение человечка (три шарика). Изюминками обозначить рот, глаза и пуговицы.

БУТЕРБРОДЫ
С ОВОЩАМИ

(«Корзиночки»)

200 г хлеба пшеничного или ржаного, 75 г килечного или селёдочного масла, мелкие редиски, свежие помидоры, огурцы, укроп и петрушка

Хлеб нарезать круглыми или четырехугольными ломтиками, намазать килечным или селёдочным маслом так, чтобы слой по краям был толще, чем в середине. В образовавшееся углубление уложить красиво нарезанные овощи. Украсить веточками петрушки и укропа.

Бутерброды для детей

БУТЕРБРОДЫ
С ЯЙЦОМ
(«Солнышко»)

200 г хлеба пшеничного, 100 г ветчинного или селедочного масла, 1 яйцо, укроп

Хлеб нарезать на круглые или квадратные ломтики, покрыть маслом, сверху уложить листочки укропа. В серединку бутерброда уложить кружочек яйца, посредине которого находится желток. От кружочка сделать «лучики солнца» из рубленого яичного желтка.

БУТЕРБРОДЫ
С СЫРОМ
(«Домино»)

200 г хлеба пшеничного, 50 г сырного масла, 50 г сыра, зеленый лук или чернослив

Хлеб нарезать удлиненными четырехугольными ломтиками, намазать сырным маслом, положить такой же величины тонкие ломтики сыра, сверху — кусочки зеленого лука или распаренного чернослива так, чтобы бутерброд походил на домино.

БУТЕРБРОДЫ
С ВЕТЧИНОЙ И СЫРОМ
(«Парусники)

200 г хлеба пшеничного, 50 г сливочного масла, 150 г ветчины, 80 г сыра

Хлеб нарезать прямоугольными ломтями, намазать их маслом, покрыть ломтиками ветчины и разрезать на продолговатые прямоугольные кусочки. К каждому бутерброду шпажкой прикрепить вертикально треугольный ломтик сыра (парус).

БУТЕРБРОДЫ
С ПОМИДОРАМИ

200 г хлеба пшеничного, 150 г ветчинного масла, 1 помидор свежий, мелкие ягоды

На маленькие ломтики хлеба намазать ветчинное масло и уложить кружочки помидора разной величины так, чтобы получилось изображение головы и туловища зверя, усы будут изображать листочки укропа, глаза — ягодки. Из маленьких кусочков свежего помидора сделать уши и хвост.

БУТЕРБРОДЫ
С КОЛБАСОЙ
(«Деревья»)

200 г хлеба пшеничного или ржаного, 75 г сырного масла, 100 г колбасы, зеленый лук

Бутерброды для детей

Хлеб нарезать удлиненными четырехугольными ломтиками, смазать сырным маслом, уложить ломтики колбасы, разрезанные на три или четыре части так, чтобы получилось изображение елки. В качестве ствола положить стрелку зеленого лука.

БУТЕРБРОДЫ
С ЛУКОМ И КОЛБАСОЙ
(«Автомобили»)

200 г хлеба ржаного, 75 г зеленого масла, 100 г колбасы, 1 луковица, 1 свежий помидор или стручковый перец

Хлеб нарезать на четырехугольные ломти, покрыть слоем зеленого масла, сверху уложить ломтик колбасы — «автомобильчик». В качестве колес — маленькие кружочки лука, фар и окон — кусочки свежего помидора или сладкого перца.

БУТЕРБРОДЫ
С МОЗАИКОЙ ИЗ ОВОЩЕЙ

200 г хлеба пшеничного, 2 картофелины, 2 моркови, 1 корень сельдерея, 2 соленых или маринованных огурца, 1 луковица, 1 ст. ложка нарезанной зелени укропа и петрушки, 2 ст. ложки сметаны, соль, помидоры

Маленькие ломтики белого хлеба подсушить в духовке. Отварить картофель и размять его ложкой. К пюре добавить нарезанные мелкими кубиками отваренные морковь и сельдерей, солёные или маринованные огурцы, репчатый лук. Массу вымешать и добавить нарезанную зелень укропа, петрушки, сметану и соль по вкусу, намазать ею подготовленный хлеб. Украсить бутерброды свежими помидорами и зеленью.

БУТЕРБРОДЫ
С ЯГОДАМИ
(«Корзиночки»)

200 г хлеба пшеничного, 50 г сливочного масла, 3 ст. ложки творога, 1 ст. ложка сливок или молока, 1 ст. ложка сахара, 6 ст. ложек ягод (земляника, малина, смородина, вишня), мед, орехи

Ломтики хлеба намазать маслом, на края выдавить слой творога, растёртого с молоком или сливками и заправленного сахаром. В срединку положить горкой ягоды кислые, посыпать сахаром или положить под них немного меда. Сверху посыпать толчеными орехами.

СЛАДКИЕ БУТЕРБРОДЫ

Сладкие бутерброды подают к чаю, кофе, а также к молочным напиткам. Для их приготовления используют пшеничный, реже ржаной хлеб, слегка сладкое, но не жирное печенье, кекс, бисквит. На 100 г хлеба или печенья необходимо использовать

45—100 г продуктов. Если хлеб черствый или печенье сухое, продукты должны быть мягкими, сочными.

Готовить такие бутерброды необходимо за несколько часов до подачи на стол, чтобы хлеб или печенье успели пропитаться соком продуктов.

БУТЕРБРОДЫ
С ТВОРОГОМ И ОРЕХАМИ

200 г хлеба пшеничного или печенья, 1 стакан творога, 1 ст. ложка сахара, 2 ст. ложки толченых орехов

Ломтики пшеничного хлеба или печенье покрыть толстым слоем творога, заправленного сахаром (не приглаживать!). Посыпать сверху поджаренными орехами.

БУТЕРБРОДЫ
С ТВОРОГОМ И ВАРЕНЬЕМ

200 г хлеба пшеничного или печенья, 1 стакан творога, 1 ст. ложка сахара, 2 ст. ложки варенья

На ломтики пшеничного хлеба или печенье уложить сладкий творог так, чтобы в средине осталось углубление, которое заполняют вареньем.

БУТЕРБРОДЫ
С ШОКОЛАДНЫМ МАСЛОМ

200 г хлеба ржаного или печенья, 100 г шоколадного масла, ягоды земляники, малины или крыжовника

Ломтики хлеба или печенье покрыть тонким слоем шоколадного масла. Украсить ягодой земляники, малины или крыжовника.

БУТЕРБРОДЫ
С ФРУКТАМИ

200 г хлеба пшеничного, 50 г сливочного масла, 1 стакан свежих фруктов или из компота (дольки), 2 ст. ложки толченых орехов

Ломтики хлеба подсушить, намазать сливочным маслом. Сверху уложить дольки сваренных в сахарном сиропе яблок, груш или персиков. Посыпать поджаренными орехами.

БУТЕРБРОДЫ
С МЕДОМ И ОРЕХАМИ

200 г хлеба пшеничного, 4 ст. ложки засахаренного меда, 50 г сливочного масла, 2 ст. ложки толченых орехов

Ломтики пшеничного хлеба подсушить, намазать маслом, сверху положить засахаренный мед и посыпать поджаренными толчеными орехами.

БУТЕРБРОДЫ
С СЫРОМ И ФРУКТАМИ

200 г хлеба пшеничного, 80 г сырного масла, 1 стакан фруктов (яблоко, груша, слива, персик), 1 ст. ложка толченых орехов

Ломтики пшеничного хлеба покрыть сырным маслом. Сверху уложить ломтики фруктов, сваренных в сладком сиропе, и посыпать поджаренными орехами.

●

ГРЕНКИ
(горячие бутерброды)

Гренки готовят из пшеничного или ржаного хлеба, предварительно зачистив его от корки, нарезав кубиками или чаще ломтиками толщиной 1 см. Подготовленный хлеб подсушивают в духовке, обжаривают с жиром или запекают с продуктами до золотисто-коричневого цвета. При подаче большинство гренков украшают зеленью, что придает им привлекательный вид.

Простые гренки называют тостами, или крутонами. Сложные гренки готовят с использованием самых разнообразных продуктов: овощей, мяса, рыбы, сыра, яиц и др.

Эти блюда аппетитные, привлекательные, обладающие определенной питательной ценностью в зависимости от используемых продуктов, просты в приготовлении.

Часто гренки используют как самостоятельное, промежуточное блюдо или закуску, а также как гарнир к бульонам, пюреобразным и молочным супам, при подаче десертных блюд. Употребляют их в горячем виде или остывшими.

ГРЕНКИ
К ПЮРЕОБРАЗНЫМ СУПАМ

200 г хлеба пшеничного, 2 ст. ложки сливочного масла или маргарина

I в а р и а н т. Пшеничный хлеб нарезать мелкими кубиками, подсушить до золотистой окраски на противне или сковороде в духовке.

II в а р и а н т. Пшеничный хлеб нарезать тонкими ломтиками желаемой формы и поджарить до золотистой окраски на сливочном масле или сливочном маргарине с обеих сторон.

ГРЕНКИ
К ПИВУ

200 г хлеба пшеничного, $3/4$ стакана молока, 2 ст. ложки сливочного масла или маргарина, соль по вкусу

I в а р и а н т. Хлеб ржаной или пшеничный нарезать мелкими кубиками, посолить и подсушить в духовке.

II в а р и а н т. Пшеничный хлеб нарезать кубиками, смочить в подсоленной воде или молоке и обжарить на сливочном масле или маргарине со всех сторон до образования румяной хрустящей корочки.

ГРЕНКИ
С СЫРОМ И ПЕРЦЕМ
(венгерская кухня)

200 г хлеба пшеничного, 1 ст. ложка сливочного масла, 100 г сыра голландского, перец красный по вкусу

Ломтики хлеба намазать маслом, уложить нарезанный полосками сыр, посыпать красным перцем и запечь в духовке до плавления сыра.

ГРЕНКИ
С СЫРОМ
(итальянская кухня)

200 г хлеба пшеничного, 1 ст. ложка сливочного или горчичного масла, 2 ст. ложки тертого сыра

Пшеничный хлеб нарезать тонкими ломтиками, одну сторону намазать растопленным сливочным маслом (или горчичным), посыпать тертым сыром, запечь в горячей духовке до зарумянивания.

ГРЕНКИ
С СЫРОМ И ЯБЛОКАМИ

200 г хлеба пшеничного, 2 ст. ложки сливочного масла, 100 г сыра костромского, 2 яблока средней величины

Пшеничный хлеб без корки нарезать ломтиками толщиной 1 см, намазать маслом, сверху уложить тонко нарезанные дольки яблок, на них ломтики сыра. Запечь в духовке до плавления сыра.

ГРЕНКИ
С МОРКОВЬЮ И СЫРОМ

200 г хлеба пшеничного, 50 г сливочного масла, 7—8 морковок, 100 г сыра, 4 ст. ложки панировочных сухарей, зеленый салат, помидоры, перец сладкий или огурцы, зелень петрушки

Хлеб нарезать прямоугольными ломтиками и подсушить или поджарить с одной стороны. На эту сторону уложить целую или разрезанную вдоль на четыре части вареную морковь. Панировочные сухари и тертый сыр разогреть на масле, затем положить на морковь. Поставить бутерброды на несколько минут в горячую духовку (250 °С), чтобы они сверху подрумянились. Украсить салатом, помидорами, перцем или огурцами, листьями петрушки.

ГРЕНКИ
С СЫРОМ ПО-АНГЛИЙСКИ

300 г хлеба пшеничного, 5 ст. ложек сливочного масла, 100 г сыра голландского, $^1/_4$ стакана пива, 1 ч. ложка горчицы, 1 желток, перец молотый красный по вкусу

Хлеб нарезать ломтиками и обжарить с обеих сторон. Масло растопить на слабом огне и, постепенно помешивая, добавить тертый сыр, пиво и желток яйца. Заправить перцем и горчицей. Полученной массой намазать гренки и запечь в духовке.

ГРЕНКИ
С БРЫНЗОЙ

200 г хлеба пшеничного, 50 г сливочного масла, 2 ст. ложки тертой брынзы

Нарезать пшеничный хлеб ломтиками толщиной 1 см, намазать сливочным маслом, посыпать тертой брынзой. Сбрызнуть сверху растопленным маслом и запечь до легкого зарумянивания в горячей духовке.

ГРЕНКИ
С БРЫНЗОЙ И МОЛОЧНЫМ СОУСОМ

200 г хлеба пшеничного, 1 ст. ложка сливочного масла, 2 ст. ложки тертой брынзы или сыра, 2 стакана молочного соуса (см. раздел «Соусы»)

Нарезать пшеничный хлеб ломтиками толщиной 1 см и поджарить их до получения золотистой корочки, остудить, намазать сливочным маслом, сложить в неглубокую кастрюлю, залить соусом, сверху посыпать тертой брынзой или сыром. Запечь в жарочном шкафу и подавать горячими.

ГРЕНКИ
С ТВОРОГОМ И СЫРОМ

200 г хлеба пшеничного, 50 г сливочного масла, $^2/_3$ стакана творога, 1 яйцо, 40 г сыра

Хлеб нарезать ломтиками, намазать маслом, сверху уложить творог, смешанный с яйцом, покрыть ломтиком сыра. Запечь в духовке так, чтобы сыр начал плавиться, но не стал коричневым.

ГРЕНКИ
ЗАПЕЧЕННЫЕ ПОД МАЙОНЕЗОМ

300 г хлеба пшеничного, 2 ст. ложки сливочного масла, 100 г сыра голландского, 6 ст. ложек майонеза, зелень, 2 желтка

Хлеб нарезать ломтиками и слегка обжарить на масле. Тертый сыр соединить с растертыми отварными желтками и небольшим количеством майонеза (для остроты можно добавить молотый красный перец). Полученную массу нанести на ломтики хлеба, уложить их на противень, залить майонезом и поставить в горячую духовку на 15 мин. Подавать горячими, посыпав зеленью.

ГРЕНКИ
С БРЫНЗОЙ И ЯЙЦОМ

200 г хлеба пшеничного, 1 ст. ложка сливочного масла, 1 ст. ложка маргарина, 2 ст. ложки тертой брынзы, 5 яиц, черный перец по вкусу

Ломтики пшеничного хлеба посыпать измельченной на терке брынзой, сбрызнуть растопленным сливочным маслом, уложить на смазанный маргарином или сливочным маслом противень. Запечь в духовке. При подаче на каждый гренок положить поджаренное яйцо, посыпанное черным молотым перцем.

Гренки «Юбилейные»

ГРЕНКИ
«ЮБИЛЕЙНЫЕ»

150 г хлеба пшеничного, 3 ст. ложки сливочного масла, 3 яйца, 100 г сыра голландского, перец молотый красный, соль по вкусу

Нарезать пшеничный хлеб ломтиками толщиной 1 см, намазать маслом, сделать на каждом ломтике бортик из тертого сыра и переложить на смазанную маслом сковороду. Выпустить на них сырые яйца, посолить, поперчить, сбрызнуть маслом и запечь в духовке. Подавать горячими.

ГРЕНКИ
СЫРНЫЕ

200 г хлеба пшеничного, $^1/_2$ (50 г) плавленого сыра, 1 ст. ложка крахмала, соль, перец, жир или растительное масло

Хлеб нарезать ломтиками, одну сторону их намазать смесью, приготовленной из плавленного тертого сыра, крахмала, яйца, соли и перца. Обжарить в большом количестве жира вначале намазанную сторону, а затем другую сторону до светло-желого цвета.

ГРЕНКИ
С ТЕРТЫМ СЫРОМ И ЯЙЦАМИ

200 г хлеба пшеничного, 1 стакан молока, 1 ст. ложка сливочного масла, 2 яйца, 2 ст. ложки тертого твердого сыра

Хлеб нарезать кубиками размером 1 см, смочить в смеси из молока и яиц, посыпать тертым сыром и запечь до зарумянивания.

ГРЕНКИ
С ЯИЧНИЦЕЙ

300 г батона, 4 яйца, 3 ст. ложки сливочного масла, перец молотый, соль

Батон нарезать ломтиками, в середине которых вырезать углубления. На сковороде растопить масло, положить ломтики батона и в углубления выпустить яйца, посолить, поперчить. Поджарить сначала с одной стороны, а потом перевернуть на другую. Подавать горячими.

ГРЕНКИ
ОСТРЫЕ

200 г хлеба пшеничного, $^3/_4$ стакана тертого твердого сыра, 1 яйцо, 1 ст. ложка томатной пасты, 2 ст. ложки сливочного масла, молотый красный перец по вкусу

Пшеничный хлеб нарезать прямоугольными ломтиками и слегка обжарить на масле. Тертый сыр смешать с томатной пастой, яйцами и маслом, заправить молотым красным перцем. Полученной массой намазать поджаренные ломтики хлеба с одной стороны, уложить на сковороду и запечь в духовке. Подавать к бульону.

ГРЕНКИ
С ЯИЧНОЙ МАССОЙ
(чехословацкая кухня)

200 г хлеба ржаного, 2 ст. ложки сливочного масла или свиного сала, 3 яйца, 100 г шпика, перец молотый черный, соль, зеленый лук

Хлеб нарезать ломтиками, поджарить на сливочном масле или свином сале. Охладить, намазать яичной массой и посыпать нарезанным луком.

Для получения яичной массы сваренные вкрутую яйца пропустить через мясорубку вместе со шпиком, посолить и поперчить.

ГРЕНКИ
С ЯЙЦАМИ ПОД СОУСОМ

200 г хлеба пшеничного, 5 яиц, 2 ст. ложки сливочного масла, 1 стакан соуса молочного, 2 ст. ложки сыра тертого, зелень петрушки

Нарезать хлеб ломтиками, с одной стороны их сделать углубления для яйца, поджарить на сливочном масле, сверху уложить сваренное в «мешочек» яйцо, залить молочным соусом средней густоты (см. с. 194), посыпать тертым сыром и запечь в духовке в течение 12—15 мин. При подаче украсить зеленью петрушки.

ГРЕНКИ
С СЫРОМ И ЯИЧНЫМИ ЖЕЛТКАМИ

200 г хлеба пшеничного, 1 ст. ложка сливочного масла, $^3/_4$ стакана молока, 2 желтка, 2 ст. ложки тертого сыра

Тонкие ломтики пшеничного хлеба смочить в смеси из молока и яичных желтков. Уложить на смазанный маслом противень, посыпать тертым сыром и запечь в духовке до золотистого цвета.

ГРЕНКИ
В СЫРНО-ЯИЧНОЙ СМЕСИ

200 г хлеба пшеничного, 2 яйца, $^1/_2$ стакана молока, 2 ст. ложки муки пшеничной, $^3/_4$ стакана тертого твердого сыра, соль и черный перец по вкусу

Хлеб нарезать ломтиками. Взбить яйца с молоком, добавить муку, тертый сыр, соль и черный перец, снова взбить. Обмакнуть в полученную массу подготовленные ломтики и запечь в духовке до золотистого цвета.

ГРЕНКИ
С ПАСТОЙ ИЗ ЖИРНОГО ТВОРОГА

200 г хлеба пшеничного или ржаного, $^1/_2$ стакана творога, 40 г сливочного масла, 1 ч. ложка томатной пасты, 1 зубок чеснока, 1 ст. ложка зеленого нашинкованного лука, соль, горчица по вкусу

Творог растереть с маслом, добавить томатную пасту, толченый в ступке чеснок, нашинкованный лук, горчицу, соль. Поджарить хлеб на сухой сковороде, намазать гренки приготовленной массой и сразу подавать.

БУЛКА В «ШУБЕ»
(венгерская кухня)

4 булки (по 50 г), 2 яйца, 200 г молока, $^1/_2$ стакана жира, 1 ст. ложки муки пшеничной, соль по вкусу

Булку разрезать на две плоские половинки, каждую обмакнуть в теплом молоке, потом в муке и хорошо размешанных яйцах. Поджарить гренки в разогретом жире. Подать к чаю или кофе.

ГРЕНКИ
С ЧЕСНОКОМ И ОГУРЦАМИ

150 г хлеба ржаного, 2 ст. ложки растительного масла, $^1/_3$ средней головки чеснока, 2 ст. ложки майонеза, $^1/_2$ огурца (свежего или консервированного)

Хлеб нарезать ломтиками, поджарить на масле с обеих сторон. Чеснок натереть на мелкой терке. Смазать ломтики чесноком и майонезом, на каждый положить по кружочку огурца.

ГРЕНКИ
С ЧЕСНОКОМ

200 г хлеба ржаного или пшеничного, черствого, 2 ст. ложки растительного масла, $^1/_2$ средней головки чеснока

Хлеб нарезать кубиками или тонкими ломтиками и обжарить на масле. Смазать их толченым чесноком и солью. Подавать к борщу.

ГРЕНКИ
С ЛУКОМ

200 г хлеба ржаного или пшеничного, 2 ст. ложки сливочного масла или топленого сала, 1 средняя луковица, соль по вкусу

Хлеб нарезать ломтиками, поджарить на масле или сале с обеих сторон, положить на них нарезанный кольцами и поджаренный репчатый лук и посыпать солью.

Гренки разные

ГРЕНКИ
С СОУСОМ

150 г хлеба пшеничного, $^1/_2$ головки чеснока, $^1/_2$ стакана вина белого натурального, 3 яйца, 100 г сыра твердого, 3 ст. ложки сливочного масла, перец молотый черный, соль по вкусу

Чеснок почистить, измельчить, залить вином и прогреть до испарения его на половину первоначального объема, затем процедить и охладить. Яйца соединить с тертым сыром, разогретым маслом, процеженным вином, перцем, солью и при помешивании подогреть до загустения (яйцо не должно свернуться!). Хлеб нарезать кубиками и обжарить. При подаче гренки залить приготовленным соусом.

ГРЕНКИ
СО СМЕТАННО-ГРИБНЫМ СОУСОМ

200 г хлеба пшеничного или ржаного, 40 г маргарина, 3—4 гриба, 2 ст. ложки сливочного масла, 2 ч. ложки муки пшеничной, $^1/_2$ стакана сметаны, соль, перец

Ломтики хлеба обжарить на маргарине. Грибы поджарить в масле, добавить муку, еще пожарить, добавить сметану и тушить до готовности грибов. Заправить солью, перцем. Полученный соус с грибами уложить на горячие ломтики. Подавать сразу же.

ГРЕНКИ
С ГРИБАМИ И ПОМИДОРАМИ

200 г хлеба пшеничного или ржаного, 4—5 сухих грибов, 2 ст. ложки маргарина, 2 ч. ложки муки, $^1/_2$ стакана сметаны, соль, перец, 1 свежий помидор, 2 ст. ложки тертого сыра

Хлеб нарезать ломтиками и слегка обжарить на маргарине. Сухие грибы после замачивания отварить, промыть, мелко измельчить, поджарить на маргарине, посыпать мукой и ещё слегка поджарить. Добавить сметану и проварить до загустения соуса. Заправить солью, перцем. Полученную массу уложить на подготовленные ломтики, сверху — кружочки свежего помидора, посыпать тертым сыром и запечь в горячей духовке до легкого зарумянивания.

ГРЕНКИ
С МОРКОВЬЮ

200 г хлеба пшеничного, 40 г маргарина, 5 морковок, 20 г сливочного масла, 2 ч. ложки муки пшеничной, $^1/_2$ стакана молока, 3 ст. ложки тертого сыра, соль, мускатный орех, помидоры

Ломти хлеба обжарить с обеих сторон. Нарезанную соломкой морковь протушить в масле и небольшом количестве воды, добавить муку, молоко, протушить 5—10 мин, заправить солью и тертым мускатным орехом. Тушеную морковь уложить сверху на приготовленные ломтики хлеба, посыпать тертым сыром и слегка запечь в духовке. Украсить дольками помидора.

ГРЕНКИ
С ЯЙЦАМИ И ЛУКОМ

200 г хлеба пшеничного, 50 г сливочного масла, 2 яйца, 2 ст. ложки томатной пасты, 1 луковица, $1/2$ стакана тертого сыра

Хлеб нарезать ломтиками, сверху намазать сливочным маслом. Репчатый лук и сваренные вкрутую яйца мелко нарезать, смешать с тертым сыром и томатной пастой. Полученную массу уложить на ломтики хлеба и запечь в духовке до легкого зарумянивания.

ГРЕНКИ
С КРАСНЫМ ПЕРЦЕМ

200 г хлеба пшеничного, 2 ст. ложки маргарина или сливочного масла, перец по вкусу

Ломтики хлеба обжарить с обеих сторон на сливочном масле или маргарине до золотистой окраски, посыпать сверху красным (жгучим) перцем.

ГРЕНКИ
С БАКЛАЖАНАМИ И ЯЙЦАМИ

200 г хлеба пшеничного, $1/4$ стакана молока, 2 яйца для гренок и 3 для подачи, 1 ст. ложка маргарина или жира, 2 средних баклажана, 2 ст. ложки растительного масла, 1 ч. ложка сливочного масла, красный и черный перец, соль по вкусу

Ломтики хлеба смочить в смеси молока и яиц и поджарить до золотистого цвета на маргарине или другом жире. На остывшие гренки уложить пюре из баклажан, а сверху по половинке вареного яйца. Посыпать тертым сыром, сбрызнуть маслом и запечь в духовке.

Пюре. Баклажаны запечь, очистить от кожицы, пропустить через мясорубку, прогреть с растительным маслом, заправить солью и перцем.

ПОТАПЦЫ
С ПОМИДОРАМИ
(украинская кухня)

200 г хлеба пшеничного, 4 помидора, 2 ч. ложки тертого сыра, 1 ст. ложка сливочного масла

Хлеб нарезать квадратными ломтиками толщиной 1 см и обжарить на масле. Сверху уложить кусочки помидоров, посыпать тертым сыром и подрумянить в духовке.

ИСПАНСКИЕ САНДВИЧИ

200 г хлеба пшеничного, 2 ст. ложки сливочного масла, 2 ст. ложки растительного масла, 2 средних луковицы, 2 средних сладких перца, 100 г сыра голландского, зелень

Для маринада: 1 ст. ложка острого томатного соуса, сок из 1 лимона, 1 ст. ложка сахара, перец красный молотый, соль по вкусу

Ломтики хлеба поджарить на сливочном масле. Лук и сладкий перец нарезать кольцами и протушить до мягкости в растительном масле с добавлением небольшого количества воды. Затем залить на 12 ч маринадом. На подготовленный хлеб уложить маринованный лук и перец, сверху — ломтики сыра. Затем запечь в духовке до плавления сыра. Подавать горячими, посыпав зеленью.

ГРЕНКИ
«ЛЕТО»

250 г хлеба пшеничного свежего, $^1/_2$ плавленого сыра «Лето» (или «Дружба»), 2 моркови, 4 ст. ложки нашинкованного зеленого лука, 2 ч. ложки сливочного масла, 3 ст. ложки растительного масла, соль по вкусу

Хлеб нарезать ломтиками толщиной 1 см, подсушить на сухой горячей сковороде. Теплые ломтики намазать сливочным маслом, затем тертым плавленым сыром и обжаренной на растительном масле смесью моркови и лука (морковь перед жаркой натереть на терке со средними отверстиями, лук нашинковать).

ГРЕНКИ
ПО-ИТАЛЬЯНСКИ
(пицца)

2 булочки несладкие (по 100 г), 2 ст. ложки томатной пасты, 1 плавленый сырок (100 г), 4 ст. ложки тертого твердого острого сыра, 2 ст. ложки растительного масла, перец, корица, гвоздика

Булочки разрезать пополам, намазать томатной пастой, сверху уложить ломтики плавленого сыра. Гвоздику измельчить в ступке, смешать с корицей, солью, перцем и тертым сыром. Этой смесью посыпать бутерброды и запечь их в духовке при температуре 180 °C.

ГРЕНКИ
С ОВОЩАМИ И СЫРОМ

200 г хлеба пшеничного, 1 стакан молока, 1 ст. ложка сливочного масла, 1 ст. ложка сахара, 2 яйца, $^1/_4$ средней головки цветной капусты, 120 г тыквы или кабачков, 2 средних яблока, 2 средних моркови, 2 ст. ложки мелко нарезанной зелени, 2 ст. ложки тертого сыра

Мелко нарезать свежую цветную капусту, морковь, тыкву или кабачки, яблоки, зелень. Морковь с добавлением масла и молока протушить до полуготовности. Затем добавить капусту, кабачки или тыкву и тушить до готовности. Добавить мелко нашинкованные яблоки, зелень, влить сырые белки, всыпать сахарный песок, слегка посолить и хорошо перемешать. Ломтики хлеба намочить в смеси из молока, яиц, сахарного песка и слегка обжарить. На обжаренные гренки горкой положить овощи, сверху посыпать тертым сыром и запечь в духовке до светло-золотистого цвета.

ГРЕНКИ
СО СВЕЖИМИ ГРИБАМИ

200 г хлеба пшеничного, 2 яйца, 1 стакан молока, 5 грибов, 1 луковица, 3 ст. ложки сливочного масла, $^1/_2$ ст. ложки муки пшеничной, 2 ст. ложки сметаны, 1 ст. ложка панировочных сухарей, соль, перец по вкусу

Хлеб нарезать ломтиками, обмакнуть в смеси яйца с молоком и обжарить на масле. Гренки уложить на противень, смазанный маслом, покрыть грибной массой, посыпать сухарями и запечь в нагретой духовке в течение 8—10 мин.

Грибная масса. Грибы нарезать и обжарить. Добавить пассерованный лук и муку, сметану, перец, соль и протушить 20 мин.

ГРЕНКИ
С ГРИБНЫМ СОУСОМ

200 г хлеба пшеничного, $^3/_4$ стакана молока, 2 яйца, 1 ст. ложка сливочного масла или маргарина, 2 стакана соуса грибного

Нарезать хлеб ломтиками толщиной 1 см. Обмакнуть их в смеси яиц с молоком и обжарить на разогретой сковороде с маслом или маргарином. Залить грибным соусом и поставить в горячую духовку на 8—10 мин. Подавать в горячем виде.

Соус. Грибы нарезать ломтиками и тушить до мягкости с добавлением подсоленной воды и масла. Взбить желтки с молоком и влить в грибы. Заправить черным перцем, солью и варить на слабом огне до загустения, непрерывно помешивая.

Для соуса: 300 г грибов свежих, 5 ст. ложек сливочного масла, 3 желтка, $1^1/_2$ стакана молока, соль, перец по вкусу.

ГРЕНКИ
ПО-АРМЯНСКИ

200 г хлеба пшеничного, $^1/_2$ стакана молока, 1 яйцо, 2 ст. ложки сливочного масла или маргарина, 1 стакан фасоли, 1 луковица, 4 ст. ложки растительного масла, 1 ст. ложка томатной

пасты, 1 ч. ложка молотого красного перца, 15—20 маслин, соль, перец черный по вкусу

Хлеб нарезать ломтиками, обмакнуть в смеси молока с яйцом, обжарить. Отварить фасоль, заправить ее пассерованным на растительном масле луком и томатной пастой, молотым красным перцем, солью. Уложить фасоль вместе с частью гренков горкой, посыпать молотым черным перцем. Вокруг уложить оставшиеся гренки вперемешку с маслинами.

ГРЕНКИ С РЫБНЫМИ ПРОДУКТАМИ

ГРЕНКИ
СО ШПРОТАМИ

200 г батона, 3 ст. ложки сливочного масла, 100 г шпротов или сардин, 2 ст. ложки измельченной зелени, 1 свежий огурец

Батон нарезать прямоугольными ломтиками, обжарить с обеих сторон и уложить на блюдо. На каждый ломтик положить шпроты или сардины, кружочек огурца и посыпать зеленью.

ГРЕНКИ
СО ШПРОТАМИ ЗАПЕЧЕННЫЕ

200 г хлеба пшеничного, 100 г шпротов, 2 ст. ложки томатного соуса, 2 ст. ложки мелко рубленной зелени

Хлеб нарезать ломтиками толщиной 1 см, положить на каждый ломтик шпроты, смазать сверху томатным соусом и запечь в духовке в течение 10 мин. Подавать горячими, посыпав зеленью.

ГРЕНКИ
С СЕЛЬДЬЮ

300 г хлеба ржаного, 2 ст. ложки растительного масла, 3 ст. ложки сливочного масла, 1 ст. ложка горчицы, 1 яйцо, 100 г сельди (филе), $^1/_2$ свежего огурца, зелень

Хлеб нарезать ломтиками и обжарить на растительном масле. Сливочное масло растереть с горчицей. Каждый гренок смазать подготовленным маслом, уложить кружочек сваренного вкрутую яйца, сверху — кусочек филе сельди, украсить огурцом и зеленью.

ГРЕНКИ
С СЕЛЬДЬЮ ЗАПЕЧЕННЫЕ

200 г хлеба пшеничного, 200 г сельди, 2 желтка, 2 ст. ложки растительного масла, 1 ст. ложка сливочного масла, 1 ст. ложка горчицы

Вымочить сельдь, снять кожу, удалить кости, нарезать некрупными кусочками. Растереть мо́локи сельди с желтками сваренных вкрутую яиц, добавив растительное масло и горчицу. Нарезать тонкими ломтиками хлеб, смазать сливочным маслом и поджарить. Каждый гренок намазать смесью желтков с моло́ками, сверху положить кусочки сельди. Запечь в духовке в течение 5 мин. Подавать горячими.

ГРЕНКИ
С КИЛЬКОЙ И СЫРОМ

200 г хлеба пшеничного или ржаного, 2 ст. ложки растительного масла, 4—5 килек, 4 ст. ложки тертого сыра, 2 ст. ложки сливочного масла

Хлеб нарезать ломтиками, поджарить на растительном масле. Сверху уложить половинки очищенных килек, посыпать тертым сыром, сбрызнуть растопленным сливочным маслом и запечь в духовке до приобретения сыром желтоватого цвета.

ГРЕНКИ
С КИЛЬКОЙ И ЛУКОМ

200 г хлеба пшеничного или ржаного, 60 г сливочного масла, 7—8 килек, 1 луковица

Ломтики хлеба намазать маслом, положить филе кильки, сверху — кусочки лука. Запекать в горячей духовке, пока килька не станет мягкой, а хлеб хрустящим.

ГРЕНКИ
С СОЛЕНЫМИ ОГУРЦАМИ И СЕЛЬДЬЮ

200 г хлеба ржаного, 2 ст. ложки растительного масла, 2 средних соленых огурца, 80 г сливочного масла, 130 г сельди (филе), 1 яйцо, зелень петрушки, перец молотый

Огурцы очистить от кожицы и семян, натереть на терке с мелкими отверстиями и отжать. Соединить их с размягченным маслом и измельченной зеленью. Вымешать и заправить перцем. Хлеб нарезать ломтиками, обжарить с одной стороны на растительном масле. Неподжаренную сторону намазать подготовленной массой, сверху уложить кусочки сельди, посыпать измельченным сваренным вкрутую яйцом и украсить зеленью.

ГРЕНКИ
ПРАЗДНИЧНЫЕ

150 г батона, 40 г сливочного масла, 1 ч. ложка томатной пасты, 1 яйцо, икра красная или черная, зеленый лук

Хлеб нарезать ломтиками различной формы, слегка обжарить на сливочном масле. Охладить и намазать с одной стороны смесью сливочного масла с томатной пастой. Сверху покрыть кружочками вареного яйца, а на середину желтка уложить икру. Украсить зеленым луком.

ГРЕНКИ
С ЯИЧНО-КИЛЕЧНОЙ СМЕСЬЮ

200 г хлеба пшеничного, 2 яйца, 8—10 килек, 1 луковица, 2 ст. ложки сливочного масла, 2 ст. ложки тертого сыра

Ломтики хлеба намазать смесью из мелко рубленных сваренных вкрутую яиц, килек, репчатого лука и сливочного масла. Сверху посыпать тертым сыром и запечь в духовке.

ГРЕНКИ
ТВОРОЖНЫЕ С КИЛЬКОЙ

200 г хлеба ржаного, $1/2$ стакана творога, 6—7 килек, $1/2$ луковицы, $1/2$ яйца, 40 г сливочного масла

Хлеб нарезать ломтиками, намазать маслом. Творог перемешать с мелко нарезанной килькой, луком и взбитым яйцом, уложить на ломтики. Запечь в горячей духовке так, чтобы творог пожелтел.

ГРЕНКИ
С РЫБНЫМ ФАРШЕМ ЗАПЕЧЕННЫЕ

200 г хлеба пшеничного, 300 г отварной рыбы, 2 средних луковицы, 3 ст. ложки растительного масла, соль, перец по вкусу

На тонкие ломтики хлеба выложить рыбный фарш, смазать растительным маслом и запечь в горячей духовке в течение 10—12 мин. Подавать горячими.

Фарш. Отварную рыбу и репчатый лук пропустить через мясорубку, перемешать, заправить специями и поджарить на растительном масле.

ГРЕНКИ
С КОПЧЕНОЙ РЫБОЙ

200 г хлеба пшеничного или ржаного, 30 г сливочного масла, 100 г копченой рыбы, 4 ст. ложки сметаны, 1 желток, 2 ст. ложки тертого сыра, укроп, соль, перец по вкусу

Хлеб нарезать на ломтики, которые слегка подсушить или поджарить с одной стороны на масле. Обжаренную сторону смазать смесью, приготовленной из размельченной копченой рыбы, сырого желтка и сметаны. Смесь заправить мелко нарезанным укропом, солью и перцем. Сверху посыпать тертым сыром и запечь в горячей духовке.

ГРЕНКИ С МЯСНЫМИ ПРОДУКТАМИ

ГРЕНКИ
С МЯСНЫМ ФАРШЕМ

200 г хлеба пшеничного, 300 г мяса отварного, 1 луковица, 2 ст. ложки панировочных сухарей, 1 яйцо, 2 ст. ложки сметаны, 3 ст. ложки сливочного масла, соль по вкусу

Отварное мясо вместе с луком пропустить через мясорубку, добавить панировочные сухари и поджарить на масле. Затем добавить яйцо, сметану, соль. Все тщательно перемешать. Этим фаршем намазать ломтики хлеба, уложить их на смазанный маслом противень и запечь в горячей духовке в течение 8—10 мин. Подавать горячими.

ГРЕНКИ
С «ПИКАНТНОЙ СМЕСЬЮ»

200 г хлеба пшеничного, 50 г сыра, 50 г мяса отварного, 1 корнишон, 40 г сельди (филе), 1 картофелина, 2 ст. ложки растительного масла, зелень петрушки

Хлеб нарезать тонкими ломтиками, поджарить на растительном масле с одной стороны, а неподжаренную сторону намазать пикантной смесью. Украсить зеленью.

«Пикантная смесь». Сыр, отварное мясо, корнишон, филе сельди дважды пропустить через мясорубку. Если смесь окажется очень острой, смешать ее со взбитым маслом или натертым отварным картофелем и растительным маслом. Вместо мяса можно использовать колбасу.

ГРЕНКИ
С СОСИСКАМИ

200 г хлеба ржаного, 2 сосиски, 2 помидора, 40 г сыра, 1 ст. ложка майонеза, зелень петрушки

Ломтики хлеба поджарить с одной стороны на сливочном масле, сосиски разрезать вдоль, помидоры — на две половинки. Неподжаренную сторону хлеба смазать майонезом, уложить на нее две половинки сосиски, накрыть кружочками помидора и ломтиками сыра. Запечь в духовке. Украсить зеленью петрушки.

ГРЕНКИ
С МЯСНЫМИ ПРОДУКТАМИ
И ОГУРЦАМИ

200 г хлеба пшеничного, 2 ст. ложки сливочного масла, 100 г мясных продуктов (ветчина, колбаса, сосиски, окорок), 1 соленый огурец, 3 ст. ложки сыра голландского тертого, зелень

Хлеб нарезать ломтиками и обжарить с одной стороны. Мясные продукты мелко нарезать или пропустить через мясорубку. Огурцы мелко нарезать, отжать и соединить с мясными продуктами. Массу заправить майонезом, хорошо перемешать и нанести на обжаренную сторону гренков. Посыпать тертым сыром, уложить на смазанный маслом противень и подрумянить в духовке. При подаче посыпать измельченной зеленью.

ГРЕНКИ
С КОЛБАСОЙ

200 г хлеба пшеничного, 200 г колбасы, $^{1}/_{2}$ стакана молока, 2 яйца, 2 ст. ложки муки пшеничной, 1 ст. ложка сливочного масла, соль по вкусу

Ломтики хлеба обмакнуть во взбитых яйцах, положить на каждый из них по кусочку колбасы и снова обмакнуть во взбитых яйцах, предварительно размешав их с мукой, солью и молоком. Затем подготовленные ломтики поджарить. Подавать горячими.

ГРЕНКИ
С МЯСНЫМИ ПРОДУКТАМИ И ЯЙЦАМИ

200 г хлеба пшеничного, 2 ст. ложки сливочного масла, 3 яйца, 100 г мясных продуктов (ветчина, колбаса, мясо копченое), 2 ст. ложки майонеза или 40 г масла сливочного, 1 ч. ложка лимонного сока, соль, зелень

*Гренки с ветчиной и сыром
(запеченные)*

Хлеб нарезать ломтиками и обжарить. Сваренные вкрутую яйца мелко нарубить, добавить мелко нарезанную ветчину, колбасу, копченое мясо. Все это соединить со взбитым сливочным маслом или майонезом и заправить лимонным соком. Полученной смесью намазать гренки с одной стороны. Украсить зеленью.

ГРЕНКИ С МЯСНЫМИ ПРОДУКТАМИ И ТОМАТНОЙ ПАСТОЙ

200 г хлеба пшеничного, 2 ст. ложки сливочного масла, 100 г мясных продуктов (ветчина, колбаса, сосиски), 1 ст. ложка томатной пасты, 2 ст. ложки сыра голландского тертого, перец молотый красный

Мясные продукты мелко нарезать или пропустить через мясорубку, заправить томатной пастой и перцем. Хлеб нарезать ломтиками, слегка обжарить, покрыть приготовленной массой, посыпать тертым сыром и запечь в духовке.

ГРЕНКИ С ВЕТЧИНОЙ И ЛУКОМ

I в а р и а н т. 200 г хлеба пшеничного, 100 г ветчины, 2 средних луковицы, 2 ст. ложки топленого сала, 1 ст. ложка горчицы, 1 ст. ложка зелени петрушки

Нарезать хлеб на тонкие ломтики, обжарить с обеих сторон на сале до образования румяной корочки, сверху уложить обжаренные ломтики ветчины (перед жаркой намазать горчицей), сверху уложить поджаренный лук и посыпать мелко рубленной зеленью петрушки.

II в а р и а н т. 200 г хлеба ржаного. 100 г ветчины, 2 средних луковицы, перец черный

Нарезать хлеб ломтиками, сверху уложить тонкие ломтики ветчины, на нее — лук репчатый, нарезанный кольцами. Посыпать перцем и запекать в духовке до тех пор, пока лук не прожарится.

ГРЕНКИ С ВЕТЧИНОЙ И ЧЕРНОСЛИВОМ

200 г хлеба пшеничного, 3 ст. ложки сливочного масла, 100 г ветчины, 2 ст. ложки чернослива, зелень

Хлеб нарезать на прямоугольные ломтики и обжарить с обеих сторон. Чернослив замочить, удалить косточки, ветчину нарезать тонкими ломтиками. На середину ломтика ветчины положить чернослив, завернуть рулетиком и укрепить бутербродной шпажкой. Уложить на подготовленные гренки и украсить зеленью.

ГРЕНКИ
С ВЕТЧИНОЙ
В ЯИЧНО-МОЛОЧНОЙ СМЕСИ
ЖАРЕНЫЕ

200 г хлеба пшеничного, 100 г ветчины, $1/2$ стакана молока, 2 яйца, 2 ст. ложки муки пшеничной, 1 ст. ложка сливочного масла или маргарина

Нарезать хлеб одинаковыми ломтиками и между двумя уложить ломтик ветчины. Подготовленные гренки обмакнуть в густой смеси из молока, яиц, муки и поджарить на масле. Подавать горячими.

ГРЕНКИ
С ВЕТЧИНОЙ И ЯЙЦОМ
(венгерская кухня)

200 г хлеба ржаного, 2 ст. ложки сливочного масла, 50 г ветчины, 1 яйцо, соль по вкусу

Нарезать хлеб полосками шириной 1 см, длиной 5—6 см. Намазать их с обеих сторон сливочным маслом, посолить, обмакнуть в смесь из мелко нарезанной или протертой ветчины и нарубленных крутых яиц, подсушить в духовке.

ГРЕНКИ
С ВЕТЧИНОЙ, ЯЙЦОМ И ПЕРЦЕМ

200 г хлеба пшеничного, 100 г ветчины, 2 ст. ложки молока, 1 яйцо, 1 ст. ложка тертого сыра, 2 ч. ложки сливочного масла, черный перец по вкусу

Нарезать хлеб ломтиками толщиной 1 см и смочить в молоке. Вареную ветчину нарезать или пропустить через мясорубку, добавить взбитый яичный белок, молотый перец и перемешать. Этой массой намазать подготовленные ломтики хлеба, сверху посыпать тертым сыром и запечь в горячей духовке до румяной корочки. Подавать в горячем виде.

ГРЕНКИ
С ВЕТЧИНОЙ, ОГУРЦАМИ,
ЗАПЕЧЕННЫЕ ПОД МАЙОНЕЗОМ

200 г хлеба пшеничного, 100 г ветчины, 2 соленых огурца, 1 банка (250 г) майонеза, молотый черный перец, зелень петрушки

Нарезать хлеб ломтиками и слегка подсушить, гренки покрыть смесью мелко рубленной ветчины, соленых огурцов и перца. Уложить на смазанный противень, залить майонезом и запечь в духовке в течение 10 мин. Подавать горячими, посыпав мелко рубленной зеленью.

Гренки с ветчиной и сыром

ГРЕНКИ
С ВЕТЧИНОЙ И СЫРОМ

200 г хлеба пшеничного, 100 г сливочного масла, 200 г ветчины, 150 г сыра, горчица или томат-пюре, соль по вкусу

Хлеб нарезать тонкими ломтиками, намазать их горчичным или томатным маслом, сверху положить ломтик ветчины, а на нее ломтик сыра. Запечь в горячей духовке до появления румяной корочки. Подавать горячими.

ГРЕНКИ
С ВЕТЧИНОЙ И ЯИЧНИЦЕЙ

200 г хлеба ржаного, 100 г ветчины, 2 ст. ложки сала топленого, 4 яйца, 1 ст. ложка мелко нарезанного укропа

Нарезать хлеб на ломтики толщиной 1 см, обжарить их на сале. Сверху на подготовленные гренки уложить ломтик обжаренной ветчины, на нее — яичницу-глазунью и посыпать укропом.

ГРЕНКИ
С ЖАРЕНОЙ ВЕТЧИНОЙ И ГОРЧИЦЕЙ

200 г хлеба пшеничного, 3 ст. ложки топленого сала, 100 г ветчины, горчица, зеленый лук и укроп по вкусу

Нарезать хлеб на тонкие ломтики, поджарить на сале. На гренки уложить ломтики обжаренной ветчины, предварительно смазанные горчицей. Сверху посыпать рублеными зеленым луком и укропом.

ГРЕНКИ
С ПЕЧЕНОЧНЫМ ПАШТЕТОМ
И ГРИБАМИ

200 г хлеба пшеничного, 100 г паштета печеночного, 40 г сливочного масла, 1 ст. ложка маргарина, 100 г грибов свежих, 1 ч. ложка муки пшеничной, 2 ст. ложки сметаны, 2 ст. ложки тертого сыра, соль, перец по вкусу

Грибы тушеные. Свежие грибы мелко нарезать, поджарить на маргарине, добавить муку, слегка прожарить, затем ввести сметану и проварить в полученном густом соусе 5—7 мин.

Ломтики хлеба намазать сливочным маслом, покрыть паштетом, сверху уложить тушеные грибы. Посыпать тертым сыром и запечь в духовке до легкого зарумянивания.

ГРЕНКИ
С МОЗГАМИ

200 г хлеба пшеничного, 50 г сливочного масла, 200 г мозгов, 1 яйцо, соль, перец, лимонный сок

Ломтики хлеба намазать тонким слоем масла. Мозги сварить, мелко нарезать, смешать с сырыми яйцами, заправить солью, перцем и лимонным соком. Полученную массу уложить толстым слоем на ломтики подготовленного хлеба и запечь в духовке до легкого зарумянивания.

ГРЕНКИ
С ПАШТЕТОМ ЗАПЕЧЕННЫЕ

200 г хлеба пшеничного, 200 г паштета печеночного, 1 ст. ложка тертого сыра, 3 ст. ложки сливочного масла

Ломтики поджаренного хлеба намазать паштетом, посыпать тертым сыром, сбрызнуть растопленным маслом и запечь в духовке до золотисто-коричневого цвета. Подать горячими.

ГРЕНКИ НА ДЕСЕРТ

ГРЕНКИ
ДЕСЕРТНЫЕ

200 г хлеба пшеничного, $1^1/_2$ яйца, $^3/_4$ стакана молока, 2 ст. ложки сахара, 2 ст. ложки сливочного масла, 1 яблоко, 2 ст. ложки орехов (ядро)

Тонкие ломтики хлеба смочить в смеси из желтков, молока и сахара. Обжарить с обеих сторон. Сверху намазать массой из яблок с орехами (яблоки очистить от кожицы и семян, нарезать и протушить с сахаром, соединить с измельченными поджаренными орехами). Уложить гренки на сковороду, залить взбитыми белками и запечь в духовке.

ГРЕНКИ
СЛАДКИЕ С ФРУКТАМИ

200 г хлеба пшеничного, 2 яйца, 1 стакан молока, 2 ст. ложки сахара, 2 ст. ложки сливочного масла, $^1/_2$ стакана ягод, фруктов свежих или консервированных (клубника, малина), 2 ст. ложки сахарной пудры

Хлеб нарезать ломтиками, обмакнуть в смеси из яйца, молока и сахара, обжарить на масле. Уложить на блюдо, сверху на гренки уложить фрукты или ягоды и посыпать сахарной пудрой.

ГРЕНКИ
С МЕДОМ

200 г хлеба пшеничного, $^1/_2$ стакана молока, 1 яйцо, 1 ч. ложка меда, 1 ст. ложка панировочных сухарей, соль, ванилин по вкусу

Ломтики хлеба смочить в смеси из молока, яиц и соли, обвалять в сухарях. Поджарить с обеих сторон на масле. Охладить, смазать медом с ванилином, посыпать сахарной пудрой.

ГРЕНКИ
С ЗАВАРНЫМ КРЕМОМ

200 г хлеба пшеничного, 1 яйцо, $3/4$ стакана молока, 2 ст. ложки сахара, 2 ст. ложки сливочного масла

Для крема: 1 яйцо, 2 ч. ложки муки пшеничной, 1 стакан молока, 2 ст. ложки сахара.

Хлеб нарезать кубиками, обмакнуть в смеси из молока, яиц, сахара, обжарить на сливочном масле и залить в блюде заварным кремом.

Крем заварной. Яйцо растереть с мукой, развести небольшим количеством холодного молока, тщательно размешать до исчезновения комочков и влить тонкой струйкой, помешивая, в кипящее молоко с сахаром. Нагреть до загустения, но не кипятить. Охладить.

ТАРТИНКИ
«КРАСНАЯ ШАПОЧКА»

200 г хлеба пшеничного, 2 ст. ложки сливочного масла, $3/4$ стакана творога, 2 ст. ложки сахара, $3/4$ стакана земляники

Ломтики хлеба (без корок) нарезать ромбиками и обжарить на сливочном масле. На гренки из кондитерского мешочка выпустить творожную массу. Украсить гренки земляникой.

Творожная масса. Творог протереть с земляникой, добавить в него сахар и хорошо перемешать.

ГРЕНКИ
С ТВОРОГОМ ЗАПЕЧЕННЫЕ

200 г хлеба пшеничного, 2 ст. ложки сливочного масла, $3/4$ стакана творога, 1 яйцо, 2 ст. ложки сахара

Хлеб нарезать ломтиками и обжарить на сливочном масле. Одну сторону гренков покрыть творожной массой, посыпать сверху сахаром и запечь до золотистого цвета в духовке.

Творожная масса. Творог протереть через сито, добавить в него сахар и яйца. Перемешать.

ГРЕНКИ-БУХТЫ
СЛАДКИЕ
(немецкая кухня)

200 г хлеба пшеничного, $1/2$ стакана красного вина, 2 ст. ложки сахарной пудры, 2 яичных белка, 100 г жира, корица или ванилин по вкусу.

В красном вине растворить сахарную пудру и добавить корицу или ванилин. Батон или булку зачистить от корки, нарезать тонкими ломтиками и обмакнуть каждый в подслащенное и ароматизированное вино, затем — во взбитые в пышную пену белки. Обжарить бухты в жире. Подавать горячими, посыпав сахарной пудрой.

Гренки с творогом и клюквой

ГРЕНКИ
В ЯИЧНО-МОЛОЧНОЙ СМЕСИ

200 г хлеба пшеничного, $^1/_2$ стакана молока, 1 яйцо, 1 ст. ложка сахара, 2 ст. ложки сливочного масла

Ломтики хлеба смочить в смеси из яиц, молока и сахара и обжарить с двух сторон на сливочном масле.

ГРЕНКИ
В ЯИЧНО-МОЛОЧНОЙ СМЕСИ
ЗАПЕЧЕННЫЕ

200 г хлеба пшеничного, 1 стакан молока, 1 яйцо, 1 ст. ложка сахара, 2 ст. ложки сливочного масла

Ломтики хлеба смочить в смеси из яиц, молока и сахара, обжарить с одной стороны на сливочном масле, перевернуть гренки на другую сторону, залить оставшейся смесью и запечь в духовке.

ГРЕНКИ
С ПОВИДЛОМ ЗАПЕЧЕННЫЕ

200 г хлеба пшеничного, 2 яйца, $^3/_4$ стакана молока, 1 ст. ложка сахара, 2 ст. ложки сливочного масла, $^1/_2$ стакана повидла, 2 ст. ложки измельченных орехов

Тонкие ломтики хлеба обмакнуть в смесь из молока, яиц, сахара и поджарить на сливочном масле. Густое повидло смешать с подсушенными орехами и помазать этой смесью подготовленные гренки. Сверху покрыть взбитыми яичными белками и запечь в духовке.

ГРЕНКИ
С ПОВИДЛОМ

200 г хлеба пшеничного, 2 яйца, $^1/_2$ стакана повидла, 2 ст. ложки панировочных сухарей или муки, 2 ст. ложки сливочного масла или маргарина, 2 ст. ложки измельченных орехов.

Тонкие ломтики хлеба одинаковой формы обмакнуть во взбитые яйца, обвалять в панировочных сухарях или муке и снова обмакнуть в яйцо. Поджарить на сливочном масле или маргарине до золотистого цвета. Охладить, смазать с одной стороны повидлом, уложить на блюдо и сверху посыпать подсушенными орехами.

ГРЕНКИ
С САХАРОМ

200 г хлеба пшеничного, $^3/_4$ стакана воды, 2 ст. ложки сахара, 2 ст. ложки сливочного масла

Ломтики хлеба смочить в сладкой воде и обжарить на масле.

Яблоки на гренках

ГРЕНКИ
С МОЛОКОМ И САХАРОМ

200 г хлеба пшеничного, 1 стакан молока, 1 ст. ложка сахара, 2 ст. ложки сливочного масла

Ломтики хлеба смочить в смеси молока с сахаром и обжарить на сливочном масле с двух сторон.

ГРЕНКИ
С ЯБЛОКАМИ

200 г хлеба пшеничного, 5 яблок, 2 ст. ложки сливочного масла, 3 ст. ложки сахара, $1/2$ ч. ложки корицы, 3 белка

Хлеб нарезать ломтиками, слегка поджарить на сливочном масле с двух сторон. Яблоки очистить от кожицы и семян, нарезать тонкими ломтиками, посыпать сахаром, сбрызнуть водой и слегка припустить. На гренки уложить подготовленные яблоки, посыпать корицей, покрыть взбитыми с сахаром белками и запечь до золотистого цвета в духовке.

ГРЕНКИ
С АПЕЛЬСИНАМИ И ИЗЮМОМ

200 г хлеба пшеничного, 2 яйца, $1/2$ стакана сахара, 1 стакан молока, 2 ст. ложки сливочного масла, 2 апельсина, $1/4$ стакана изюма

Хлеб нарезать ломтиками, обмакнуть во взбитую смесь из молока, яиц, сахара и с обеих сторон поджарить на сливочном масле. Уложить гренки на блюдо, сверху на них — дольки апельсина и горку разбухшего в горячей воде изюма.

ГРЕНКИ
С ВИШНЯМИ

200 г хлеба пшеничного, 1 стакан вишен, 2 ст. ложки сахара, 2 ст. ложки сливочного масла, 1 ст. ложка мелко рубленных орехов

Хлеб нарезать ломтиками, обжарить на масле. Из вишен удалить косточки, засыпать сахаром и оставить до выделения сока. На гренки уложить подготовленные вишни, полить выделившимся соком и посыпать поджаренными орехами.

ГРЕНКИ
КЛУБНИЧНЫЕ

200 г хлеба пшеничного, 1 стакан клубники, $1/2$ стакана яблочного сока, 3 ст. ложки сахара, 2 ст. ложки тертых сухарей из пшеничного хлеба, 2 яйца, 2 ст. ложки сливочного масла или маргарина

Хлеб нарезать на тонкие ломтики. Клубнику перебрать, промыть, размять, смешать с яблочным соком, сахаром и тертыми сухарями до получения густой массы. Этой массой намазать подготовленные ломтики хлеба, обмакнуть во взбитые яйца, обвалять в панировочных сухарях и поджарить на разогретом сливочном масле или маргарине до хрустящей румяной корочки.

ГРЕНКИ
С ВАРЕНЬЕМ

200 г хлеба пшеничного, 2 яйца, $^1/_2$ стакана сахара, 1 стакан молока, 2 ст. ложки сливочного масла, $^1/_2$ стакана варенья

Ломтики хлеба обмакнуть во взбитую смесь из молока, яиц, сахара и с обеих сторон поджарить на сливочном масле. Гренки уложить на блюдо и сверху на них положить варенье.

ГРЕНКИ
С ТВОРОГОМ И ОРЕХАМИ

200 г хлеба пшеничного, 2 яйца, $^1/_4$ стакана сахара, $^1/_2$ стакана молока, 2 ст. ложки сливочного масла, 2 ст. ложки измельченных орехов

Для творожной массы: $^2/_3$ стакана творога, 2 ст. ложки сахара, 1 яйцо

Хлеб нарезать ломтиками, обмакнуть во взбитую смесь из яиц, молока и сахара. Обжарить с обеих сторон на сливочном масле. Полученные гренки с одной стороны покрыть творожной массой и посыпать поджаренными орехами.

Творожная масса. Протереть творог через сито, добавить в него сахар, яйца. Перемешать.

●
СУПЫ

Из хлеба можно приготовить вкусные и аппетитные супы, бульоны, похлебки. Для их приготовления используют как ржаной, так и пшеничный хлеб. Еще в начальный период развития русской кухни сложилась традиция употребления жидких блюд, составной частью которых был хлеб, таких как окрошка, похлебка, тюря.

Самым простым из них является тюря, которая представляет собой измельченный хлеб или сухари с водой и солью. Белый хлеб в молоке с сахаром — тюря для детей.

Хлеб широко используется в супах украинской, эстонской, латвийской, армянской, казахской национальных кухонь. Большой популярностью пользуются блюда из хлеба и у народов Венгрии, Польши, Болгарии, Югославии, Италии, Франции и других стран Европы.

Готовят супы с хлебом на бульонах, овощных и фруктовых отварах, молоке и молочных продуктах (простокваша, кефир), квасе. Супы с хлебом рекомендуется готовить перед подачей на стол (горячие и холодные).

БУЛЬОН ДЛЯ СУПОВ

Кости порубить, промыть, положить в кастрюлю, сверху уложить куски мяса, залить холодной водой, накрыть крышкой и довести до кипения. После того, как бульон закипел, крышку открыть, снять пену, избыток жиров и дальше варить на слабом огне. За 1—1,5 ч. до конца варки положить в него поджаренные без жира репчатый лук, морковь, петрушку. За 10—15 мин до конца варки заправить солью и перцем. Готовый бульон процедить и использовать для приготовления супов, соусов.

400 г костей, 150 г мяса говядины, свинины, 6 стаканов воды, $^1/_4$ моркови, $^1/_4$ луковицы, $^1/_4$ корня петрушки.

БУЛЬОН
МЯСНОЙ ПРОЗРАЧНЫЙ

Для бульона: 500 г костей говяжьих (кроме позвоночных), $^1/_4$ моркови, $^1/_4$ луковицы, $^1/_4$ корня петрушки, 6 стаканов воды
Для оттяжки: 140 г говядины, 1 белок, 1 стакан воды.

Кости порубить, промыть, залить холодной водой и при закрытой крышке довести до кипения. После того, как бульон закипит, крышку открыть, снять пену, избыток жиров и дальше продолжать варку при слабом огне. За час до конца варки в бульон положить репчатый лук, морковь, петрушку (можно предварительно слегка поджарить без жира). В конце заправить перцем и солью. Затем бульон процедить и при температуре 50—60 °C ввести мясную оттяжку, для придания ему коричневатого оттенка и аромата добавить поджаренные (подпеченные) без жира овощи. С оттяжкой бульон размешать, довести до кипения (не помешивая) и на слабом огне проварить 1—1$^1/_2$ ч. Процедить и снова довести до кипения.

Для оттяжки мясо говядины (шея, голяшка) пропустить через мясорубку, залить холодной водой (1 часть мяса на 2 части воды), добавить соль и поставить в холодное место на 1—2 ч. В конце настаивания ввести слегка взбитые яичные белки и перемешать.

БУЛЬОН
С ХЛЕБНЫМИ КЛЕЦКАМИ

200 г хлеба пшеничного черствого, 1 ст. ложка сливочного масла или маргарина, 1 стакан молока, 1 яйцо, 2 ст. ложки манной крупы или муки, соль по вкусу, 1,5—2 л бульона.

Хлеб нарезать кубиками (1×1 см), обжарить на сливочном масле или маргарине, посолить, залить горячим молоком и прокипятить. Охладить, добавить растертые яйца, манную крупу или муку. Из полученной массы замесить тесто, дать ему постоять 10—15 мин. Затем чайной ложкой тесто отделить в виде клецок и опустить в подсоленную кипящую воду. Когда клецки готовы, они всплывают; вынуть их шумовкой, разложить в тарелки и залить прозрачным бульоном (см. предыдущий рецепт).

БУЛЬОН
С КЛЕЦКАМИ ИЗ БЕЛЫХ БУЛОЧЕК

2 черствые булочки (по 100 г), $1^1/_2$ яйца, $^1/_4$ стакана молока, 1 ст. ложка муки пшеничной, 2 ст. ложки жира, 1 ст. ложка зелени петрушки, мелко нарезанной, соль по вкусу, $^1/_2$ луковицы, 1,5—2 л бульона

Несладкие булочки нарезать кубиками и слегка обжарить до золотистого цвета. Затем их сложить в посуду, добавить слегка поджаренный на жире репчатый лук и мелко нарезанную зелень петрушки. Заправить молоком, жиром, яйцами, мукой и солью. Все тщательно перемешать и из полученной массы разделать маленькие клецки. Опустить клецки в кипящую подсоленную воду, слегка помешать и варить до тех пор, пока они не всплывут. Готовые клецки аккуратно вынуть шумовкой из воды, разложить в тарелки и залить бульоном (см. с. 116).

БУЛЬОН
С КЛЕЦКАМИ ИЗ ХЛЕБА
(немецкая кухня)

200 г хлеба пшеничного, 0,5 яйца, 1 ст. ложка сливочного масла, 50 г сыра, соль по вкусу, 1 л бульона, 1 ст. ложка зелени петрушки

Черствый хлеб замочить в воде, отжать и протереть через сито. Растереть сливочное масло, соединить с протертым хлебом, сыром, яйцом, солью и замесить тесто. Дать ему постоять 20 мин, затем с помощью двух чайных ложек сформовать клецки и отварить их на пару. Готовые клецки положить в тарелки, залить прозрачным горячим бульоном, посыпать зеленью петрушки.

БУЛЬОН
С ФРИКАДЕЛЬКАМИ ИЗ ХЛЕБА И МЯСА
(эстонская кухня)

200 г хлеба пшеничного, черствого, 500 г мякоти мяса, 3 яйца, соль и перец по вкусу, 1,5—2 л бульона

Подготовленное мясо и предварительно замоченный в холодной воде хлеб пропустить через мясорубку, добавить соль, яйца, перец. Полученную массу тщательно перемешать, сформовать из нее шарики (фрикадельки), опустить их в готовый кипящий бульон и варить 8—10 мин. Фрикадельки вынуть, разложить в тарелки по 5—6 шт. и залить процеженным бульоном (см. с. 116).

БУЛЬОН
С ГРЕНКАМИ ПО-ЧЕШСКИ

120 г сухарей пшеничных, 1 яйцо, 2 ст. ложки сливочного масла, 2 ст. ложки зелени петрушки, 1 л бульона

Желтки растереть со сливочным маслом, добавить сухари, соль, взбитые белки, осторожно размешать. Затем массу выложить на смазанную маслом сковороду и выпечь корж в духовке. Дать остыть, выложить его из формы и нарезать на маленькие кубики, положить в тарелки, залить горячим бульоном и посыпать мелконарезанной зеленью петрушки.

БУЛЬОН
С ХЛЕБНЫМИ КЛЕЦКАМИ НА МАСЛЕ

200 г хлеба пшеничного, черствого, 1 ст. ложка сливочного масла, 2 яйца, соль по вкусу, бульон.

Хлеб замочить в воде. Когда он набухнет, отжать и протереть через сито. Сливочное масло растереть до густоты сме-

Бульон с фрикадельками из хлеба и мяса

таны, добавить сырые яйца, протертый хлеб, соль и замесить тесто. Дать ему постоять 20—30 мин. С помощью чайной ложки от теста отделять клецки и опускать в кипящую подсоленную воду. Когда они всплывут, вынуть, разложить в тарелки и залить бульоном (см. с. 116).

БУЛЬОН
С ХЛЕБНЫМИ КЛЕЦКАМИ
НА СМЕТАНЕ

200 г булки, 2 ст. ложки сливочного масла, 2 яйца, 1 стакан сметаны, соль по вкусу, 1,5—2 л мясного бульона, 2 ст. ложки зелени петрушки или укропа (мелконарезанной)

Сливочное масло растереть с желтками, добавить тертую черствую булку, соль, сметану, взбить белки и тщательно перемешать. Из полученной массы при помощи двух чайных ложек сформовать небольшие клецки и опустить в подсоленную кипящую воду. Когда клецки всплывут, вынуть их шумовкой, разложить в тарелки, залить бульоном, посыпать мелко нарезанной зеленью петрушки или укропа.

БУЛЬОН
С КЛЕЦКАМИ ИЗ БУЛКИ
С ПРЯНОСТЯМИ

(венгерская кухня)

200 г булки, 1 стакан молока, 3 яйца, 3 ст. ложки панировочных сухарей или муки, 2 ст. ложки сливочного масла, соль и душистый перец по вкусу, 1—1,5 л бульона

Булку замочить в молоке, когда она набухнет, протереть через сито или дуршлаг. Соединить с желтками, солью, сливочным маслом, добавить взбитые белки, молотый душистый перец и панировочные сухари, все тщательно перемешать. Из полученной массы с помощью двух чайных ложек отделить клецки, опустить их в кипящий бульон, варить пока не всплывут. Готовые клецки разложить в тарелки и залить процеженным бульоном.

СУП ХЛЕБНЫЙ
С СЫРОМ И ЛУКОМ

По 100 г хлеба ржаного и пшеничного, 100 г сыра, 2 ст. ложки сливочного масла, 2 луковицы, 1,5 л воды, соль по вкусу

Нарезанный ломтиками хлеб залить водой, когда он набухнет, отжать, соединить с мелко нарезанным поджаренным луком, добавить соль, все залить кипятком и варить 15—20 мин. В конце варки в суп добавить тертый сыр и, помешивая, варить еще 5—7 мин.

СУП СЕЛЯНСКИЙ
С ХЛЕБНЫМИ КОРОЧКАМИ

200 г сухих корочек черного хлеба, 1 л воды, 2 ст. ложки сливочного масла, 3 яйца, 1 луковица, 1 ст. ложка зелени петрушки, перец и соль по вкусу

Хлебные корочки нарезать кубиками и подсушить, затем слегка поджарить на масле с нарезанным кубиками репчатым луком, мелко нарезанной зеленью петрушки, залить водой, добавить соль, перец и довести до кипения. Затем, непрерывно помешивая, осторожно ввести растертые яйца.

СУП
С ХЛЕБОМ И ЯЙЦОМ,
СВАРЕННЫМ В «МЕШОЧЕК»

1 стакан (140 г) хлеба ржаного тертого, 0,5 стакана гренков, 2 ст. ложки сливочного масла, 4 яйца, 1 л бульона, зелень укропа или петрушки

Грибная похлебка

Черствый хлеб натереть на терке и обжарить на сливочном масле. Приготовить гренки: хлеб нарезать мелкими кубиками и подсушить в духовке. В кастрюлю налить воды, добавить соль, уксус (1 ч. ложка соли и 2 ст. ложки уксуса на 1 стакан воды), довести до кипения, быстро выпустить яйца, не повреждая оболочки желтка, и варить 3—3,5 мин при слабом кипении. Сваренные яйца осторожно вынуть, обравнять бахрому (растекшийся белок), белок должен быть плотным, а желток полужидким, опустить в суповую миску, положить туда же тертый поджаренный хлеб, подсушенные гренки и мелко нарезанную зелень укропа или петрушки. Все залить бульоном и сразу же подать на стол.

СУП
С РУБЛЕНЫМИ ЯЙЦАМИ

200 г хлеба ржаного, 1 л бульона, 2 ст. ложки сливочного масла, 2—3 яйца, 1 ст. ложка зелени петрушки или укропа

Половину хлеба нарезать ломтиками и слегка подсушить в духовке, другую половину натереть и поджарить на сливочном масле. Поджаренный тертый хлеб, подсушенные ломтики, мелко рубленные вареные яйца и нарезанную зелень петрушки или укропа сложить в посуду, залить бульоном и сразу же подать на стол.

СУП С КАБАЧКАМИ
И ГРИБАМИ

200 г хлеба пшеничного, 400 г кабачков, 300 г свежих грибов, 1 ст. ложка муки, 2 ст. ложки растительного масла, 2 л воды, 2 ст. ложки зелени петрушки или укропа

Кабачки очистить, удалить семена, нарезать кубиками или кружочками, обвалять в муке и обжарить на растительном масле. Лук репчатый нарезать кубиками, обжарить и соединить с кабачками. Хлеб замочить в горячей воде. Подготовленные свежие грибы нарезать, опустить в кипящую воду и варить около получаса. Сваренные грибы промыть, залить кипятком, довести до кипения, добавить отжатый от воды протертый хлеб, кабачки с луком, соль и варить суп 20—25 мин. При подаче к столу посыпать мелко нарезанной зеленью петрушки или укропа.

ХЛЕБНЫЙ СУП

200 г хлеба ржаного, 1 луковица, 2 ст. ложки маргарина, 1 л грибного бульона, соль, тмин, черный перец

Нарезанный хлеб и измельченный лук поджарить в маргарине, залить горячим бульоном, заправить солью, тмином и перцем.

СУП ШОТЛАНДСКИЙ

200 г крупы перловой, 100 г овсяной, 2 репы, 2 моркови, 1 корень петрушки, 1 луковица, 1 корень сельдерея, 2 ст. ложки сливочного масла, 200 г корок белого хлеба, 2 л воды

Крупу перловую и овсяную залить холодной водой и оставить на 8—10 ч, затем воду слить, ошпарить крупу крутым кипятком и варить в кипящей подсоленной воде 2 ч. Положить нарезанные кубиками лук, коренья и хлеб, варить до готовности. В конце варки суп заправить измельченной зеленью, перцем.

СУП ХЛЕБНЫЙ
С ЗЕЛЕНЬЮ

200 г хлеба пшеничного, 1 л бульона, 2 ст. ложки зелени петрушки и пастернака, 3 зубка чеснока, соль по вкусу

Нарезанный мелкими кусочками хлеб положить в кастрюлю, добавить измельченную зелень петрушки, пастернака, залить горячим мясным бульоном и варить, пока хлеб не разварится. Суп заправить растертым с солью чесноком.

СУП С ФАСОЛЬЮ
И ЦВЕТНОЙ КАПУСТОЙ

200 г хлеба пшеничного, 2 репы, 2 моркови, 1 луковица, 0,5 небольшой головки цветной капусты, 0,5 стакана фасоли, 1 корень петрушки, 2 ст. ложки сливочного масла, 1 ст. ложка зелени петрушки или укропа, соль по вкусу, 2 л воды

Подготовленные репу, морковь, цветную капусту, сельдерей нарезать кубиками, сложить в кастрюлю, добавить заранее замоченную, набухшую фасоль, соль, залить горячей водой и варить до готовности. В конце варки добавить натертый хлеб и слегка обжаренный репчатый лук. При подаче на стол суп посыпать мелко нарезанной зеленью петрушки или укропа.

ГРИБНАЯ ПОХЛЕБКА

200 г хлеба ржаного, 300 г грибов свежих или 30 г сушеных, 2 луковицы, 2 ст. ложки сливочного масла, 4 ст. ложки сметаны, 1 л грибного отвара, соль и перец по вкусу

Приготовить грибной отвар. Черствый хлеб натереть на терке. Слегка обжарить на масле репчатый лук, соединить его с протертым хлебом и немного протушить. Смесь залить грибным отваром, добавить соль по вкусу, перец молотый, заправить сметаной.

ХЛЕБНО-ЛУКОВЫЙ СУП
ЗАПРАВЛЕННЫЙ

200 г хлеба пшеничного, 2 луковицы, 3 ст. ложки сыра тертого, 2 ст. ложки сливочного масла, 2 желтка, соль по вкусу, 1,5 л воды

Лук мелко нарезать, слегка обжарить на масле, залить водой, подсолить и варить в течение 10—15 мин. Процедить. Хлеб нарезать ломтиками, положить в миску и посыпать тертым сыром. Залить процеженным луковым отваром, заправить сырыми желтками.

СУП ХЛЕБНЫЙ
С КОЛБАСОЙ И ЯЙЦОМ

200 г хлеба пшеничного, 2 л бульона мясного, 300 г колбасы, 5 яиц, соль по вкусу

Хлеб нарезать ломтиками и слегка подсушить в духовке. Подготовленную колбасу нарезать кружочками и положить вместе с хлебом в кастрюлю слоями, залить мясным бульоном и на слабом огне варить 10—15 мин. При подаче на стол в каждую тарелку выпустить по одному яйцу и залить кипящим супом.

Суп молочный с черносливом и гренками

СУП
С ЧЕСНОКОМ И ГРЕНКАМИ

100 г хлеба пшеничного, 2 яйца, чеснок, 2 ст. ложки сливочного масла, 1 л бульона, соль, перец молотый по вкусу

Чеснок измельчить и поджарить так, чтобы он не изменил цвета ·и стал мягким, затем ввести в бульон, добавить соль, перец и варить в течение 10 мин. Бульон процедить, чеснок протереть через сито и соединить с бульоном. Желтки взбить, влить в них, помешивая, часть горячего бульона, затем соединить с остальным бульоном, хорошо размешать и подогреть, не доводя до кипения. Ломтики хлеба подсушить, сверху положить поджаренные белки, разложить в тарелки и залить супом.

СУП ХЛЕБНО-ЛУКОВЫЙ
С ЯИЧНЫМИ ХЛОПЬЯМИ

200 г хлеба, 3 луковицы, 2 ст. ложки сливочного масла, 2 яйца, 1 л мясного бульона

Ржаной и пшеничный хлеб нарезать ломтиками, слоями уложить в кастрюлю и залить горячим бульоном. Добавить слегка обжаренный на сливочном масле репчатый лук, закрыть крышкой и протушить. Затем, помешивая, ввести смесь сырых яиц с бульоном. Довести до кипения.

СУП ХЛЕБНО-ЛУКОВЫЙ
С ЯИЧНЫМИ ХЛОПЬЯМИ
И ПРЯНОСТЯМИ

200 г хлеба пшеничного, 4 луковицы, 1 головка чеснока, 2 яйца, 4 ст. ложки сливочного масла, 1 л воды, соль по вкусу, перец, лавровый лист, гвоздика и зелень

Лук и чеснок крупно нарезать, слегка обжарить на сливочном масле, переложить в кастрюлю, залить горячей водой, добавить соль, молотый перец, лавровый лист, гвоздику и прокипятить 2—3 мин. Сырые яйца соединить с холодной водой (соотношение 1:3) и влить в слегка остывший бульон, тщательно размешать, добавить нарезанный одинаковыми ломтиками (как для бутербродов) хлеб. Кастрюлю накрыть крышкой и подогреть. Как только хлеб набухнет, всыпать рубленую зелень и подать к столу.

ХЛЕБНО-ЛУКОВЫЙ СУП
СО СМЕТАНОЙ

200 г хлеба пшеничного, 4 луковицы, 1 стакан молока, 1 стакан сметаны, 2 ст. ложки сливочного масла, 4 ст. ложки муки пшеничной, 6 ст. ложек сыра тертого, 2 желтка, 1 л мясного или куриного бульона, соль по вкусу

Лук нарезать и слегка спассеровать на сливочном масле,

добавить муку (слабо обжаренную), мясной или куриный бульон. Смесь нагреть, добавить молоко или сметану, соль и варить на медленном огне в течение 15—20 мин. Ломтики хлеба обжарить и намазать смесью тертого сыра с желтками. Намазанные гренки по две положить в тарелки, залить кипящим супом и дать постоять 3—5 мин.

СУП С ХЛЕБОМ, СЫРОМ И ЯЙЦОМ
(итальянская кухня)

100 г хлеба пшеничного, 200 г сыра голландского, 1 яйцо, соль и перец по вкусу, 1 л бульона

Хлеб и голландский сыр натереть на терке, соединить, добавить взбитые яйца и, помешивая, ввести в бульон. Посолить, поперчить, варить 8—10 мин на слабом огне.

Суп сборный овощной с гренками

СУП ИЗ РЖАНОГО ХЛЕБА
СО СМЕТАНОЙ

(чешская кухня)

150 г хлеба, 2 ст. ложки сметаны, 1 желток, 1 ст. ложка муки, 1 ст. ложка сливочного масла, ветчина или колбаса, соль по вкусу, 1 л бульона

Хлеб нарезать ломтиками, залить водой или мясным бульоном, отварить, протереть через сито и соединить с отваром, довести до кипения, добавить соль, растертые со сметаной и мукой желтки, заправить маслом. В готовый суп можно положить кусочки колбасы или ветчины.

СУП ЛУКОВЫЙ
С ГРЕНКАМИ

4 луковицы, 6 ст. ложек сливочного масла, 2 ст. ложки муки

Для овощного отвара: по 1 моркови, репе, петрушке (корень), сельдерею (корень), 1 луковица, 2 л воды

Суп с рублеными яйцами

Для гренков: 4 ломтика хлеба пшеничного, черствого, 2 ст. ложки сыра тертого, 2 ст. ложки сливочного масла

Лук репчатый нарезать соломкой и слегка обжарить на сливочном масле (до размягчения), затем посыпать его мукой и, помешивая, обжарить до подрумянивания. Приготовить овощной отвар: отварить в воде морковь, репу, корень петрушки, сельдерея, лук репчатый; отвар процедить. Обжаренный лук залить несколькими ложками отвара, накрыть крышкой и тушить на слабом огне 10 мин. Затем переложить его в овощной отвар, добавить соль и варить еще 10 мин. Ломтики хлеба поджарить на масле, посыпать тертым сыром, выдержать некоторое время на сковороде, чтобы сыр растопился, и вместе с мелко нарезанной зеленью подать к супу.

СУП С ФРИКАДЕЛЬКАМИ
ИЗ ХЛЕБА И ПЕЧЕНИ

(венгерская кухня)

200 г печени говяжей, 200 г булки, 0,5 стакана молока, 2 ст. ложки муки пшеничной, 1 яйцо, 2 луковицы, 2 ст. ложки сливочного масла, 2 ст. ложки сухарей молотых, зелень петрушки или укропа, соль, перец по вкусу, 1 л бульона

Печень очистить от пленок, желчных протоков, промыть водой и отварить до полуготовности. Ломтик булки замочить в молоке, слегка отжать. Печень и булку пропустить через мясорубку, добавить сырое яйцо, муку, обжаренный лук, сухари, мелко нарезанную зелень, соль, перец и тщательно вымешать. Из приготовленной массы сформовать фрикадельки в виде небольших шариков, опустить их в кипящий бульон и варить 5—8 мин. Подать суп к столу, посыпав измельченной зеленью петрушки или укропа.

СУП СБОРНЫЙ
ОВОЩНОЙ С ГРЕНКАМИ

200 г хлеба пшеничного или ржаного, 2 помидора свежих, 1 луковица, 2 моркови, $^1/_2$ корня петрушки, 2 ст. ложки сливочного масла, 1 л бульона мясного, соль, перец молотый по вкусу, зелень петрушки

Помидоры очистить от кожицы, обдав их кипятком, нарезать дольками и проварить в бульоне. Затем бульон слить, помидоры протереть. Протертую массу соединить с бульоном, добавить нарезанные соломкой слегка поджаренные лук и коренья и варить до готовности овощей. В конце варки заправить солью, молотым перцем. Хлеб нарезать кубиками или ломтиками, слегка подсушить и подать к готовому супу. При подаче на стол суп посыпать мелко нарезанной зеленью петрушки.

СУП ЛУКОВЫЙ
С ХЛЕБОМ И СЫРОМ

(французская кухня)

200 г хлеба пшеничного, 8 луковиц, 5 ст. ложек сыра тертого, 4 ст. ложки сливочного масла, 2 л бульона мясного или воды, соль и перец по вкусу

Лук нарезать кольцами, слегка обжарить на сливочном масле, посыпать черным перцем, сложить в кастрюлю, добавить мясной бульон или воду, довести до кипения, добавить соль и варить 15 мин. Ломтики хлеба обжарить с двух сторон на масле, посыпать тертым сыром, сложить в кастрюлю, залить подготовленным луковым супом и на 8—10 мин поставить на слабый огонь или в духовку.

СУП ПО-ИТАЛЬЯНСКИ

200 г хлеба пшеничного, 2 ст. ложки сливочного масла, 2 яйца, 100 г сыра голландского, 1 л бульона мясного, лук зеленый, зелень петрушки, соль по вкусу

Хлеб нарезать ломтиками, обжарить с двух сторон и залить бульоном, добавить сырое яйцо и поставить суп в духовку. Как только белок загустеет, добавить тертый сыр, мелко нарезанную зелень и подать к столу.

СУП ХЛЕБНЫЙ
С МЯСОМ

200 г хлеба пшеничного, 200 г мяса отварного, 100 г сыра голландского, 4 яйца, 2 л бульона мясного, соль по вкусу

Хлеб без корок и голландский сыр натереть на терке, соединить с растертыми вареными желтками. Все тщательно перемешать, добавить небольшое количество бульона, размешать до однородной смеси и влить в бульон. На слабом огне варить в течение 30 мин. Отварное мясо нарезать мелкими ломтиками и перед подачей к столу добавить в суп.

СУП ОГУРЕЧНЫЙ
С ГРЕНКАМИ

300 г хлеба пшеничного, 1 л бульона мясного или овощного отвара, 1 ч. ложка муки пшеничной, 0,5 стакана молока, 2 желтка, 2 ст. ложки сливочного масла, 300 г огурцов соленых, 0,5 стакана рассола огуречного, соль по вкусу

Хлеб нарезать кубиками и подсушить. Муку слегка поджарить, развести молоком, ввести в бульон или овощной отвар и довести до кипения. Желтки растереть со сливочным маслом, развести отваром и влить в суп, добавить измельченные на терке соленые огурцы, огуречный рассол, соль. В тарелку положить подсушенные кубики хлеба и залить супом.

Хлебный суп с яблоками и вареньем

МОЛОЧНЫЙ СУП
С ЖЕЛТКАМИ И ГРЕНКАМИ
(польская кухня)

200 г хлеба пшеничного, 1 л молока, 2 желтка, 1 ст. ложка сливочного масла, соль по вкусу

Хлеб нарезать кубиками и слегка подсушить. Молоко закипятить, соединить с растертыми желтками. Этой смесью залить гренки, добавить сливочное масло, соль и прокипятить.

СУП ХЛЕБНО-МОЛОЧНЫЙ
С ЖЕЛТКАМИ И КОРИЦЕЙ

200 г хлеба пшеничного, 1 л молока, 2 ст. ложки сахара, 3 ст. ложки сливочного масла, 2 желтка, корица, соль по вкусу

Закипятить молоко, заправить сахаром, солью, корицей. Хлеб размочить в молоке, поджарить на масле и залить горячим заправленным молоком, проварить 5—7 мин, добавить прогретые на водяной бане желтки с молоком и подать к столу.

СУП ХЛЕБНЫЙ
СО СМЕТАНОЙ И ЖЕЛТКАМИ
(венгерская кухня)

200 г хлеба пшеничного, 2 желтка, 2 ст. ложки сметаны, 1 л бульона

Хлеб нарезать тонкими ломтиками и варить в бульоне 8—10 мин. В кипящий бульон ввести желтки, растертые со сметаной.

СУП ХЛЕБНЫЙ
С СЫРОМ И ЯЙЦАМИ

200 г хлеба пшеничного, 3 ст. ложки сливочного масла, 2 яйца, 3 ст. ложки сыра тертого, 1 л бульона мясного, 1 ст. ложка лука зеленого

Хлеб нарезать ломтиками и поджарить с двух сторон на сливочном масле. Затем сложить в кастрюлю, залить мясным бульоном, довести до кипения, добавить тертый сыр и, помешивая, ввести смесь сырых яиц с бульоном. Довести до кипения. При подаче посыпать мелко нарезанным зеленым луком.

СУП ХЛЕБНЫЙ
С СЫРОМ, МОЛОКОМ
И ПЕРЦЕМ
(швейцарская кухня)

200 г хлеба пшеничного, 4 ст. ложки сливочного масла, 8 ст. ложек сыра тертого, 2 стакана смеси молока со сливками, 2 л бульона мясного, 2 ст. ложки зелени петрушки, соль и перец по вкусу

Хлеб нарезать кубиками, слегка обжарить на сливочном

масле и положить их в мясной бульон. Суп варить на медленном огне в течение 10 мин, затем добавить молоко и сливки и еще раз прокипятить. Варку прекратить и, помешивая суп, добавить в него сыр, соль и перец. При подаче к столу суп посыпать мелко нарезанной зеленью петрушки.

СУП МОЛОЧНЫЙ
С ЧЕРНОСЛИВОМ И ГРЕНКАМИ

300 г хлеба пшеничного, 200 г чернослива, 1 л молока, 1 ст. ложка сахара, 1 ст. ложка сливочного масла, соль по вкусу

Хлеб нарезать кубиками, слегка подсушить. Чернослив помыть, залить водой и дать набухнуть, затем удалить косточки. Молоко довести до кипения, добавить гренки, чернослив, соль, сахар и заправить сливочным маслом.

Суп хлебный с молоком и перцем

СУП МОЛОЧНЫЙ
С ХЛЕБНЫМИ ФРИКАДЕЛЬКАМИ

1 л молока, 1 ст. ложка сливочного масла, соль, сахар по вкусу

Для фрикаделек: 200 г хлеба белого, 0,5 стакана молока для замачивания хлеба, 1 яйцо, 1 ст. ложка сливочного масла, соль по вкусу

Черствый хлеб натереть на терке, добавить сырое яйцо, сливочное масло, молоко и хорошо перемешать. Затем массу пропустить через мясорубку и приготовить из нее небольшие шарики (фрикадельки), которые сварить в молоке с добавлением сахара и соли. При подаче суп заправить сливочным маслом.

СУП МОЛОЧНЫЙ
С ХЛЕБОМ

1 л молока, 200 г хлеба пшеничного, 2 ст. ложки сахара, 2 желтка, 1 ст. ложка сливочного масла, корица, соль по вкусу

В кипящее молоко положить половину нормы измельченного хлеба, соль, сахар, корицу и проварить. Затем протереть сквозь сито, довести до кипения и заправить желтками со сливочным маслом. Остальную часть нарезать кубиками, слегка подсушить и при подаче супа к столу положить в тарелку.

СЛАДКАЯ МОЛОЧНАЯ ПОХЛЕБКА
С ЖЕЛТКАМИ

200 г хлеба пшеничного, 1 л молока, 4 ст. ложки сахара, (2 ст. ложки для обсыпки кусочков хлеба), 3 желтка, 2 ст. ложки сливочного масла

Хлеб нарезать ломтиками, посыпать сахаром и слегка обжарить на сливочном масле. В сладком молоке развести желтки и довести до кипения. Приготовленной смесью залить обжаренные кусочки хлеба.

УХА ПО-ЮГОСЛАВСКИ

200 г хлеба пшеничного, 600 г рыбы (мелочь или рыбные отходы), 600 г судака, $1/4$ корня петрушки, $1/4$ корня сельдерея, 2 луковицы, 1 желток, 1 ч. ложка уксуса, перец, лавровый лист, соль

Хлеб нарезать ломтиками по 50 г, слегка поджарить. Мелкую рыбу очистить, промыть, сложить в кастрюлю, посыпать сверху рубленым луком, зеленью, специями, залить холодной водой так, чтобы она покрыла продукты, и варить на слабом огне 15—20 мин, снимая пену. Когда уха будет готова, ее процедить, добавить очищенный и разделанный на куски судак, посолить и варить еще 20 мин. Желтки тщательно размешать с уксусом, добавить к ним несколько ложек горячей ухи и этой смесью заправить всю уху. При подаче в глубокую тарелку положить ломтик поджаренного хлеба и залить ухой с кусками рыбы.

СУП ИЗ РЖАНОГО ХЛЕБА СО СМЕТАНОЙ
(чешская кухня)

200 г хлеба, 1,5 л воды или мясного бульона, 2 ст. ложки сливочного масла, 0,5 стакана сметаны, 2 желтка, 2 ст. ложки муки пшеничной, соль по вкусу

Нарезать ломтиками хлеб, залить горячей водой или бульоном и сварить; хлебную смесь протереть через дуршлаг. Добавить сливочное масло, соль, слегка поджаренную муку. Проварить и, немного охладив, заправить желтками, смешанными со сметаной. Готовый суп можно подать с кусочками колбасы или ветчины.

Хлебный суп

СУП ХЛЕБНО-МОЛОЧНЫЙ СЛАДКИЙ
С ЯИЧНЫМИ ХЛОПЬЯМИ
(испанская кухня)

200 г хлеба пшеничного, 1 л молока, 6 ст. ложек сахара, 4 яйца, соль по вкусу

Хлеб нарезать ломтиками, посыпать сахарным песком, слегка подрумянить в духовке. Сложить ровным слоем на дно кастрюли, залить яично-молочной смесью, добавить соль и довести до кипения.

Для яично-молочной смеси: молоко закипятить и, непрерывно помешивая, ввести в него взбитые яйца.

СУП С КНЕДЛИКАМИ ИЗ СУШЕК
(еврейская кухня)

1 стакан сушки или мацы измельченной, 1,5 л молока с водой или мясным бульоном, 100 г сливочного масла или жира, 3 ст. ложки воды для теста, соль, сахар по вкусу

Приготовить тесто: яйца взбить, добавить молотые простые сушки или мацу, сливочное масло, кипяченую воду, соль, сахар, растворенные в воде. Замесить массу до консистенции густой сметаны. Если тесто получится более густое, можно добавить молоко. Посуду с тестом накрыть и поставить в холодное место на 2 ч. Затем из теста разделать маленькие шарики диаметром не более 2 см и опустить их в кипящее молоко, смешанное с водой (соотношение 1:1), варить на слабом огне в течение 30 мин. Можно вместо молока с водой использовать мясной бульон, тогда сливочное масло следует заменить жиром. К столу суп подать в горячем виде.

СУП-ПЮРЕ С ХЛЕБОМ
НА ОВОЩНОМ ОТВАРЕ
(болгарская кухня)

200 г хлеба пшеничного, 2 ст. ложки сливочного масла, 2 желтка, 1 стакан молока, 800 г отвара овощного, соль по вкусу.

Хлеб нарезать ломтиками, залить овощным отваром и варить до размягчения. Затем протереть через сито, развести отваром, довести до кипения, добавить соль, заправить растертыми с молоком и сливочным маслом желтками.

СУП-ПЮРЕ ИЗ ТЫКВЫ
С ГРЕНКАМИ

3 стакана молока, 400 г тыквы, 0,5 стакана сливок, 2 ст. ложки сливочного масла, 200 г хлеба пшеничного, соль по вкусу.

Тыкву очистить от кожицы, удалить семена и семенную мякоть, нарезать тонкими ломтиками, сложить в посуду и наполовину залить кипящим молоком, добавить соль и припустить на слабом огне при закрытой крышке. Готовую тыкву протереть через сито вместе с жидкой частью, добавить остальное молоко, довести до кипения. Затем снять с огня и заправить сливками и маслом. При подаче к столу в тарелку с супом положить кубики слегка подсушенного хлеба.

СУП-ПЮРЕ ИЗ КАРТОФЕЛЯ С ГРЕНКАМИ

200 г булки или хлеба пшеничного, 2 л овощного отвара, 6 картофелин, 1 ст. ложка муки, 4 ст. ложки растительного масла, 1 ст. ложка зелени петрушки, 6 гренков

Отварить картофель, добавить нарезанную кусочками булку без корки, растертую с растительным маслом муку и довести до кипения. Затем все протереть через сито, при необходимости суп развести отваром до густоты жидкой сметаны и прокипятить. При подаче к столу в тарелку положить мелко нарезанную зелень петрушки, отдельно подать гренки.

СУП-ПЮРЕ ХЛЕБНЫЙ

200 г хлеба ржаного, 1 л воды, 3 ч. ложки муки, 2 ст. ложки сливочного масла, зелень петрушки или укропа, соль по вкусу

Хлеб нарезать мелкими кусочками, обжарить на сливочном масле, сложить в кастрюлю и залить кипятком, сварить до мягкости. Затем жидкость слить, а хлеб протереть через сито. Пшеничную муку слегка поджарить на сливочном масле, соединить с протертым хлебом, жидкостью и прокипятить. В суп положить масло, сметану, соль и прогреть, но не кипятить. При подаче к столу посыпать мелко нарезанной зеленью петрушки или укропа.

СУП-ПЮРЕ ИЗ ХЛЕБНЫХ КОРОК С ЗЕЛЕНЫМ ГОРОШКОМ

200 г корок пшеничного хлеба, 1,5 л воды, 0,5 банки (200 г) зеленого горошка, 2 луковицы (в том числе 0,5 луковицы для жарки), 2 листка зеленого салата, 2 веточки мяты, 2 корня петрушки с зеленью, 2 ст. ложки сливочного масла, 1 ст. ложка муки пшеничной, 1 ст. ложка зелени укропа

Корень петрушки с зеленью и веточки мяты сварить, отвар процедить и ввести в него зеленый горошек. Варить до размягчения горошка, затем протереть через сито (часть горошка оставить целым). Корки хлеба, листья зеленого салата, лук репчатый сварить отдельно, протереть. Эту массу соединить с пюре из зеленого горошка, добавить соль, слегка обжаренный лук с мукой. Смесь довести до кипения. При подаче к столу в суп положить (как гарнир) часть зеленого горошка и мелко нарезанную зелень укропа.

СУП-ПЮРЕ
ИЗ ГОРОХА И ХЛЕБА

200 г хлеба пшеничного, 2 л супа горохового протертого, 1 стакан молока, 2 луковицы, 2 ст. ложки сливочного масла, 4 ст. ложки зелени

Хлеб нарезать мелкими кусочками, замочить в молоке или воде, слегка отжать и обжарить на масле. Затем залить приготовленным протертым гороховым супом, добавить слегка обжаренный лук, мелко нарезанную зелень петрушки, сельдерея и укропа.

СУП-ПЮРЕ С ОВОЩАМИ
И ХЛЕБОМ

200 г хлеба пшеничного, 3 картофелины, 3 помидора свежих, 1 яйцо, 0,5 стакана молока или сливок, 2—3 ст. ложки сливочного масла, 2 л воды, соль по вкусу

Картофель очистить, промыть, нарезать брусочками или

Суп хлебный с сыром и яйцами

дольками; промыть и нарезать помидоры. Все сложить в кастрюлю, залить горячей водой, добавить соль и варить до мягкости. Затем добавить кусочек пшеничного хлеба и проварить еще немного, после чего протереть через сито, довести до кипения, и, прекратив кипение, помешивая, ввести растертые со сливками желтки. При подаче к столу в суп положить сливочное масло.

СУП-ПЮРЕ
ИЗ МОРКОВИ И ХЛЕБА

200 г хлеба пшеничного, 1,5 л воды, 8 морковок, 2 корня петрушки или сельдерея, 1 репа, 1 луковица, 2 ст. ложки сливочного масла, 1 стакан сливок, 1 ст. ложка укропа, соль по вкусу

Морковь, корень петрушки или сельдерея, репу очистить и нарезать соломкой, залить кипятком, добавить кусочки хлеба, соль и варить на слабом огне до готовности. Затем сваренные овощи с хлебом протереть через сито, разбавить кипятком до желаемой густоты и прокипятить. Суп заправить маслом и сливками. Перед подачей на стол посыпать зеленью укропа.

СУП СЛАДКИЙ
ИЗ ПАХТЫ С ХЛЕБОМ

100 г хлеба пшеничного или ржаного, 1,5 л пахты, 3 ст. ложки сахара, 2 ст. ложки сливочного масла

Хлеб натереть на терке, добавить в кипящую пахту, заправленную солью. Проварить. Протереть через сито, заправить сахаром и снова довести до кипения. При подаче полить растопленным маслом.

СУП ХЛЕБНЫЙ
С ИЗЮМОМ

200 г хлеба пшеничного, 1 л воды, 2 ст. ложки изюма, 3 ст. ложки сахара, 1 лимон (сок), сметана или сливки

Хлеб нарезать ломтиками, залить холодной водой и варить, пока он хорошо разварится. Затем процедить, в отвар положить сахар, изюм, влить лимонный сок и еще раз прокипятить. Подать со сметаной или сливками.

СЛАДКИЙ ТОМАТНЫЙ СУП
(немецкая кухня)

200 г сухарей из пшеничного хлеба, 1,5 л воды, 8 свежих помидоров, 1 ч. ложка корицы, имбирь на кончике ножа, 0,5 ч. ложки натертой цедры лимона, 0,5 стакана сахара, 1 стакан яблочного сока, 2 яйца

Сварить в воде свежие помидоры и сухари из пшеничного хлеба, добавить корицу, имбирь, натертую цедру лимона, часть сахара. Затем откинуть на дуршлаг, протереть, соединить с отваром и довести до кипения. В суп добавить яблочный сок и заправить яичными желтками, а белки взбить с оставшимся сахаром и в виде крупных хлопьев опустить в горячий суп.

ХЛЕБНЫЙ СУП
С ЯБЛОКАМИ И ВАРЕНЬЕМ

200 г хлеба ржаного черствого, 1 л воды, 2 яблока свежих, 2 ст. ложки сахара, 2 ст. ложки изюма, 3 ст. ложки варенья, 2 желтка, 4 ст. ложки сметаны

Кусочки хлеба и нарезанные ломтиками свежие яблоки сварить в небольшом количестве воды, затем протереть через дуршлаг, добавить сахарный песок, изюм и любое варенье. Суп развести до желаемой густоты кипяченой водой. В готовый суп влить взбитые желтки. При подаче к столу положить сметану.

ХЛЕБНЫЙ СУП
С ИЗЮМОМ И МЕДОМ

1 стакан сухарей пшеничных, 1,5 л воды, 4 ст. ложки изюма, 4 ст. ложки меда

Изюм перебрать, промыть и отварить в воде, всыпать измельченные сухари и заправить суп медом. Подавать к столу можно горячим и холодным.

СУП С ЯБЛОКАМИ
И ХЛЕБОМ

200 г хлеба пшеничного или ржаного, 1,5 л воды, 2 ст. ложки изюма, 3—4 яблока, 1 ст. ложка сливочного масла, лимонная цедра, корица, сахар, соль

Хлеб натереть на терке, ввести в кипящую воду и сварить на слабом огне до образования пюре. Заправить лимонной цедрой, корицей. Добавить перебранный, промытый предварительно замоченный изюм. Проварить 3—5 мин и ввести нарезанные кубиками яблоки. Довести до кипения, заправить сахаром, солью и маслом.

СУП С ЯБЛОКАМИ
И ЧЕРНОСЛИВОМ С ГРЕНКАМИ

200 г пшеничного хлеба, из них 100 г измельчить, 100 г оставить для приготовления гренок, 8 яблок, 1 стакан чернослива или изюма, 1,5 л воды

Измельченные сухари соединить с ломтиками яблок, залить водой и варить, пока яблоки станут мягкими. Затем процедить, развести кипятком, добавить чернослив или изюм и немного проварить. При подаче к столу в суп положить гренки из хлеба.

СУП ИЗ РЕВЕНЯ
АРОМАТНЫЙ

300 г хлеба пшеничного, 500 г ревеня, 1,5 л воды, 0,5 г корицы или гвоздики, 0,5 стакана сахара, 2 яйца, 1 стакан сметаны, 1 неполная ч. ложка сахара ванильного

Хлеб нарезать ломтиками и слегка подсушить. Ревень промыть, очистить, нарезать кусочками, добавить сухари, залить кипяченой водой, добавить гвоздику и варить до готовности. Затем протереть, добавить сахар, еще раз довести до кипения. Желтки растереть со сметаной и, помешивая, ввести в суп. Белки взбить с добавлением ванильного сахара и небольшими порциями в виде клецек опустить в горячий суп.

СУП С ФРУКТАМИ
И ВЗБИТЫМИ СЛИВКАМИ
(латышская кухня)

200 г хлеба ржаного, 1 л воды, 2 ст. ложки изюма, 2 ст. ложки сахара, корица на кончике ножа, 2 яблока свежих, 1 ст. ложка клюквы, 2 ст. ложки сливок, 1 ч. ложка сахарной пудры

Хлеб нарезать ломтиками, подсушить, залить кипятком и оставить в закрытой посуде до полного набухания. Размокшие сухари протереть через сито, развести хлебным настоем, добавить изюм, сахар, нарезанные ломтиками свежие яблоки, протертую клюкву и варить в течение 10—15 мин. Затем суп охладить и подать со взбитыми с сахарной пудрой сливками.

СУП ИЗ ЧЕРНИКИ
С ХЛЕБНЫМИ КЛЕЦКАМИ

1 л воды, 2 стакана черники, 0,5 стакана сахара, 1 ст. ложка крахмала картофельного, кислота лимонная

Для клецек: 2 ст. ложки сливочного масла, 2 яйца, 1 ст. ложка сахара, 300 г хлеба пшеничного, 1 стакан сметаны

Чернику сварить в кипящей с сахаром воде до готовности. Затем добавить лимонную кислоту и ввести крахмал, предварительно разведенный холодной водой, суп довести до кипения и охладить. Масло сливочное, желтки растереть с сахаром, добавить тертый хлеб, сметану, взбитые белки и все хорошо перемешать. С помощью двух ложек сформовать из массы клецки и опустить их в кипяток. Когда клецки всплывут, вынуть их шумовкой и положить в тарелки с супом.

СУП ИЗ РЕВЕНЯ И ФРУКТОВ
(немецкая кухня)

200 г хлеба пшеничного, 500 г ревеня, 2 л воды, 0,5 стакана сахара, 2 яйца, 1 стакан сметаны или простокваши, фрукты свежие (клубника, вишня, абрикосы), сахар ванильный, корица, гвоздика

Хлеб нарезать кубиками и подсушить. Ревень очистить, нарезать кубиками и опустить в кипящую воду, добавить сухарики, корицу, гвоздику и варить до готовности. Всыпать сахар и еще раз довести до кипения. Желтки взбить с простоквашей или сметаной и, помешивая, влить в суп. Взбитые с ванильным сахаром белки в виде клецек опустить в горячий суп. При подаче к столу в тарелки положить свежие фрукты и залить супом.

ХЛЕБНЫЙ СУП
ИЗ СУХОФРУКТОВ СО СМЕТАНОЙ
(литовская кухня)

200 г хлеба ржаного, 2 л воды, 1,5 стакана сушеных фруктов, корица на кончике ножа, 1 стакан сахара, 1 стакан сметаны.

Хлеб нарезать ломтиками, подсушить до коричневого цвета, залить кипятком и оставить для набухания. Затем протереть через сито и развести хлебным настоем. Смесь сушеных фруктов (яблоки, груши, чернослив, изюм) отварить с сахаром и пряностями. Отвар процедить, добавить протертый хлеб, сметану, отварные фрукты, размешать и подать.

СУП С ФРУКТАМИ
И ВЗБИТЫМИ СЛИВКАМИ
АРОМАТИЗИРОВАННЫЙ
(латышская кухня)

200 г хлеба ржаного, 1 л воды, 6 яблок свежих, корица и лимонная кислота на кончике ножа, сахар по вкусу, 1 стакан сливок

Сухари из хлеба залить кипятком и оставить для набухания. Затем настой слить, а размокшие сухари протереть через сито. Сварить в воде с сахаром свежие очищенные яблоки. Протереть. Хлебную массу развести охлажденным фруктовым отваром до консистенции жидкой сметаны. Суп заправить лимонной кислотой и молотой корицей, добавить взбитые сливки.

СУП ИЗ АБРИКОСОВ

200 г сухарей из булки, 1 л воды, 300 г абрикосов, 3 ст. ложки сахара, 1 яйцо, кусочек лимонной корки, соль по вкусу

Удалить косточки из абрикосов, нарезать крупными дольками, сложить в кастрюлю, засыпать сахаром, накрыть крышкой и дать постоять. В кипящую воду опустить сухари, добавить соль, корочку лимона и варить в течение 10 мин, затем этой смесью залить абрикосы и проварить еще 5 мин. В конце варки суп заправить взбитым яйцом. Охладить и подать к столу.

СУП ЛЕТНИЙ

100 г хлеба пшеничного, 1 кг помидоров свежих, 0,5 стакана майонеза, 2 огурца свежих, 1 луковица, зелень петрушки, лимонная кислота, сахар, соль, перец черный и красный

Помидоры ошпарить кипятком и очистить от кожицы. Кусочки черствого хлеба залить кипятком и, когда они набухнут, процедить; хлеб и несколько помидоров протереть через сито, заправить майонезом. Огурцы свежие и оставшиеся помидоры нарезать кубиками, мелко нарезать лук; продукты соединить и развести холодной водой (кипяченой) до консистенции супа, положить измельченную зелень петрушки. Суп заправить лимонной кислотой, солью, перцем, сахаром. Подать к столу с кусочками пищевого льда.

ОКРОШКА МЯСНАЯ

1 л хлебного кваса, по 100 г говядины, окорока, языка, 2 свежих огурца, 10—12 луковиц зеленых, 2 яйца, 0,5 стакана сметаны, соль, сахар, горчица по вкусу, зелень укропа

Яйца сварить вкрутую и охладить. Желтки растереть с солью, сахаром, сметаной, горчицей и развести холодным хлебным квасом (см. с. 242). Отварную говядину, окорок, язык и свежие очищенные огурцы нарезать кубиками. Зеленый лук мелко нарезать и растереть с добавлением соли. Белки порубить. В кастрюлю с квасом положить подготовленные продукты. При подаче к столу посыпать мелко нарезанной зеленью укропа.

ОКРОШКА ОВОЩНАЯ

1 л хлебного кваса, (см. с. 242), 2 картофелины, 1 морковь, 2—3 редиса, 10—12 луковиц зеленых, 2 огурца свежих, 0,5 стакана сметаны, 2 яйца, соль, сахар, горчица по вкусу, зелень укропа

Сварить картофель и морковь в кожице, охладить и очистить. Редис, свежие огурцы, картофель и морковь нарезать мелкими кубиками, нашинковать зеленый лук. Растереть сваренные желтки со сметаной, горчицей, солью и сахаром, добавить мелко нарезанные яичные белки, развести холодным хлебным квасом и положить нарезанные овощи. Посыпать зеленью укропа.

ОКРОШКА РЫБНАЯ

300 г филе отварной рыбы (без кожи и костей), 6 стаканов хлебного кваса (см. с. 242), 3—4 свежих огурца, 3—4 картофелины, 100 г зеленого лука, 3 ст. ложки сметаны, 2 яйца, 1 ч. ложка горчицы, соль по вкусу, зелень петрушки и укропа

Отварной картофель очистить и нарезать кубиками, свежие огурцы также нарезать кубиками, мелко нарезать зеленый лук, растереть с солью, сахаром, горчицей и развести хлебным квасом. Нарезанные продукты залить квасом и осторожно перемешать. Перед подачей в окрошку положить кусочки отварной рыбы, сметану, мелко нарезанное яйцо и посыпать измельченной зеленью петрушки или укропа.

ОКРОШКА ГРИБНАЯ

6 стаканов хлебного кваса (см. с. 242), 400 г соленых грибов, 3 картофелины, 1 морковь, 100 г зеленого лука, 2 огурца свежих, 1 неполный стакан сметаны, 2 яйца, 1 ч. ложка столовой горчицы, сахар, соль по вкусу, зелень укропа

Соленые грибы помыть холодной водой, дать стечь воде. Затем грибы и свежие огурцы нарезать мелкими кубиками, измельчить зеленый лук. Морковь и картофель сварить неочищенными, охладить, очистить и нарезать кубиками. Желтки вареных яиц растереть с готовой горчицей и небольшим количеством сметаны. Белок порубить. В свежий хлебный квас положить подготовленные продукты, заправить смесью из желтков и горчицы, добавить соль и сахар. Перед подачей положить сметану и измельченную зелень укропа.

ХОЛОДНЫЙ СУП
С КЕФИРОМ

200 г хлеба ржаного, 1 л кефира, 5 луковиц, 2 соленых огурца, 1 ст. ложка зелени петрушки, соль по вкусу

Лук и соленые огурцы нарезать соломкой, добавить тертый хлеб, измельченную зелень петрушки, соль. Все перемешать и залить кефиром.

СУП ХОЛОДНЫЙ
С ПОМИДОРАМИ И ОГУРЦАМИ

200 г хлеба пшеничного, 1 л воды, 1 зубок чеснока, 2 помидора, 1 огурец, 2 ст. ложки растительного масла, соль, уксус по вкусу, 2 ст. ложки мелко нарезанного сладкого перца

Хлеб залить кипяченой водой, размять до состояния пюре, добавить чеснок, свежие помидоры и огурцы и пропустить через мясорубку. Ввести уксус и масло растительное. Развести кипяченой водой до густоты супа, добавить соль, нарезанный сладкий перец. При подаче к столу положить пищевой лед.

СУП ХОЛОДНЫЙ
ИЗ ПЕРСИКОВ

200 г сухарей из булки, 6 персиков, 2 ст. ложки сахара, 1 л яблочного сока или молока

Персики очистить от кожицы, вынуть косточки и нарезать тонкими ломтиками, поместить в миску, посыпать сахаром, а затем измельченными сухарями. Залить охлажденным яблочным соком или молоком.

ХОЛОДНЫЙ ХЛЕБНЫЙ СУП
НА ПИВЕ

200 г хлеба пшеничного или ржаного, 1,5 л пива, $^1/_2$ лимона, $^3/_4$ стакана сахара, 3 ст. ложки изюма

В пиво добавить нарезанный тонкими ломтиками лимон, сахар, промытый изюм, натертый на терке хлеб. Все хорошо перемешать.

ХОЛОДНЫЙ СУП
ПО-ИСПАНСКИ

100 г хлеба белого, 7—8 помидоров, 1 огурец свежий, $^1/_2$ стакана майонеза, 2—3 ст. ложки уксуса, 1 ст. ложка зелени петрушки, 1 луковица, щепотка сахара, перец, соль, красный молотый перец, кусочки льда

Хлеб замочить в воде, а после размягчения отжать. Спелые помидоры ошпарить кипятком и снять кожицу. Половину помидоров смешать с подготовленным хлебом, протереть через сито. Заправить массу майонезом, уксусом. Довести до консистенции супа холодной кипяченой водой, добавить сахар, мелко нарезанный лук, соль, перец, нарезанные кубиками оставшиеся помидоры и огурцы, предварительно очищенные от кожицы и семян. При подаче суп посыпать зеленью и подать с кусочками льда.

СВЕКОЛЬНИК
С ХЛЕБНЫМ КВАСОМ

1 л хлебного кваса (см. с. 242), 2—3 свеклы с ботвой, 1 морковь, 2 огурца свежих, 2 яйца, 100 г зеленого лука, сметана, зелень, уксус, соль, сахар по вкусу

Молодую свеклу нарезать кубиками или соломкой, залить водой (1 стакан), добавить уксус и тушить под крышкой 20—30 мин. Сваренную морковь, очищенные от кожицы свежие огурцы, сваренные вкрутую яйца нарезать, лук зеленый растереть с солью. Все соединить со свекольным отваром, добавить хлебный квас, соль, сахар, зелень укропа, петрушки, сельдерея.

УХА ХОЛОДНАЯ

Для бульона: 1000 г мелкой рыбы, 1 л воды, $^1/_4$ моркови, $^1/_4$ корня петрушки, 2 луковицы, перец, лавровый лист, соль по вкусу

Для гренок: 150 г хлеба пшеничного, 3 ст. ложки сливочного масла, I в а р и а н т — 40 г икры зернистой или паюсной, лимон; II в·а·р и а н т — 50 г кеты или сельди, 1 ст. ложка лука зеленого нарезанного

Мелкую рыбу очистить, промыть, сложить в кастрюлю, добавить морковь, лук, петрушку, залить холодной водой так, чтобы она покрыла·продукты, довести до кипения, снять пену и дальнейшую варку вести при слабом огне 15—20 мин. За 5—10 мин до конца варки положить перец горошком, лавровый лист, соль. Бульон процедить и охладить. Охлажденный бульон подать в чашках и отдельно к нему гренки с икрой или рыбой.

Гренки. Хлеб нарезать в форме ромбиков или квадратиков толщиной 0,7—1 см, поджарить на масле. Сверху положить слой икры, ломтик лимона или соленую рыбу, лук зеленый.

БОТВИНЬЯ

1 л хлебного кваса (см. с. 242), 500 г судака, 200 г шпината, 100 г щавля, 50 г лука зеленого, 2 огурца свежих, 50 г корня хрена, укроп, цедра лимона, сахар, соль по вкусу

Приготовить квас, как для окрошки. Щавель, шпинат припустить по отдельности и протереть. Огурцы нашинковать соломкой. Корень хрена натереть на терке. Лук зеленый нашинковать. Пюре щавеля и шпината соединить, добавить измельченную лимонную цедру, соль, сахар и довести до консистенции супа хлебным квасом. Добавить огурцы, хрен, лук. Тщательно перемешать. При подаче налить в тарелки, посыпать рубленым укропом, отдельно подавать отварную рыбу.

ВТОРЫЕ БЛЮДА

При сочетании хлеба с овощами, яйцами, рыбными, мясными и молочными продуктами получаются очень вкусные и питательные вторые блюда. В одних он является основным компонентом (оладьи, колбаски хлебные с яйцами, котлеты хлебные с яйцами и луком, шарики и т. д.), а в других — второстепенным, но значительно улучшающим вкусовые качества основного продукта (яичница с хлебом, яичная каша с гренками, солянка с хлебом, овощи фаршированные начинками с хлебом и др.).

Широко используется черствый хлеб в клецках, кнедликах, галушках, крокетах, шариках — этих национальных блюдах многих славянских народов. Их можно употреблять в качестве самостоятельных вторых блюд или гарниров к блюдам из рыбы, мяса, при подаче первых блюд.

Большинство вторых блюд из хлеба подаются с различными соусами (см. раздел «Соусы»).

БЛЮДА ИЗ ХЛЕБА И ОВОЩЕЙ

ФРИКАДЕЛЬКИ ХЛЕБНЫЕ

500 г хлеба пшеничного, 1 стакан молока, 3 яйца, 3 ст. ложки сливочного масла, 3 ст. ложки муки пшеничной, 5 ст. ложек сухарей, соль по вкусу

Хлеб зачистить от корки, залить молоком, добавить яйца, размягченное масло, соль, муку, сухари. Массу хорошо вымешать, сформовать небольшие шарики и отварить их в подсоленной воде. Можно использовать фрикадельки как самостоятельное блюдо, полив их сметаной, или в качестве гарнира.

КРОКЕТЫ КАРТОФЕЛЬНЫЕ
С ХЛЕБОМ

5—6 картофелин, 150 г хлеба пшеничного, $^1/_2$ стакана молока, 2 яйца, 2 ст. ложки муки пшеничной, 3 ст. ложки сухарей, $^1/_2$ стакана растительного масла, зелень, перец молотый, соль

Очищенный картофель залить горячей подсоленной водой, отварить до готовности, воду слить, картофель просушить, выдержав кастрюлю с картофелем 1—2 мин на огне, протереть горячим.

Хлеб замочить в молоке, отжать, соединить с картофельной массой, ввести яйца, соль, перец.

Массу хорошо вымешать, сформовать шарики, обвалять их в муке, обмакнуть в яйцо, обвалять в белых панировочных

сухарях и обжарить в большом количестве жира. Подать крокеты горячими, уложив их горкой на блюдо, покрытое салфеткой. Украсить зеленью. Отдельно подать горячий грибной соус или сметану. Можно использовать в качестве гарнира к рыбным и мясным блюдам.

КРОКЕТЫ ИЗ КАРТОФЕЛЯ С ХЛЕБНЫМИ СУХАРИКАМИ
(немецкая кухня)

6—7 картофелин, 1 яйцо, 2 ст. ложки муки, 1 батон, 2 ст. ложки сливочного масла, соль по вкусу

Картофель отварить в кожуре, очистить и натереть на терке. Добавить яйцо, муку, соль, вымешать и разделать на крокеты.

Хлеб нарезать мелкими кубиками, обжарить на масле и вложить по несколько штук в картофельные крокеты. Придав крокетам форму шариков, отварить их в подсоленной воде на слабом огне. Подавать как самостоятельное блюдо, полив сметаной, или в качестве гарнира.

КРОКЕТЫ ХЛЕБНЫЕ

500 г хлеба пшеничного, 200 г молока, 3 яйца, 3 ст. ложки сливочного масла, 2 ст. ложки муки пшеничной, 3 ст. ложки сухарей, 0,5 стакана растительного масла, соль по вкусу

К предварительно зачищенному от корки, замоченному в молоке и отжатому хлебу добавить яйцо, размягченное масло, соль, муку. Массу вымешать, сформовать маленькие шарики, обвалять в муке, обмакнуть в яйце, обвалять в сухарях и поджарить в большом количестве жира.

Подать крокеты горячими как самостоятельное блюдо, уложив их горкой на блюдо, покрытое салфеткой. Отдельно подать грибной горячий соус или холодную сметану. Можно их использовать в качестве гарнира к жареным блюдам из рыбы и мяса.

КОТЛЕТЫ МОРКОВНЫЕ С ХЛЕБОМ

200 г хлеба пшеничного сухого, 8—12 морковок, 2 стакана молока, 4 яйца, 4 ст. ложки сливочного масла, 2 ст. ложки муки, соль по вкусу

Очищенную морковь тонко нашинковать, залить на $1/3$ объема молоком, добавить сливочное масло и при закрытой крышке припустить до размягчения. Хлеб залить горячим молоком, дать остыть и смешать с подготовленной морковью. Добавить 4 вареных и 2 сырых яйца. Массу хорошо вымешать. Сформовать котлеты, обвалять в муке и обжарить на масле с двух сторон. Подать со сметаной или с молочным соусом.

КОТЛЕТЫ
ХЛЕБНЫЕ С ЛУКОМ И ЗЕЛЕНЬЮ

200 г хлеба пшеничного, 1 стакан молока, 2 ст. ложки сливочного масла, 3 яйца, 1 ст. ложка муки, по 1 ст. ложке измельченных зеленого лука, петрушки, укропа, $1/2$ стакана сметаны, соль по вкусу

Черствый хлеб замочить в молоке и отжать. Масло растереть с яйцами, смешать с подготовленным хлебом, добавить рубленый зеленый лук, укроп, петрушку, посолить и перемешать. Сформовать котлеты, обвалять их в муке, обжарить на масле, залить сметаной и прогреть на слабом огне, не доводя до кипения.

КОТЛЕТЫ
ИЗ ЦВЕТНОЙ КАПУСТЫ
С ХЛЕБОМ

200 г хлеба пшеничного сухого, 2 средних головки цветной капусты, 2 стакана молока, 4 яйца, 5 ч. ложек муки, соль по вкусу

Подготовленную цветную капусту отварить в подсоленной воде, откинуть на дуршлаг и протереть. Хлеб залить горячим молоком, дать остыть и соединить с капустным пюре. Массу перемешать и добавить яйца, часть растопленного масла, крошки сухарей. Сформовать котлеты, обвалять их в муке и обжарить на масле. При подаче полить сухарным соусом или сметаной.

КОТЛЕТЫ
ИЗ БЕЛОКОЧАННОЙ КАПУСТЫ
С ХЛЕБОМ

200 г хлеба пшеничного, 2 средних головки капусты, 2 стакана молока, 4 яйца, 4 ст. ложки сливочного масла, соль по вкусу

Белокочанную капусту мелко нашинковать, залить на $1/3$ объема молоком, добавить сливочное масло и при закрытой крышке припустить до размягчения. Хлеб залить горячим молоком, дать остыть. Смешать с подготовленной капустой. Добавить 2 сырых и 2 вареных яйца, соль. Массу хорошо вымешать. Сформовать котлеты, обвалять в сухарях и обжарить с двух сторон на масле. Подать можно со сметаной, сметанным, молочным или сухарным соусами.

КОТЛЕТЫ
ХЛЕБНЫЕ С РЕПОЙ

200 г хлеба пшеничного сухого, 4 средних репы, 2 стакана молока, 4 ст. ложки сливочного масла, 4 яйца, 2 луковицы, 5 ч. ложек муки, соль по вкусу

Хлеб залить горячим молоком, дать остыть. Репу нарезать,

ошпарить, обжарить на масле, добавить $^1/_3$ объема воды, протушить до размягчения и протереть. Соединить подготовленные репу и хлеб, добавить яйца, обжаренный лук, крошки от сухарей. Массу вымешать, сформовать котлеты, запанировать в муке и обжарить с двух сторон на масле. Подать со сметаной или сметанным соусом.

КОТЛЕТЫ
ХЛЕБНЫЕ С ОВОЩАМИ

200 г хлеба пшеничного сухого, 5 картофелин, 2 моркови, 2 репы, 2 корня сельдерея, 2 стакана молока, 4 яйца, 4 ст. ложки сливочного масла, 2 ч. ложки муки, зелень укропа, петрушки, соль по вкусу

Хлеб залить горячим молоком, дать остыть. Очищенные овощи (картофель, морковь, репа, сельдерей) нарезать, обжарить на масле, добавить кипяченую воду ($^1/_3$ объема), протушить до размягчения и протереть. Соединить подготовленные овощи с хлебом, добавить яйца, часть сливочного масла, крошки от сухарей. Массу вымешать, посолить, сформовать котлеты, запанировать в муке и обжарить с двух сторон на масле.

Подать со сметаной, сметанным или грибным соусом, украсив зеленью.

КОТЛЕТЫ
ИЗ БРЮКВЫ С СУХАРЯМИ

200 г толченых пшеничных сухарей, 700 г брюквы, 3 яйца, 4 ст. ложки сливочного масла, душистый перец, соль по вкусу

Для соуса: 1 стакан изюма, 2 ст. ложки сливочного масла, 2 ст. ложки сахара, 1 ст. ложка муки пшеничной, $^1/_2$ стакана сметаны, 3 стакана воды

Брюкву очистить от кожицы, разрезать на куски, залить горячей водой, дать постоять 10—15 мин и слить воду. Уложить брюкву в кастрюлю, залить кипятком и варить до размягчения. Отваренную брюкву пропустить через мясорубку, посолить, добавить яйца, часть сливочного масла, $^2/_3$ количества толченых сухарей, душистый перец и все хорошо вымешать. Из массы сформовать котлеты, обвалять их в сухарях и поджарить с двух сторон на масле. Подать с соусом.

Соус. Вымытый изюм положить в кастрюлю, залить водой, добавить масло, сахар и варить 15 мин. Затем добавить сметану, пассерованную муку, размешать и довести до кипения.

ЗРАЗЫ ХЛЕБНЫЕ
С МОРКОВНО-ЯБЛОЧНЫМ ФАРШЕМ

200 г хлеба пшеничного сухого, 1 стакан молока, ($^1/_2$ стакана для припускания моркови), 1 ч. ложка сахара, 1 морковь,

2 яблока, 1 яйцо, 1 ст. ложка сливочного масла, 1 ст. ложка маргарина или растительного масла для жарения, 1 ст. ложка муки, соль, корица по вкусу

Хлеб залить горячим молоком и дать остыть. Размять до однородной массы, добавить растертые с сахаром желтки и взбитые в пышную пену белки, осторожно перемешать. Приготовить лепешки, на которые положить фарш из моркови и яблок, сформовать зразы овальной формы с тупыми концами, запанировать в муке и обжарить. Подавать со сметаной.

Морковно-яблочный фарш. Морковь нашинковать соломкой и припустить в молоке. Яблоки, очищенные от кожицы и семян, нарезать и слегка запечь. Подготовленную морковь смешать с яблоками, сахаром, сливочным маслом и корицей.

ЗРАЗЫ ХЛЕБНЫЕ С КАРТОФЕЛЬНЫМ ФАРШЕМ

200 г хлеба пшеничного сухого, 1 стакан молока, 3 яйца, 5 картофелин, 2 луковицы, 3 ч. ложки муки, 2 ст. ложки сливочного масла, соль по вкусу

Хлеб залить горячим молоком, дать остыть. В полученную однородную массу выпустить яйца, перемешать и сформовать лепешки, на середину которых уложить картофельный фарш. Сформовать зразы овальной формы с тупыми концами, запанировать в муке и обжарить на масле. Подать с грибным соусом, украсив зеленью.

Фарш. Очищенный картофель отварить в подсоленной воде, отцедить, просушить и в горячем состоянии протереть. В пюре добавить мелко нарезанный пассерованный лук, растопленное масло.

ЗРАЗЫ ХЛЕБНО-КАПУСТНЫЕ

200 г хлеба пшеничного сухого, $1/2$ средней головки капусты белокочанной, $1/2$ стакана молока, 2 ст. ложки сливочного масла, 1 яйцо, 2 ч. ложки муки, 3 ст. ложки сметаны, соль по вкусу, зелень

Хлеб залить горячим молоком и дать остыть. Мелко нарезанную капусту залить водой ($1/3$ объема), добавить масло, накрыть крышкой и припустить до размягчения. Охладить, добавить мелко нарезанный пассерованный лук, яйца, замоченный в молоке хлеб, муку, соль. Перемешать, сформовать зразы, запанировать их в муке и обжарить на масле с двух сторон. Уложить в смазанный маслом противень или сковороду, полить сметаной, прогреть в духовке, не доводя до кипения. При подаче посыпать нарезанной зеленью.

Крокеты хлебные

БИТКИ ИЗ ЦВЕТНОЙ КАПУСТЫ
С СУХАРЯМИ

500 г капусты, 2 стакана молотых пшеничных сухарей, 1 ст. ложка муки пшеничной, 5 ст. ложек сливочного масла, 2 яйца, $^1/_4$ стакана молока

Капусту отварить и мелко посечь. Муку спассеровать на масле, развести молоком и закипятить. Полученный соус соединить с капустой, добавить яйца, молотые сухари и массу перемешать. Из массы сформовать битки, запанировать их в сухарях и поджарить на масле с двух сторон. Подать, полив соусом польским.

ГОРОШЕК ЗЕЛЕНЫЙ
С ГРЕНКАМИ

200 г хлеба пшеничного, 40 г салата зеленого, 1 луковица, $^1/_2$ стакана горошка зеленого, 3 ст. ложки сливочного масла, перец молотый черный, соль по вкусу

Хлеб нарезать кубиками и обжарить. Мелко нарезанный лук репчатый, зеленый горошек залить небольшим количеством воды, добавить масло и припустить на слабом огне до готовности. Заправить солью, перцем, добавить обжаренный хлеб и подать в горячем виде. Украсить листьями салата.

ЗАПЕКАНКА
С МОРКОВЬЮ

200 г хлеба пшеничного сухого, 2 моркови, 1 стакан воды, 3 яйца, 1 ст. ложка сахара, 1 ст. ложка сливочного масла, 1 ст. ложка панировочных сухарей

Хлеб натереть и залить горячей водой, охладить, добавить размягченное масло и сырые яйца. Массу вымешать, половину ее положить в сковороду, смазанную маслом и слегка посыпанную сухарями, сверху уложить слоем морковный фарш, закрыть остальной хлебной массой и запечь в духовке до румяной корочки. Подать со сметаной.

Морковный фарш. Очищенную морковь нашинковать соломкой, припустить до размягчения с добавлением небольшого количества воды и масла. Заправить сахаром и добавить сухари. Полученную массу вымешать.

ЗАПЕКАНКА
СО ШПИНАТОМ,
ЩАВЛЕМ И ЯЙЦОМ

200 г хлеба пшеничного сухого, 700 г шпината, 100 г щавля, 1 стакан молока, 4 яйца, $^1/_2$ ст. ложки сливочного масла, 3 ч. ложки муки, соль по вкусу

Хлеб измельчить, залить горячим молоком, охладить и протереть. Шпинат и щавель отварить и протереть. Порубить

2 вареных вкрутую яйца. В сырых яйцах отделить желток от белка. В хлебную массу добавить масло, желтки, пюре щавеля и шпината, муку, вареные яйца и взбитые белки. Посолить и перемешать. Массу выложить в смазанную жиром и посыпанную сухарями сковороду или форму и запечь до румяной корочки.

ЗАПЕКАНКА
СО СВЕКЛОЙ

200 г хлеба ржаного черствого, 1 средняя столовая свекла, 2 яйца, 2 ст. ложки изюма, 1 ст. ложка маргарина, 1 ст. ложка сухарей

Хлеб нарезать ломтиками толщиной 0,5 см, слегка смочить водой и уложить на смазанную жиром и посыпанную сухарями сковороду. Сверху уложить свекольную массу, накрыть ее оставшимся хлебом, залить яйцами ($^1/_2$ нормы) и поставить в духовку на 40 мин для запекания. Подать со сметаной.

Свекольная масса. Отварить свеклу, очистить и натереть на крупной терке, добавить яйца ($^1/_2$ нормы), изюм и перемешать.

ЗАПЕКАНКА
С ГРИБАМИ

200 г хлеба пшеничного черствого, 50 г сухих белых грибов, 1 ст. ложка топленого масла, 2 ст. ложки панировочных сухарей, $^1/_2$ стакана сметаны, 1 яйцо, 1 ст. ложка тертого сыра

Грибы несколько раз промыть, замочить в восьмикратном количестве воды и сварить до размягчения. Готовые грибы вынуть, снова промыть и нарезать соломкой. Бульон процедить через салфетку, добавить к нему нашинкованные грибы, панировочные сухари, сметану и прогреть массу на водяной бане, не давая закипеть.

Хлеб нарезать ломтиками толщиной 0,5 см и обжарить с одной стороны на масле. На сковородку, смазанную маслом и посыпанную сухарями, выложить ровным слоем грибную массу, сверху уложить хлеб поджаренной стороной вниз. Смазать яйцом, посыпать тертым сыром и запечь в духовке. Подать с грибным соусом.

ЗАПЕКАНКА
С ЛУКОМ

200 г хлеба ржаного черствого, 2 луковицы, 1 яйцо, $^1/_2$ стакана молока, 2 ст. ложки сливочного масла, 1 ч. ложка панировочных сухарей, 1 ст. ложка тертого сыра, соль по вкусу

Хлеб нарезать ломтиками толщиной 0,5 см, слегка смочить молоком и уложить на смазанную жиром и посыпанную сухарями сковороду. Сверху уложить нарезанный кольцами пассерованный репчатый лук, накрыть оставшимся хлебом, залить смесью яиц с молоком, посыпать тертым сыром и запечь до образования румяной корочки.

КАПУСТА,
ФАРШИРОВАННАЯ ХЛЕБНЫМ ФАРШЕМ

200 г хлеба пшеничного сухого, 1 кочан капусты, $1/2$ стакана молока, 2 ст. ложки сливочного масла, 3 яйца, 2 ст. ложки зелени петрушки и укропа, соль по вкусу

Для соуса: 4 сушеных белых гриба, 1 ч. ложка сливочного масла, $1/4$ стакана сметаны, 1 ст. ложка муки, соль по вкусу.

Хлеб протереть, обжарить на масле, залить горячим молоком и дать остыть. В полученную однородную массу добавить растопленное масло, мелко нарезанную зелень, 1 сырое яйцо и остальные, сваренные вкрутую, посолить и перемешать.

С неплотной головки капусты удалить кочерыжку и отварить ее в подсоленной воде до полуготовности. После чего переложить капусту на дуршлаг, дать стечь воде, отодвинуть

Крокеты картофельные с хлебом

друг от друга листья, не нарушая, однако, целостности кочана. Между листьями уложить приготовленный фарш. Стиснуть листья так, чтобы кочан имел вид целого, поместить его в сотейник или глубокую сковороду, посыпать сухарной крошкой, полить маслом и запечь до полной готовности в духовке. Из оставшегося фарша сформовать шарики, обвалять их в муке, обжарить и перед подачей уложить вокруг кочана капусты, который полить сметанно-грибным соусом.

Сметанно-грибной соус: сушеные грибы промыть, сварить, снова промыть, мелко порубить и слегка обжарить. Муку поджарить с маслом, развести процеженным бульоном и, помешивая, проварить. Добавить сметану, грибы, соль и довести до кипения.

ПОМИДОРЫ, ФАРШИРОВАННЫЕ
ХЛЕБНЫМИ ФАРШАМИ, ТУШЕНЫЕ

6 помидоров, 200 г хлебного фарша (см. с. 203), соль и перец по вкусу

Плотные помидоры вымыть, срезать с них крышечки (часть мякоти у плодоножки) и ложкой вынуть мякоть. Наполнить помидоры фаршем с луком или фаршем с яйцами и грибами, накрыть крышечками, уложить в сотейник или глубокую сковороду, залить соком, приготовленным из мякоти помидоров, посолить и протушить до готовности.

ПОМИДОРЫ, ФАРШИРОВАННЫЕ
ХЛЕБНЫМИ ФАРШАМИ, ЗАПЕЧЕННЫЕ

4 помидора, 200 г хлебного фарша (см. с. 203), 2 ст. ложки сливочного масла

Подготовленные для фарширования помидоры (см. рецепт выше) заполнить фаршем с репчатым луком, из сухарей, с отварным мясом, с колбасой и грибами или с печенью, уложить на смазанный маслом противень или сковороду, сбрызнуть маслом и запечь.

ПОМИДОРЫ, ФАРШИРОВАННЫЕ
ХЛЕБОМ С ПЕЧЕНЬЮ
(румынская кухня)

500 г фарша хлебного с печенью, 8 помидоров, 3 ст. ложки сливочного масла, перец, соль по вкусу, сметана

Подготовленные помидоры (см. выше) наполнить фаршем хлебным с печенью (см. с. 206), уложить их в смазанный маслом сотейник, сверху каждый помидор полить маслом и поставить запекать в горячую духовку до румяного цвета, затем залить томатным соком, приготовленным из мякоти помидоров, протушить. Перед подачей на стол полить сметаной.

ПОМИДОРЫ, ФАРШИРОВАННЫЕ
ПО-УРАЛЬСКИ

200 г хлеба пшеничного, 8 помидоров, 200 г отварного мяса, 2 луковицы, 4 зубка чеснока, 4 ст. ложки зелени петрушки и укропа, 3 ст. ложки свиного сала, 3 ст. ложки томатного сока, соль, перец по вкусу

Замоченный и отжатый хлеб пропустить через мясорубку вместе с отварным мясом, добавить мелко рубленую зелень петрушки и укропа, обжаренный в свином сале лук, измельченный чеснок, томатный сок, соль, перец. Массу вымешать. Полученным фаршем наполнить подготовленные для фарширования помидоры (см. с. 155), уложить их на смазанные жиром противень или сковороду и запечь в духовке.

ПОМИДОРЫ ФАРШИРОВАННЫЕ
ЛЮБИТЕЛЬСКИЕ

200 г хлеба пшеничного, 8 помидоров, 400 г мяса отварного, 1 яйцо, 4 луковицы, 4 зубка чеснока, 3 ст. ложки зелени петрушки, 2 ст. ложки растительного масла, 1 стакан тертого сыра, соль и перец по вкусу

Замоченный и отжатый хлеб пропустить через мясорубку вместе с отварным мясом, добавить жаренный на растительном масле лук, яйца, измельченный чеснок, мелко рубленую зелень петрушки, соль, перец и перемешать. Полученным фаршем наполнить подготовленные помидоры (см. с. 155), уложить их в сотейник, посыпать тертым сыром, сбрызнуть маслом и запечь в духовке.

ПОМИДОРЫ, ФАРШИРОВАННЫЕ
ХЛЕБОМ И СЫРОМ
(болгарская кухня)

400 г фарша хлебного с сыром, 10 помидоров, $^3/_4$ стакана растительного масла, соль по вкусу

Подготовленные для фарширования помидоры (см. с. 206) посолить и погрузить отверстиями вниз на 1—2 мин в кипящее растительное масло, затем вынуть, охладить и заполнить фаршем (см. с. 206), приготовленным из тертого сыра, хлеба, мелко нарезанной зелени петрушки и измельченного чеснока. Сверху помидоры полить растительным маслом и запечь в духовке до румяной корочки.

ОГУРЦЫ ФАРШИРОВАННЫЕ
(итальянская кухня)

500 г огурцов, 200 г хлебного фарша (см. с. 203), 2 яйца, $^1/_2$ стакана тертого сыра, 2 ст. ложки растительного масла, соль по вкусу

Крупные огурцы очистить от кожицы, нарезать поперек на кусочки высотой 4 см, выбрать чайной ложкой мякоть и заполнить образовавшиеся углубления фаршем из хлеба с добавлением вареных яиц. Подготовленные огурцы уложить в сотейник или сковороду, смазанные растительным маслом, посыпать тертым сыром, сбрызнуть маслом и запечь в духовке до светлой румяной корочки.

ОГУРЦЫ СОЛЕНЫЕ ФАРШИРОВАННЫЕ

200 г хлеба пшеничного сухого, 5 соленых огурцов, 2 яйца, 3 ст. ложки сливочного масла, 3 ст. ложки зелени петрушки или укропа

Крупные соленые огурцы очистить, разрезать вдоль на две половинки, выбрать с каждой середину и порубить ее. Толченые сухари поджарить на масле, соединить с рубленой мякотью огурцов, добавить масло, нарезанную зелень петрушки, укропа, взбитое яйцо и все хорошо перемешать. Приготовлен-

Котлеты морковные с хлебом

ным фаршем начинить половинки огурцов, соединить их, придав вид целого огурца, обмакнуть во взбитое яйцо, обвалять в сухарях и обжарить на масле. Из оставшегося фарша скатать шарики, обвалять их в муке и обжарить на масле. Подать как гарнир к фаршированным огурцам.

ЛУК ФАРШИРОВАННЫЙ
(итальянская кухня)

200 г хлеба белого, 100 г ветчины, 10—12 луковиц, 2 яйца, 2 ст. ложки тертого сыра, 2 ст. ложки зелени петрушки, 4 ст. ложки маргарина, 2 ст. ложки сахара, 1 стакан мясного бульона, соль и перец по вкусу

Репчатый лук очистить, промыть, выбрать серединку, порубить ее, соединить с мелко рубленной ветчиной, размоченным белым хлебом, тертым сыром, яйцом, измельченной зеленью петрушки, солью и перцем. Перемешать. Приготовленным фаршем заполнить углубления в луковицах, уложить их в смазанный маслом сотейник или кастрюлю, залить смесью из бульона и сахара, прогретого на маргарине до золотистого цвета, протушить в течение 40 мин.

ПЕРЕЦ, ФАРШИРОВАННЫЙ
БРЫНЗОЙ И СУХАРЯМИ

8—10 стручков перца сладкого, 1 стакан сухарей пшеничных, 1 стакан брынзы, 4 помидора, 2 яйца, 6 ст. ложек сливочного масла

Стручки сладкого перца промыть, срезать часть мякоти с плодоножкой, вынуть семена, обдать кипятком.

Брынзу натереть на терке, соединить с мелко нарезанными помидорами, яйцами и поджаренными на масле толчеными сухарями. Хорошо вымешанной массой зафаршировать подготовленные перцы, между ними уложить нарезанные помидоры, полить маслом и запечь.

ПЕРЕЦ, ФАРШИРОВАННЫЙ
ХЛЕБНЫМИ ФАРШАМИ

6—7 стручков перца сладкого, 200 г хлебной начинки (см. с. 206), 1 ст. ложка сливочного масла, 1 стакан томатного сока, соль по вкусу

Подготовленный перец (см. рецепт выше) наполнить хлебным фаршем с луком или с яйцом и грибами. Уложить в смазанный маслом сотейник, слегка запечь, затем залить томатным соком, посолить и тушить до готовности.

КАБАЧКИ, ФАРШИРОВАННЫЕ
ХЛЕБНЫМИ ФАРШАМИ

400 г кабачков, 200 г хлебного фарша, 1 ст. ложка сливочного масла, 1 стакан сметаны, соль по вкусу

Кабачки очистить, нарезать поперек кусочками высотой 4—5 см, вынуть сердцевину, отварить до полуготовности, откинуть на дуршлаг, дать стечь воде и зафаршировать хлебным фаршем (см. с. 203). Уложить в смазанный маслом сотейник, слегка запечь, затем залить сметаной, посолить и запечь в духовке до готовности кабачков.

КАБАЧКИ, ФАРШИРОВАННЫЕ СЫРОМ И СУХАРЯМИ

400 г кабачков, $^1/_2$ стакана сухарей пшеничных, 1 стакан тертого сыра, 1 ст. ложка муки пшеничной, 5 ст. ложек сливочного масла, 1 стакан сметаны, перец по вкусу

Очистить кабачки, нарезать их поперек кусочками высотой 4 см, вынуть сердцевину. Сыр натереть на терке, соединить с сухарями, поперчить и наполнить им кабачки, обвалять их в муке, обжарить с обеих сторон, залить сметаной и запечь в духовке.

Котлеты из хлеба и яиц

ГОЛУБЦЫ
С ХЛЕБНО-КОЛБАСНЫМ ФАРШЕМ

200 г хлеба пшеничного, 1 кочан капусты, 200 г колбасы, 2 яйца, 2 ст. ложки маргарина или смальца, 2 ст. ложки горчицы, 4 яблока, соль по вкусу

Из неплотного кочана капусты вырезать кочерыжку, отварить его в подсоленной, подкисленной воде до полуготовности. Переложить кочан на дуршлаг, дать стечь воде, разобрать его на листья, утолщенные части которых отбить.

Замоченный и отжатый хлеб пропустить через мясорубку вместе с колбасой. К массе добавить яйца, горчицу, соль и хорошо ее вымешать. Полученный фарш разложить на подготовленные листья, завернуть голубцы, обжарить на смальце или маргарине. Уложить их в посудину, добавить немного кипящей воды, нашинкованные яблоки и тушить, закрыв крышкой, до готовности.

ЗАПЕКАНКА
ИЗ ХЛЕБА И ГРИБОВ

200 г хлеба пшеничного белого, 200 г грибов свежих, 2 ст. ложки сливочного масла, $^1/_2$ яйца, $^1/_4$ стакана молока, 1 ст. ложка панировочных сухарей, зелень петрушки, соль и перец по вкусу

Грибы хорошо отмыть, мелко нарезать, посолить, слегка обжарить на сливочном масле, переложить в кастрюлю, добавить масло и тушить до размягчения. Затем добавить измельченную зелень петрушки и перемешать.

Хлеб нарезать ломтиками толщиной 0,5 см и каждый обмакнуть в подсоленную смесь молока с сырым яйцом. На дно смазанного маслом и посыпанного молотыми сухарями сотейника уложить поочередно 3—4 слоя ломтиков и грибной начинки, посыпая последнюю черным перцем. Верхний слой из хлебных ломтиков сбрызнуть сливочным маслом, накрыть сотейник крышкой и запечь в духовке. Подать с грибным соусом.

ЦВЕТНАЯ КАПУСТА,
ЗАПЕЧЕННАЯ С ХЛЕБОМ
И ЗЕЛЕНЫМ ГОРОШКОМ
ПОД МОЛОЧНЫМ СОУСОМ

200 г хлеба пшеничного, 2 небольших головки цветной капусты, 2 ст. ложки толченых сухарей, $^1/_2$ банки зеленого горошка, 4 ст. ложки сливочного масла

Нарезать хлеб тонкими ломтиками и поджарить на масле. Цветную капусту отварить в подсоленной воде, обсушить ее на сите и разобрать на отдельные соцветия. Смешать подготовленные хлеб и капусту с зеленым горошком и выложить в смазанную маслом сковороду или форму, полить молочным соусом, посыпать толчеными сухарями, сбрызнуть растопленным маслом и запечь в духовке до появления румяной корочки.

Молочный соус. Муку спассеровать с маслом, постоянно помешивая, влить частями горячее молоко, посолить и проварить до загустения.

ЦВЕТНАЯ КАПУСТА, ЗАПЕЧЕННАЯ С ХЛЕБОМ И КОЛБАСОЙ
(немецкая кухня)

200 г хлеба пшеничного, 1 головка цветной капусты, 2 ст. ложки сливочного масла, 200 г колбасы вареной, 1 стакан молока, 2 яйца, мускатный орех, душистый перец, соль по вкусу

Хлеб нарезать тонкими ломтиками, с одной стороны намазать маслом и сверху уложить по ломтику вареной колбасы.

Цветную капусту отварить в подсоленной воде, обсушить ее на сите. На сковороду, смазанную маслом, уложить подготовленные ломтики хлеба с колбасой, сверху отваренную капусту. Залить смесью из молока, яиц и специй, сбрызнуть растопленным маслом и запечь в духовке.

ЛУК, ЗАПЕЧЕННЫЙ С ХЛЕБОМ

200 г хлеба пшеничного, 5—6 луковиц, 4 ст. ложки сливочного масла, $1^1/_2$ яйца, $1^1/_4$ стакана молока, 100 г окорока, 2 ст. ложки тертого сыра, перец молотый, соль по вкусу

На дно сковороды, смазанной маслом, уложить ломтики хлеба, смоченные в молоке, сверху — слегка обжаренный на масле разрезанный дольками репчатый лук. Залить смесью из яиц, молока, кубиками нарезанного окорока, соли, перца. Посыпать тертым сыром и запечь до образования румяной корочки.

СОЛЯНКА ГРИБНАЯ С ХЛЕБОМ НА СКОВОРОДЕ

200 г хлеба ржаного, 300 г квашеной капусты, 1 луковица, $^1/_2$ стакана растительного масла, 5 грибов белых сушеных, перец, лавровый лист, соль по вкусу

Грибы замочить, отварить и мелко нарезать. Квашеную капусту и измельченный лук обжарить на масле и протушить в грибном бульоне. Хлеб нарезать кубиками и поджарить. Смешать все подготовленные продукты, заправить перцем, лавровым листом и выложить горкой на смазанную маслом порционную сковороду. Поверхность выровнять, посыпать .тертым сыром и запечь в духовке в течение 20 мин. Подавая, украсить солянку листьями петрушки и ломтиками обжаренного на масле хлеба.

БАКЛАЖАНЫ,
ЗАПЕЧЕННЫЕ С СУХАРИКАМИ

200 г хлеба пшеничного или ржаного, 1 кг баклажанов, 4 ст. ложки муки пшеничной, 6—8 помидоров, 4—6 зубков чеснока, $^2/_3$ стакана растительного масла, соль, перец, зелень по вкусу

Баклажаны очистить, нарезать ломтиками в длину, обвалять в муке и поджарить до золотистого цвета. Черствый хлеб нарезать мелкими кубиками и поджарить на масле.

Помидоры ошпарить, снять кожицу, нарезать дольками, обжарить на растительном масле, добавить соль, перец, растертый чеснок и нарезанную зелень.

Уложить жареные баклажаны на сковороду, чередуя их с сухариками, залить помидорной массой, сбрызнуть маслом и запечь.

БАКЛАЖАНЫ,
ФАРШИРОВАННЫЕ
ХЛЕБНО-ЯИЧНЫМ ФАРШЕМ

2 крупных баклажана, 100 г хлеба белого, 1 стакан молока, зелень (петрушка и укроп) по вкусу, 2 яйца вареных, 1 яйцо сырое, 4 ст. ложки сметаны, 1 ст. ложка муки, растительное масло, соль и черный перец по вкусу

Баклажаны разрезать вдоль на половинки, вынуть сердцевину, пропустить ее через мясорубку вместе с размоченным в молоке и отжатым хлебом, сваренными вкрутую яйцами. К массе добавить мелко нарезанный обжаренный лук, измельченную зелень, сырые яйца, соль, черный перец. Этим фаршем начинить баклажаны, залить сметаной, смешанной с мукой, варить 25 мин на слабом огне, потом зарумянить в духовке.

ПУДИНГ ХЛЕБНЫЙ
С КАПУСТОЙ

200 г хлеба пшеничного, 1 кг капусты белокочанной, 1 стакан молока, 1—2 луковицы, 4 яйца, 2 ст. ложки сливочного масла, 3 ст. ложки панировочных сухарей, соль и перец по вкусу

Хлеб замочить в молоке и отжать. Капусту нарезать и сварить в небольшом количестве подсоленной воды, откинуть на сито и отжать. Лук нарезать кольцами и обжарить. Все подготовленные продукты смешать и пропустить через мясорубку. Добавить желтки и взбитые в пену белки, посолить, поперчить. Массу выложить в смазанную жиром и посыпанную сухарями форму для пудинга. Форму закрыть, поставить в кастрюлю с кипящей водой и довести до готовности. Подать с сухарным соусом (см. с. 197).

Огурцы соленые фаршированные

ПУДИНГ ХЛЕБНЫЙ
С ЦВЕТНОЙ КАПУСТОЙ
(детская кухня)

200 г хлеба пшеничного белого, 500 г капусты цветной, 1 стакан молока, 2 яйца, 1 ст. ложка сливочного масла, соль по вкусу

Хлеб замочить в молоке и отжать. Цветную капусту отварить в подсоленной воде, откинуть на дуршлаг и протереть. Смешать капусту с хлебом, добавить желтки и взбитые белки. Массу осторожно вымешать и выложить в смазанную маслом форму. Довести до готовности на водяной бане в течение 20—30 мин. Подать с молочным соусом.

ПУДИНГ ХЛЕБНО-
КАРТОФЕЛЬНЫЙ

200 г хлеба пшеничного, 5—6 картофелин, 2 стакана сливок, 2 ст. ложки сахара, 4 яйца, соль по вкусу

Хлеб натереть на терке. Картофель очистить, нарезать, отварить с добавлением сливок и протереть вместе с ними. Смешать с хлебом, добавить сахар, соль, желтки и взбитые в пену белки. Массу вымешать и переложить в форму, смазанную маслом и посыпанную сухарями. Запечь в духовке.

ПУДИНГ ХЛЕБНЫЙ
СО ШПИНАТОМ

200 г хлеба пшеничного белого, 300 г шпината, 1 стакан молока, 2 ст. ложки сливочного масла, 2 яйца, 1 зубок чеснока, соль и перец по вкусу

Половину хлеба замочить в молоке, отжать и протереть, оставшийся нарезать мелкими кубиками и обжарить в масле. Соединить подготовленный хлеб с отварным протертым шпинатом и желтками. Заправить массу солью, перцем, тертым чесноком и ввести взбитые в пену белки. Осторожно перемешать и выложить в смазанную маслом форму. Довести до готовности на водяной бане в течение 30—40 мин. При подаче полить сливочным маслом.

СУФЛЕ
МОРКОВНОЕ С ХЛЕБОМ

200 г хлеба пшеничного, 1 стакан молока, 3 яйца, 4—5 морковок, $^1/_4$ стакана сметаны, $1^1/_2$ ст. ложки сливочного масла, 1 ст. ложка тертого сыра, 1 ст. ложка муки пшеничной, соль по вкусу

Хлеб нарезать, залить горячим молоком, дать остыть и протереть. Добавить желтки, растопленное масло, муку, протертую отварную морковь, сметану. Массу посолить, вымешать и ввести взбитые в пышную пену белки, осторожно переме-

шать и выложить на смазанную маслом сковороду. Посыпать
тертым сыром, сбрызнуть маслом и запечь. Суфле при подаче
полить маслом или сметаной.

СУФЛЕ
ИЗ ХЛЕБА С ТОМАТОМ-ПЮРЕ

200 г хлеба пшеничного, 1 стакан молока, 3 яйца, 2 ст. ложки томата-пюре, $^1/_4$ стакана сметаны, $1^1/_2$ ст. ложки сливочного масла, 1 ст. ложка тертого сыра, 1 ст. ложка муки, соль по
вкусу

Хлеб нарезать, залить горячим молоком, дать остыть и протереть. Добавить растертые желтки, томат-пюре, прогретый
со сливочным маслом, сметану, муку, соль. Массу вымешать
и добавить взбитые в пышную пену белки, еще раз осторожно
перемешать и выложить на смазанную маслом сковороду. Посыпать тертым сыром, сбрызнуть маслом и запечь. Подать суфле с майонезом.

БЛЮДА ИЗ ХЛЕБА
И РЫБНЫХ ПРОДУКТОВ

РЫБА,
ЗАПЕЧЕННАЯ
С ГРЕНКАМИ ПОД МАЙОНЕЗОМ

200 г хлеба пшеничного, 300 г филе рыбы, $^1/_2$ стакана майонеза, 2 ст. ложки растительного масла, 1 луковица, соль по
вкусу

Рыбу отварить. Хлеб нарезать на ломтики толщиной 0,5 см,
поджарить на растительном масле. На сковороду, смазанную
маслом, налить немного майонеза, уложить гренки, сверху —
филе рыбы и нарезанный лук. Залить майонезом и запечь
в духовке.

РЫБА,
ЗАПЕЧЕННАЯ С ГРЕНКАМИ,
ПОД СМЕТАННЫМ СОУСОМ

200 г хлеба пшеничного, 3 ст. ложки сливочного масла,
500 г филе рыбы, 200 г сыра голландского, 2 ст. ложки панировочных сухарей

Для соуса: 1 ч. ложка муки пшеничной, 2 ч. ложки сливочного масла, $^1/_2$ стакана сметаны, $^1/_2$ стакана бульона рыбного, перец, соль по вкусу

Рыбу отварить. Хлеб нарезать на ломтики толщиной 0,5 см,
поджарить на сливочном масле. На сковороду, смазанную маслом, подлить немного соуса, уложить гренки, сверху филе ры-

бы. Залить соусом, посыпать тертым сыром и сухарями, сбрызнуть маслом и запечь в духовке до румяной корочки.

Соус: Муку спассеровать на масле, помешивая, добавить небольшими порциями рыбный бульон, сметану, проварить 5—10 мин, заправить солью и перцем.

РЫБА
ОТВАРНАЯ С ГРИБАМИ
И ГРЕНКАМИ ПОД СОУСОМ

200 г хлеба пшеничного, 500 г филе рыбы, 5 грибов белых сушеных, 1 стакан сметанного соуса или майонеза, 1 лимон, 2 ст. ложки сливочного масла, 1 луковица, 1 корень петрушки, лавровый лист, перец, соль по вкусу

Рыбу отварить с добавлением промытых замоченных сушеных грибов, лука репчатого, корня петрушки и специй. На блюдо положить поджаренные на сливочном масле ломтики хлеба, на каждый из них по кусочку рыбы, залить сметанным

Капуста фаршированная.
(полуфабрикат)

соусом или майонезом. Украсить сваренными грибами и ломтиками лимона.

На гарнир подать отварной картофель, посыпать измельченной зеленью петрушки, укропа.

ЗАПЕКАНКА
ИЗ РЫБНОЙ ИКРЫ
С ХЛЕБОМ

100 г хлеба пшеничного, 200 г икры рыбной, 2 луковицы, $^1/_2$ стакана молока, 2 ч. ложки растительного масла, 4 ст. ложки соуса с горчицей, соль и перец по вкусу

Для соуса: 1 яйцо, 1 ст. ложка растительного масла, $^1/_2$ ст. ложки горчицы, 2 ст. ложки уксуса, $^1/_4$ ч. ложки сахара

Хлеб замочить в молоке, отжать. Икру свежей рыбы промыть, зачистить от пленок, смешать с подготовленным хлебом, добавить мелко рубленный лук, соль, перец, хорошо перемешать и выложить слоем толщиной 4 см на смазанную маслом сковороду. Выпекать в духовке при умеренной температуре. При подаче запеканку полить соусом с горчицей.

Соус. Желтки вареных яиц протереть сквозь сито и растереть с горчицей, сахаром, солью, постепенно добавляя растительное масло. Заправить уксусом. В готовый соус положить мелко рубленные яичные белки.

ЗАПЕКАНКА
ХЛЕБНАЯ С СЕЛЬДЬЮ

200 г хлеба пшеничного, 1 средняя сельдь, $^1/_2$ стакана молока, 2 яйца, 1 луковица, 2 ст. ложки сливочного масла, соль, перец и мускатный орех по вкусу

Белый хлеб замочить в молоке и отжать. Сельдь, если соленая, вымочить в воде, чае или молоке, разделать на филе, с которого вынуть кости, пропустить через мясорубку вместе с подготовленным хлебом, обжаренным луком. Добавить размягченное сливочное масло, сырые яйца, перец, мускатный орех и вымешать до однородной массы. Выложить в смазанную маслом форму и запечь в течение 20—25 мин в духовке.

ЗАПЕКАНКА
ХЛЕБНАЯ С СЕЛЬДЬЮ
И ГОВЯДИНОЙ

100 г хлеба пшеничного белого, 1 средняя сельдь, 200 г говядины, $^1/_2$ стакана сметаны, 1 яйцо, 1 луковица, 1 ст. ложка сливочного масла, перец по вкусу

Хлеб замочить в воде и отжать. Сельдь вымочить в воде, чае или молоке, разделать на филе (без кожи и костей). Мясо отварить. Подготовленные продукты смешать, пропустить через мясорубку, добавить сметану, обжаренный лук, размягченное сливочное масло, сырые яйца, перец и хорошо вымешать. Массу выложить в глубокую сковороду, смазанную маслом и посыпанную сухарями, и запечь в духовке в течение 20—30 мин.

ЗАПЕКАНКА
ХЛЕБНАЯ С СЕЛЬДЬЮ
И КАРТОФЕЛЕМ

200 г хлеба пшеничного, 400 г сельди, 1 стакан молока, 3 картофелины, 2 луковицы, 2 ст. ложки сливочного масла, 2 ст. ложки панировочных сухарей, 2 яйца, 1 ст. ложка сметаны, перец по вкусу

Хлеб замочить в молоке, отжать, пропустить через мясорубку вместе с филе сельди, отварным картофелем и луком. В массу добавить перец, яйцо, хорошо вымешать и уложить на смазанный маслом и посыпанный сухарями противень. Поверхность смазать смесью яйца и сметаны. Запечь в духовке. Подать со сметаной или томатным соусом.

ЗАПЕКАНКА
ИЗ ХЛЕБА И ЖАРЕНОЙ РЫБЫ

200 г хлеба пшеничного, 400 г филе рыбы, 2 ст. ложки муки пшеничной, 3 ст. ложки растительного масла, $1^1/_2$ стакана молока, 2 яйца, 2 ст. ложки сливочного масла, соль по вкусу

Замочить хлеб в молоке и слегка отжать. Филе рыбы посыпать солью, обвалять в муке и обжарить с двух сторон на растительном масле. На смазанную маслом сковороду или форму уложить слоями подготовленный хлеб и рыбу, сверху залить взбитыми яйцами и поставить запекать до образования румяной корочки в нагретую духовку. При подаче полить растопленным сливочным маслом.

БАТОН ФАРШИРОВАННЫЙ

1 батон пшеничный, 200 г фарша, $^1/_2$ стакана тертого сыра, 1 ст. ложка сливочного масла, 1 стакан молока

Для фарша: 100 г мякиша батона, 100 г отварного мяса, $^1/_2$ сельди, 1 ст. ложка сливочного масла, 1 картофелина, 1 яйцо, $^1/_4$ стакана молока, перец по вкусу

Батон разрезать вдоль на две части и с каждой удалить мякиш, который размочить в молоке, пропустить через мясорубку вместе с мякотью сельди, отварными мясом и картофелем. Массу перемешать, добавить рубленые вареные яйца, растопленное сливочное масло, перец. Приготовленный фарш уложить в углубления батона, смоченного молоком. Зафаршированные половинки сложить в виде целого батона, поместить его на смазанный маслом противень, посыпать тертым сыром, сбрызнуть маслом и запечь до румяной корочки в нагретой духовке.

При подаче нарезать поперек на порционные куски и отдельно подать соус майонез.

ПУДИНГ ХЛЕБНЫЙ
С СЕЛЬДЬЮ,
СВАРЕННЫЙ В САЛФЕТКЕ

200 г хлеба пшеничного белого, 2 сельди, 1 стакан сливок или молока, 1 ст. ложка сливочного масла, перец, зеленый лук, петрушка

Хлеб натереть на терке. Предварительно вымоченную сельдь (в холодном чае или молоке) очистить, разделать на филе (без костей) и мелко порубить ножом. Смешать с подготовленным хлебом, добавить перец, сливки или молоко и хорошо перемешать. Массу завернуть в смазанную маслом салфетку, завязать, опустить в кастрюлю с кипящей водой и варить около часа. Готовый пудинг развернуть и подать, посыпав мелко нарезанной зеленью.

СУФЛЕ РЫБНОЕ
С ХЛЕБОМ

200 г хлеба пшеничного, 1 стакан молока, 200 г филе рыбы, $^1/_4$ стакана соуса белого, 3 яйца, 2 ст. ложки сливочного масла, 1 ст. ложка сыра тертого, соль, перец по вкусу

Хлеб залить горячим молоком, дать остыть и протереть. Филе рыбы отварить или припустить, измельчить на мясорубке, протереть через сито, соединить с подготовленным хлебом, добавить желтки, растопленное сливочное масло, белый соус (см. с. 194), соль, перец и взбитые в пышную пену белки. Массу осторожно перемешать и выложить в смазанную маслом форму. Поверхность загладить, посыпать тертым сыром, сбрызнуть маслом и запечь до румяной корочки. При подаче полить растопленным сливочным маслом.

БЛЮДА ИЗ ХЛЕБА
И МЯСНЫХ ПРОДУКТОВ

ОМЛЕТ, ФАРШИРОВАННЫЙ
ПЕЧЕНЬЮ С ХЛЕБОМ
(детская кухня)

100 г булки, 200 г печени, 1 стакан молока, 4 яйца, 2 ст. ложки сливочного масла, соль по вкусу

Булку замочить в молоке. Печень вымочить, зачистить от пленок, желчных протоков, нарезать кубиками и обжарить на масле. Пропустить через мясорубку вместе с хлебом, растереть до состояния пюре (консистенция густой сметаны). Приготовить омлетную массу из яиц, молока и соли. Вылить массу на разогретую с маслом сковороду, обжарить до загустения и на половину омлета положить подготовленный фарш, быстро накрыть второй половиной (согнуть пополам). Подать, полив растопленным сливочным маслом.

ОЛАДЬИ ИЗ ПЕЧЕНИ С ХЛЕБОМ

200 г хлеба пшеничного, 1 кг печени, 7 ст. ложек сливочного масла, $3/4$ стакана жира животного, соль, перец по вкусу

Печень пропустить через мясорубку, соединить с тертым черствым хлебом, добавить сливочное масло, соль, перец и вымешать. Сформовать лепешки кругло-приплюснутой формы и пожарить с двух сторон на разогретой с жиром сковороде. При подаче оладьи полить растопленным сливочным маслом.

ФАРШИРОВАННЫЙ БАТОН

1 батон (400 г), 250 г мяса отварного, 3 ст. ложки сливочного масла, $1/2$ стакана мелко нарубленного поджаренного миндаля или других орехов, 1 лимон для сока, 4 ст. ложки измельченной зелени (укроп, петрушка), $1/4$ стакана бульона, соль и перец по вкусу

Мясо отварить, нарезать кубиками и обжарить. Батон разрезать вдоль и удалить мякиш, который раскрошить, смешать с миндалем, измельченной зеленью и жареным мясом. Заправить лимонным соком, солью, перцем, добавив небольшое количество бульона. Полученной массой зафаршировать нижнюю половину батона, а верхней накрыть. Сбрызнуть сверху маслом и запечь. При подаче нарезать на порционные куски и подать с листьями зеленого салата.

БУЛОЧКИ, ФАРШИРОВАННЫЕ
МЯСНЫМИ ПРОДУКТАМИ

4 булочки (по 50 г), $1/3$ стакана молока, 100 г ветчины или мяса жареного, 2 ст. ложки сливочного масла, 1 ст. ложка сметаны, $1/2$ стакана сыра тертого

С булочек срезать верхнюю часть, удалить мякиш, который замочить в молоке, затем слегка отжать, пропустить через мясорубку вместе с ветчиной или жареным мясом. Добавить сметану, размягченное масло и наполнить подготовленные булочки этим фаршем. Уложить их на смазанную маслом сковороду, посыпать тертым сыром, сбрызнуть маслом и запечь. Подать с любым соусом.

БУЛОЧКИ,
ФАРШИРОВАННЫЕ МЯСОМ

4 булочки (по 50 г), 60 г отварной говядины, 1 луковица, 1 яйцо, 2 ст. ложки сливочного масла, соль, перец по вкусу

Лук фаршированный

С булочек срезать верхнюю часть и удалить мякиш. Подготовленные булочки слегка сбрызнуть водой, а мякиш раскрошить, соединить с обжаренным луком, а также обжаренным предварительно отваренным и нарезанным кубиками мясом, с мясным бульоном, лимонным соком, солью, перцем. Массу хорошо вымешать и нафаршировать ею булочки. Отверстие прикрыть срезанной верхней частью, смазать маслом и запечь.

БУЛОЧКИ ФАРШИРОВАННЫЕ
(болгарская кухня)

4 булочки (по 50 г), $^1/_3$ стакана молока, 100 г ветчины, 1 ст. ложка сливочного масла, 1 ст. ложка сметаны, 4 яйца, соль по вкусу

С булочек срезать верхнюю часть и удалить мякиш, который замочить в молоке, затем слегка отжать, пропустить через мясорубку с ветчиной, добавить сметану, размягченное сливочное масло. Этой массой заполнить подготовленные булочки, оставив в фарше углубление. Уложить их на смазанную маслом сковороду. В углубление каждой булочки выбить по яйцу, посолить и поставить запекать в горячую духовку на 10—15 мин.

МЯСО
С ХЛЕБОМ НА ВЕРТЕЛЕ

200 г хлеба ржаного, 200 г вырезки говядины, 200 г шпика, 3 ст. ложки растительного масла, соль и перец по вкусу

Нарезать кубиками мясо, хлеб и шпик. Заправить солью и перцем. Наколоть последовательно мясо, хлеб и шпик на вертел. Обильно смазать растительным маслом и поджарить над раскаленными углями.

ИНДЕЙКА, ФАРШИРОВАННАЯ
ХЛЕБНЫМИ ФАРШАМИ

1 индейка (2,5—4 кг), 500—700 г фарша с хлебом, картофелем и сосисками (см. с. 207) или с хлеба и печени

Обработанную и выпотрошенную индейку помыть в нескольких водах, посолить и оставить на час. Зафаршировать брюшную полость фаршем хлебным с печенью или хлебным с картофелем и сосисками. Тушку зашить и поставить в нагретую духовку. Жарить до готовности, периодически поливая соком, который выделяется при жарке, и переворачивая, чтобы индейка равномерно подрумянилась со всех сторон.

ГУСЬ, УТКА,
ФАРШИРОВАННЫЕ ХЛЕБНЫМИ ФАРШАМИ

1 гусь (2—2,5 кг) или утка (1,5—2 кг), 400—500 г фарша: хлебный с яйцами и грибами (см. с. 205), хлебный с клюквой, хлебный с изюмом и яблоками (см. с. 207).

Обработанную и выпотрошенную тушку гуся или утки хорошо промыть, натереть солью, перцем. Уложить в брюшную полость любой из фаршей: хлебный с яйцами и грибами; хлебный с клюквой; хлебный с изюмом и яблоками. Тушку зашить и поставить в горячую духовку.

Периодически поливая соком, который выделяется при жарке, довести птицу до готовности. Готовность определить проколом самой толстой части — окорочка (в готовой птице мякоть мягкая и сок, выделяющийся при проколе,— прозрачный, серый).

СОСИСКИ, ЖАРЕННЫЕ С ХЛЕБОМ
И ОВОЩАМИ НА ВЕРТЕЛЕ
(чешская кухня)

200 г хлеба пшеничного, 4 сосиски, 4 стручка сладкого перца, 2 луковицы, 60 г шпика, 3 зубка чеснока, 1 стакан растительного масла, острый томатный соус или горчица.

Хлеб нарезать ломтиками и смазать чесноком. Сосиски нарезать брусочками, лук и сладкий перец — кружочками, шпик — ломтиками. Одеть все на небольшой вертел вперемежку. Пожарить на растительном масле. Подать с острым томатным соусом или горчицей. На гарнир использовать жареный картофель.

СОЛЯНКА
С КОЛБАСОЙ И ХЛЕБОМ

200 г хлеба ржаного (без корок), 100 г вареной колбасы, 300 г квашеной капусты, 1 луковица, 2 ст. ложки растительного масла, 1 ч. ложка муки, $^1/_4$ стакана бульона, зелень

Квашеную капусту и измельченный лук обжарить на масле, добавить бульон, пассерованную муку и протушить до готовности. Добавить нарезанную ломтиками обжаренную колбасу и кубиками обжаренный хлеб. Перемешать. При подаче посыпать измельченной зеленью и уложить обжаренные кубики хлеба.

ЗАПЕКАНКА ХЛЕБНАЯ
С КОЛБАСОЙ И ШПИНАТОМ
(немецкая кухня)

200 г хлеба пшеничного, 1 кг шпината, 3 яйца, 150 г вареной колбасы, 1 ст. ложка маргарина, красный перец и соль по вкусу

Хлеб замочить и отжать. Шпинат мелко нарезать, посолить, припустить в собственном соку и соединить с подготовленным хлебом. Добавить яйца, кубиком нарезанную колбасу, специи. Перемешать и выложить в кольцеобразную форму, смазанную маслом. Запечь в духовке, выложить на блюдо, в середину кольца уложить картофельное пюре или отварной рис.

ПУДИНГ ХЛЕБНЫЙ
С ПЕЧЕНЬЮ

200 г хлеба пшеничного, 1 стакан молока, 200 г печени, 2 яйца, 4 ст. ложки сливочного масла, 2 ст. ложки панировочных сухарей, соль по вкусу

Хлеб замочить в молоке, отжать и протереть. Сырую печень пропустить через мясорубку, соединить с подготовленным хлебом, добавить соль, размягченное сливочное масло, растертые желтки, взбитые в пышную пену белки. Массу осторожно перемешать и выложить в форму, смазанную маслом и посыпанную панировочными сухарями. Запечь в умеренно нагретой духовке.

КОТЛЕТЫ С ГРЕНКАМИ
В СМЕТАННОМ СОУСЕ

Для котлет: 150 г мяса, 40 г хлеба, $^1/_4$ стакана молока или воды, 1 ст. ложка сливочного масла, соль, перец по вкусу

Для соуса: 1 ст. ложка муки, 2 ст. ложки сливочного масла, 1 стакан бульона или воды, 2 ст. ложки сметаны, 1 ст. ложка горчицы столовой

Для гренков: 200 г хлеба пшеничного, 1 ст. ложка сливочного масла.

Хлеб нарезать мелкими кубиками и поджарить на масле. Мясо пропустить дважды через мясорубку вместе с замоченным и отжатым хлебом. Добавить соль, перец, молоко или воду. Массу вымешать и выбить. Сформовать котлеты, обвалять в сухарях, обжарить с двух сторон, уложить в сотейник или кастрюлю, залить сметанным соусом и довести до кипения. При подаче посыпать гренками.

Соус. Муку спассеровать на сливочном масле, помешивая добавить небольшими порциями бульон или воду, довести до кипения, добавить сметану, соль, горчицу и снова довести до кипения.

КАПУСТА, ФАРШИРОВАННАЯ
МЯСОМ И ХЛЕБОМ

200 г хлеба пшеничного, 1 кочан капусты, 400 г мяса, 2 яйца, 2 луковицы, 1 ст. ложка сливочного масла, соль, перец, тмин по вкусу

Мясо, замоченный и отжатый хлеб пропустить через мясорубку. Добавить сырые яйца, мелко нарезанный лук, соль, перец, тмин, перемешать. С неплотного кочана капусты вырезать кочерыжку, обдать кипятком и уложить на влажную салфетку листьями вверх. Отделить листья друг от друга, не нарушая целостности кочана, между ними уложить приготовленный фарш. При помощи салфетки стиснуть листья так, чтобы кочан имел вид целого, крепко завязать и в подвешенном состоянии варить в слабо кипящей слегка подсоленной воде около часа. Затем салфетку развязать, капусту уложить на смазанную маслом сковороду, сбрызнуть маслом и запечь в духовке до коричневатого цвета. При подаче капусту нарезать на порционные куски и полить соусом сметанным или сметанным с томатом.

СУФЛЕ ИЗ КУР С ХЛЕБОМ
(детская кухня)

100 г хлеба пшеничного белого, 300 г отварного куриного мяса, $^1/_2$ стакана молока, 3 яйца, 2 ст. ложки сливочного масла, соль по вкусу

Хлеб залить горячим молоком, дать остыть и протереть. Отварное мясо дважды пропустить через мясорубку, соединить с приготовленным хлебом. Массу вымешать, добавить соль, желтки, растопленное сливочное масло и взбитые белки. Осторожно перемешать и выложить в смазанную маслом форму. Сварить на пару.

Фаршированный батон

ЗАПЕКАНКА
ХЛЕБНАЯ С МЯСОМ

400 г хлеба пшеничного или ржаного, черствого, 2 яйца, $^1/_2$ стакана молока, 2 ст. ложки сливочного масла

Для фарша: 200 г мяса, 1 ч. ложка муки, 1 ст. ложка жира животного, 1 луковица

Хлеб нарезать ломтиками толщиной 0,5 см, слегка смочить водой с одной стороны, уложить на смазанную жиром и посыпанную сухарями сковороду, смоченной стороной ко дну и стенкам. Сверху уложить мясной фарш и накрыть его оставшимся хлебом, залить смесью яйца с молоком, поставить в нагретую духовку для запекания. Подать с маслом или соусом: грибным, томатным.

Фарш. Мясо обжарить, добавить бульон или воду, соль, перец и протушить до размягчения. Пропустить через мясорубку, добавить пассерованный лук, приготовленный на бульоне, соус, вымешать.

БЛЮДА ИЗ ХЛЕБА,
ЯИЦ И МОЛОЧНЫХ ПРОДУКТОВ

ЯИЧНАЯ КАШКА С ГРЕНКАМИ

8 яиц, $^1/_2$ стакана молока, 2 ст. ложки сливочного масла, соль.

Гренки: 100 г хлеба белого, 2—3 ст. ложки молока, 1 яйцо, 1 ч. ложка сахара, 1 ст. ложка сливочного масла, соль.

Яйца развести молоком, добавить соль, сливочное масло и варить при непрерывном помешивании до консистенции полужидкой каши. При подаче уложить горкой, вокруг обложить гренками.

ЯИЧНАЯ КАШКА
СО СМЕТАНОЙ И ХЛЕБОМ

200 г хлеба пшеничного, 4 яйца, 300 г сметаны, 2 ст. ложки сливочного масла, соль по вкусу, зелень

Хлеб нарезать мелкими кубиками и подсушить. Соединить яйца с маслом и сметаной, посолить по вкусу, добавить подготовленный хлеб и проварить, помешивая в течение 4 мин в посуде с толстым дном. При подаче посыпать измельченной зеленью петрушки, укропа.

ОМЛЕТ
С ХЛЕБОМ И ЛУКОМ

200 г хлеба пшеничного, 4 яйца, 1 стакан молока, 6 луковиц, 2 ст. ложки сливочного масла, 1 ст. ложка панировочных сухарей, соль, перец по вкусу

Сырые яйца соединить с молоком, добавить мякиш хлеба,

слегка пассерованный на сливочном масле нарезанный лук, соль, перец. Массу слегка взбить и выложить на смазанную маслом и посыпанную сухарями сковороду. Запечь в умеренно нагретой духовке. Подать в горячем виде с соусом сметанным или томатным.

ОМЛЕТ
ПО-ГОЛЛАНДСКИ

200 г хлеба пшеничного, 5—6 луковиц, $1^1/_2$ стакана молока, $^1/_2$ стакана сливок, 1 яйцо, 50 г окорока, 2 ст. ложки сливочного масла, 1 ст. ложка сыра тертого, соль, перец по вкусу

Хлеб нарезать тонкими ломтиками, смочить в молоке. Репчатый лук, нарезанный дольками, слегка спассеровать на сливочном масле. Яйцо взбить с молоком и сливками, добавить соль, перец и мелко нарезанный кубиками окорок. На дно сковороды или формы, смазанной маслом, уложить слой подготовленного хлеба, сверху — лук, залить яичной смесью, посыпать тертым сыром и запечь в умеренно нагретой духовке.

ОМЛЕТ
С ХЛЕБОМ

200 г хлеба пшеничного, 1 стакан молока, 4 ст. ложки сливочного масла, соль по вкусу

Хлеб залить горячим молоком, дать остыть, выпустить яйца, посолить и хорошо взбить. Поджарить на масле.

ОМЛЕТ
С ХЛЕБОМ И СЫРОМ

200 г хлеба пшеничного, 4 яйца, $^1/_2$ стакана сметаны, 2 ст. ложки сливочного масла, $^1/_2$ стакана сыра голландского тертого, соль по вкусу

Хлеб нарезать мелкими кубиками, подсушить. Сырые яйца соединить со сметаной, посолить, взбить, добавить подготовленный хлеб и вылить полученную массу на разогретую с маслом сковороду. Слегка поджарить, а когда масса загустеет, посыпать тертым сыром и запечь в духовке до румяной корочки.

ОМЛЕТ
С ОРЕХАМИ И ГРЕНКАМИ

200 г хлеба пшеничного, 3 яйца, 50 г ядра орехов грецких, $^1/_2$ стакана молока, $1^1/_2$ ст. ложки сливочного масла

Хлеб нарезать мелкими кубиками и подсушить. Орехи поджарить, растолочь в ступке, добавить холодное молоко, яйца. Массу взбить, смешать с подготовленным хлебом, вылить на смазанную маслом сковороду и запечь в нагретой духовке.

ДРАЧЕНА
СО РЖАНЫМ ХЛЕБОМ

200 г хлеба, 1 стакан молока, 30 г сыра, 5 яиц, 3 ст. ложки сливочного масла

Хлеб без корок нарезать мелкими кубиками, залить горячим молоком, остудить. Добавить желтки. Все хорошо перемешать и ввести взбитые в пену белки. Смесь положить ровным слоем на смазанную маслом сковороду, посыпать тертым сыром и запечь в духовке. При подаче полить растопленным маслом.

ДРАЧЕНА
С ХЛЕБОМ И СЫРОМ
(ирландская кухня)

200 г хлеба пшеничного, 200 г сыра, 2 стакана молока, 7 яиц, $^1/_2$ стакана сметаны, 3 ст. ложки сливочного масла, соль по вкусу

Хлеб без корок залить горячим молоком, дать остыть и протереть. Добавить часть тертого сыра, желтки, сметану, соль и все смешать. Ввести взбитые белки. Осторожно перемешать и выложить массу на сковороду, смазанную маслом. Посыпать тертым сыром, запечь в духовке до румяной корочки. При подаче полить растопленным маслом.

ЯЙЦА С ХЛЕБОМ
ПОД МОЛОЧНЫМ СОУСОМ

200 г хлеба пшеничного, 4 яйца, 100 г сыра, 2 ст. ложки сливочного масла

Для соуса: 1 ч. ложка муки, 1 стакан молока, 2 желтка, соль
Нарезать хлеб мелкими кубиками и подсушить. Муку спассеровать на масле, помешивая, добавить небольшими порциями горячее молоко, проварить, заправить солью и желтками. В соус положить подготовленный хлеб, дольки вареных яиц, перемешать. Выложить массу на смазанную маслом сковороду, посыпать тертым сыром, сбрызнуть маслом и запечь.

ФАРШИРОВАННЫЕ ЯЙЦА
ЗАПЕЧЕННЫЕ
(венгерская кухня)

8 яиц, 50 г хлеба белого, 1 стакан сметаны, 4 ст. ложки сливочного масла, 2 ст. ложки панировочных сухарей, зелень петрушки, молотый черный перец, молоко, соль

Хлеб замочить в молоке. Сваренные вкрутую яйца разрезать пополам (вдоль или поперек), вынуть желток и хорошо растереть его с отжатым хлебом, добавить мелко нарезанную зелень петрушки, перец молотый, 2—3 ст. ложки сметаны.

Солянка с колбасой и хлебом

Этой массой начинить белки, залить сметаной и запечь в разогретой духовке. В конце запекания посыпать поджаренными в масле панировочными сухарями.

ЗАПЕКАНКА ХЛЕБНАЯ
С ЛУКОМ И ЯЙЦАМИ

200 г хлеба пшеничного, 3 луковицы, 6 ст. ложек сливочного масла, 5 яиц, зелень, соль по вкусу

Хлеб нарезать ломтиками, обжарить с обеих сторон на масле и положить на дно сковороды сплошным слоем. Сверху уложить слой поджаренного лука, посолить, залить взбитыми яйцами и запечь в духовке. При подаче посыпать измельченной зеленью.

ЗАПЕКАНКА ХЛЕБНАЯ
С ТВОРОГОМ И МОРКОВЬЮ

200 г хлеба пшеничного, 1 стакан молока, 4 моркови, 1 яйцо, 200 г творога, 2 ст. ложки сахара, 1 ч. ложка сливочного масла, 1 ст. ложка панировочных сухарей, соль по вкусу

Хлеб замочить в молоке, а когда набухнет, протереть. Морковь отварить и натереть на терке. Смешать хлеб с морковью, добавить протертый творог, яйцо и сахар. Массу перемешать, выложить на сковороду, смазанную маслом и посыпанную сухарями, запечь в духовке до румяной корочки. Подать со сметаной.

ЗАПЕКАНКА МАКАРОННАЯ
С ХЛЕБОМ

200 г хлеба пшеничного, 300 г макаронов, 3 яйца, 1 ст. ложка панировочных сухарей, 1 стакан сметаны, $1/_2$ стакана растопленного сливочного масла, соль по вкусу

Хлеб подсушить и потолочь в ступке. Отварить макароны в молоке, откинуть их на дуршлаг, заправить маслом и яйцами. Форму или кастрюлю смазать маслом, обсыпать сухарями, выложить в нее макароны слоями, пересыпая каждый толчеными сухарями из хлеба. Сверху залить смесью из яиц, масла и сметаны, посыпать сухарями и запечь в духовке. Подать со сметаной.

БУЛОЧКИ,
ФАРШИРОВАННЫЕ СЫРОМ

6 булочек школьных (по 50 г), 2 стакана молока, 1 яйцо, 2 ст. ложки сыра, 1 стакан сметаны, 2 ст. ложки сливочного масла, зелень, соль и перец по вкусу

С булочек срезать верхушки, вынуть мякиш и замочить в стакане молока. После набухания протереть, добавить яйцо, растертую зелень, тертый сыр, перец и все тщательно перемешать. В оставшемся молоке намочить булочки без мякиша и верхушки. Наполнить булочки приготовленной начинкой, накрыть их верхушками, сбрызнуть растопленным сливочным маслом и поставить в нагретую духовку. Когда булочки подрумянятся, подлить к ним смесь молока со сметаной, довести до кипения и подать к столу.

ХЛЕБ С ЯЙЦАМИ
ПОД БЕЛЫМ СОУСОМ

200 г хлеба пшеничного белого, 4 яйца, 2 ст. ложки сливочного масла, 2 ст. ложки тертого сыра или панировочных сухарей, 300 г соуса белого.

Хлеб нарезать тонкими ломтиками, обжарить на масле с обеих сторон и уложить сплошным слоем на дно смазанной маслом сковороды. На хлеб насыпать слой нарезанных кусочками вареных яиц. Залить густым белым соусом (см. с. 194). Посыпать тертым сыром или панировочными сухарями, сбрызнуть маслом и запечь в духовке до румяной корочки.

КОТЛЕТЫ
ХЛЕБНЫЕ С ЯЙЦАМИ
И ЛУКОМ

200 г хлеба пшеничного белого, 4 яйца, 2 луковицы, $^1/_2$ стакана молока, 2 ст. ложки муки, 1 ст. ложка панировочных сухарей, 1 ст. ложка зелени петрушки, лука, укропа, 2 ст. ложки сливочного масла, соль и перец по вкусу

Замочить хлеб в молоке и оставить для набухания. Поджарить на масле мелко нарезанный лук, залить его взбитыми яйцами, слегка поджарить (до загустения) и охладить. Соединить с подготовленным хлебом и пропустить через мясорубку. К полученной массе добавить муку и мелко рубленную зелень, соль, перец. Вымешать, разделать массу на котлеты, запанировать их в сухарях и поджарить с двух сторон до золотистого цвета на разогретой с маслом сковороде. Подать, полив растопленным сливочным маслом.

КОТЛЕТЫ
ИЗ ХЛЕБА И ЯИЦ

200 г хлеба пшеничного белого, 5 яиц, $^1/_2$ стакана молока, 2 ст. ложки панировочных сухарей, 2 ст. ложки сливочного масла, соль, перец по вкусу

Хлеб замочить в молоке и, когда набухнет, добавить 3 сваренных вкрутую яйца, пропустить через мясорубку. Заправить солью, перцем и сырыми яйцами. Размешать, разделать на котлеты, запанировать их в сухарях и обжарить на сливочном масле с обеих сторон. При подаче полить растопленным сливочным маслом.

ОЛАДЬИ
ИЗ РЖАНОГО ХЛЕБА

200 г хлеба, 1 стакан молока, 1 яйцо, $^1/_2$ стакана муки, 2 ст. ложки растительного масла, яблоки по вкусу

Хлеб залить горячим молоком, оставить для набухания. Затем растереть, добавить яйцо, муку и размешать. В массу можно добавить измельченные сырые яблоки. Приготовленную массу накладывать ложкой на разогретую сковородку и жарить с двух сторон. Подать с сахаром и сметаной.

ОЛАДЬИ
ИЗ ПШЕНИЧНОГО ХЛЕБА

200 г хлеба пшеничного, $1^1/_2$ стакана молока, 1 ст. ложка дрожжей, 1 яйцо, 2 ст. ложки растительного масла, соль по вкусу

Сухой хлеб истолочь в сухари, залить горячим молоком, добавить дрожжи, соль, размешать и поставить в теплое место на два часа для брожения. Готовое тесто накладывать ложкой на разогретую с растительным маслом сковороду, поджарить с двух сторон и подавать со сметаной.

КОЛБАСКИ
ХЛЕБНЫЕ С ЯЙЦАМИ

200 г хлеба пшеничного, 1 стакан молока, 3 яйца, 3 ст. ложки муки, 2 ст. ложки панировочных сухарей, 1 ст. ложка сливочного масла или маргарина

Хлеб залить молоком, а когда набухнет, размять, добавить муку, яйца, соль и перемешать. Массу разделать на колбаски, обвалять в панировочных сухарях и обжарить на сливочном масле или маргарине. Подать со сметаной либо сметанным соусом.

КОЛБАСКИ
ХЛЕБНО-СМЕТАННЫЕ

200 г хлеба пшеничного, 100 г сливочного масла, $^1/_2$ стакана сметаны, 2 яйца, 2 ст. ложки муки

Натереть на терке хлеб, добавить сливочное масло, растертое со сметаной, яйца. Все тщательно смешать до получения крутой массы, разделать на колбаски, обвалять в муке и обжарить на сливочном масле. Подать со сметаной.

БАНИЦА
ИЗ ХЛЕБА И БРЫНЗЫ
(болгарская кухня)

200 г хлеба пшеничного, 100 г брынзы, 3 ложки сливочного масла, 2 яйца, 1 стакан молока, соль по вкусу

Яичная кашка с гренками

Хлеб нарезать ломтиками, обложить ими дно и стенки смазанной маслом формы или сковороды, сверху поместить фарш из тертой брынзы, смешанной с маслом. Покрыть слоем хлеба, залить смесью из яиц, молока, соли и выпечь в горячей духовке.

ШАРЛОТКА С БРЫНЗОЙ
(румынская кухня)

200 г хлеба пшеничного, $^1/_2$ стакана молока, 1 яйцо, 50 г брынзы, 1 ст. ложка сливочного масла, 1 ч. ложка сыра тертого, соль по вкусу

Хлеб нарезать ломтиками, замочить в молоке и уложить их на дно смазанной маслом и посыпанной сухарями кастрюли или сковороды, сверху посыпать тертой брынзой, снова уложить ломтики хлеба и посыпать брынзой. Верхним слоем должен быть хлеб. Поверхность шарлотки смазать маслом, яйцом, взбитым с молоком, посолить и посыпать тертым сыром. Запечь в духовке до румяной корочки.

ПУДИНГ ХЛЕБНО-СЫРНЫЙ
(венгерская кухня)

200 г хлеба пшеничного, 150 г сыра, 1 стакан молока, 1 ст. ложка сливочного масла, 3 яйца, соль по вкусу

Натереть хлеб на терке, залить горячим молоком со сливочным маслом. Когда хлеб набухнет, смешать с тертым сыром, посолить, добавить желтки и взбитые в пышную пену белки. Осторожно перемешать и переложить в форму, смазанную маслом и посыпанную мукой. Довести до готовности на пару в течение часа.

КЛЕЦКИ, КНЕДЛИКИ
И ДРУГИЕ БЛЮДА

КЛЕЦКИ ХЛЕБНЫЕ

200 г хлеба пшеничного, 1 стакан молока, 2 ст. ложки муки, 2 яйца, соль и перец по вкусу

Хлеб размочить в горячем молоке. Помешивая, добавить муку, яйца, соль и перец. Размешать и разделать на клецки. Сварить их в подсоленной воде. Подать с томатным или сметанным соусом. Можно использовать на гарнир к жареному или отварному мясу.

КЛЕЦКИ ХЛЕБНЫЕ
СО ШПИКОМ И КОЛБАСОЙ

200 г хлеба пшеничного, 100 г шпика, $^1/_2$ луковицы, 100 г колбасы, 2 ст. ложки муки, 2 яйца, зелень петрушки, соль

Хлеб, зелень, колбасу мелко нарезать. Шпик, нарезанный кубиками, обжарить с измельченным луком. Муку растереть с яйцами. Все подготовленные продукты соединить и вымешать так, чтобы масса отставала от стенок посуды. Ложкой разделать на клецки, опускать в кипящую подсоленную воду, варить до всплытия. Подать с растопленным маслом.

КЛЕЦКИ ХЛЕБНЫЕ С ОВОЩАМИ
(югославская кухня)

200 г хлеба пшеничного, 1 кг овощей (морковь, капуста, картофель), 200 г сливочного масла, 3 яйца, 2 стакана молока, $^1/_2$ стакана муки, 3 ст. ложки панировочных сухарей, соль и перец по вкусу

Хлеб нарезать кубиками, слегка обжарить на сливочном масле и соединить с яйцами, молоком, мукой. Мелко нарезанные овощи обжарить и в молоке протушить до готовности. Соединить их с хлебной массой, посолить, поперчить, хорошо вымешать. Из массы выделать (ложкой) клецки, отварить в подсоленном бульоне до готовности. Сухари обжарить на оставшемся сливочном масле и обсыпать ими клецки при подаче.

КЛЕЦКИ СУХАРНЫЕ
В СМЕТАНЕ
(белорусская кухня)

200 г хлеба пшеничного, $^1/_2$ стакана молока, 2 ст. ложки муки, 1 яйцо, 1 ст. ложка сливочного масла, 3 ст. ложки сметаны, 1 ст. ложка панировочных сухарей

Сухой хлеб истолочь в сухари, замочить их в молоке. Когда набухнут, добавить муку, яйца и хорошо перемешать. Массу разделать на шарики по 15—20 г, в кипящей воде проварить до всплытия, откинуть на дуршлаг, уложить в глубокую сковороду, заправить сливочным маслом, полить сметаной, посыпать сухарями и запечь в духовке.

КЛЕЦКИ КАРТОФЕЛЬНЫЕ,
ФАРШИРОВАННЫЕ ХЛЕБОМ

200 г хлеба пшеничного, 5 картофелин (500 г), $1^1/_2$ стакана молока, 1 яйцо, 1 ст. ложка манной каши, 2 ст. ложки сливочного масла, соль

Хлеб нарезать кубиками и обжарить в масле. Очищенный картофель натереть на терке, отжать от воды, посыпать солью, добавить вязкую манную кашу, яйцо и хорошо вымешать. Из массы выделать маленькие лепешки, посредине положить обжаренные кубики хлеба и скатать шарики, в середине которых должны быть гренки, отварить их в подсоленной воде. Подать с грибным или томатным соусом. Можно использовать как гарнир к жареному мясу.

КЛЕЦКИ ИЗ БУЛОЧКИ
(венгерская кухня)

150 г булочки, 2 яйца, 1 ст. ложка сливочного масла или смальца, соль и перец по вкусу

$^1/_3$ булки подсушить и истолочь в сухари, оставшуюся часть замочить в молоке, протереть через сито, добавить желтки, соль, сливочное масло или смалец, молотый перец и взбитые белки и столько толченых сухарей из булочки, чтобы смесь не распадалась. Мокрыми руками выделать мелкие клецки, отварить их в течение 15 минут в кипящем бульоне. Подать с маслом.

КЛЕЦКИ ХЛЕБНЫЕ
С ПЕЧЕНЬЮ
(венгерская кухня)

200 г хлеба пшеничного, 200 г печени, 1 стакан молока, 2 яйца, $^1/_2$ луковицы, 3 ст. ложки жира, 4 ст. ложки панировочных сухарей, зелень петрушки, соль и перец по вкусу

Вареники ленивые с сухарями

Хлеб замочить в молоке, после набухания размять, смешать с яйцами, солью и перцем. Добавить измельченную печень, пассерованные лук и петрушку, панировочные сухари, вымешать до однородной массы. Оставить для набухания сухарей на 30 мин, затем выделать клецки и отварить в подсоленной воде. Подать со сметаной.

КЛЕЦКИ ИЗ СУХАРЕЙ

1 стакан толченых сухарей из пшеничного хлеба, $1/2$ стакана воды, 2 желтка, 1 ст. ложка сливочного масла, соль по вкусу

Сливочное масло растереть с желтками добела, посолить, добавить толченые сухари и немного воды так, чтобы получилась густоватая масса. Когда она набухнет, набирать чайной ложкой и опускать в кипящую воду. Варить до всплытия. Подавать со сливочным маслом.

КОЛБАСНЫЕ КЛЕЦКИ
(немецкая кухня)

200 г хлеба пшеничного белого, 200 г колбасы, 1 ч. ложка муки, 1 ст. ложка манной крупы, 100 г шпината или $1/2$ корня сельдерея, 1 луковица, соль, перец, 2 яйца, 50 г шпика, корень петрушки

Черствый хлеб размочить в воде и размять. Колбасу, лук и петрушку нарезать мелкими кубиками. Шпинат мелко порубить, а сельдерей натереть на терке. Все продукты соединить, добавить муку, манную крупу. Посолить, поперчить и хорошо вымешать. Выделать клецки величиной с яйцо и отварить в подсоленной воде до всплытия. Вынуть шумовкой, сложить в сотейник. Шпик растопить на сковороде, добавить мелко нарезанный лук, слегка обжарить его, долить немного воды, в которой варились клецки, нарезанную петрушку и этой смесью залить клецки. При закрытой крышке протушить, затем выбить сверху яйца и запечь. К готовому блюду подать листья салата.

КЛЕЦКИ ХЛЕБНЫЕ,
ФАРШИРОВАННЫЕ ВЕТЧИНОЙ

200 г хлеба пшеничного, $1/2$ стакана молока, 2 ст. ложки сливочного масла, 2 яйца, 4 ст. ложки муки, 150 г ветчины, соль по вкусу

Хлеб замочить в молоке, после набухания отжать. Добавить размягченное масло, соль, яйца и муку, вымешать и массу разделать на маленькие лепешки, на середину которых уложить мелко нарезанную ветчину, заправленную яйцом, сформовать клецки в виде шариков. Отварить в подсоленном бульоне или воде. Подать с томатным соусом (см. с. 196).

КЛЕЦКИ ПО-ВЕНЕЦИАНСКИ
(итальянская кухня)

200 г хлеба пшеничного белого, 300 г мяса, 3 ст. ложки сыра, 1 яйцо, 1 луковица, 3 ст. ложки сметаны, $3/4$ стакана воды, 1 ч. ложка крахмала, соль, перец

Хлеб замочить в воде, после размягчения отжать. Мясо пропустить через мясорубку, добавить подготовленный хлеб, тертый сыр, мелко нарубленный лук, яйцо, соль, перец. Массу вымешать, выбить и разделать на клецки. Отварить их в кипящей воде, вынуть шумовкой и залить смесью из сметаны, воды, крахмала, соли и перца, протушить. При подаче полить соусом, в котором они тушились.

КЛЕЦКИ ИЗ ХЛЕБА
С САЛОМ
(венгерская кухня)

200 г хлеба пшеничного белого, $1/2$ стакана молока, 50 г шпика, 2 яйца, 1 ст. ложка муки, $3/4$ стакана сметаны, 2 ст. ложки смальца, соль и перец по вкусу

Выжарить 40—50 г сала, нарезанного мелкими кубиками. Смешать с хлебом, нарезанным тоже мелкими кубиками. Жарить в смальце до получения хрустящей корочки. Охладить, залить молоком, добавить яйца, муку, соль и перец, перемешать и оставить для набухания на 10—12 мин. Сформовать клецки и отварить в кипящей воде. Положить в смалец, смешанный со сметаной, и прогреть.

КЛЕЦКИ ОВОЩНЫЕ С ХЛЕБОМ

100 г крошек белого хлеба, 300 г шпината, 3—4 картофелины, 1 луковица, $1/2$ стакана молока, 2 яйца, 2 ст. ложки сливочного масла, $1/2$ стакана сметаны, соль, перец

Картофель, сваренный в мундире, протереть. Добавить желтки, молоко, крошки белого хлеба, протертый шпинат, мелко нарезанный пассерованный лук, соль, перец и подогретое сливочное масло (половину нормы). Массу хорошо вымешать, разделать на клецки, опуская их ложкой в кипящую подсоленную воду, отварить в течение 5—6 мин при слабом кипении. Всплывшие на поверхность клецки вынуть шумовкой в посуду с растопленным маслом. Подать со сметаной.

КЛЕЦКИ ИЗ ТЕСТА С ХЛЕБОМ
(венгерская кухня)

200 г хлеба пшеничного белого, $2^1/2$ стакана муки, 2 яйца, 1 ст. ложка сливочного масла, 7 ст. ложек смальца, 1 стакан сметаны, соль по вкусу

Хлеб нарезать мелкими кубиками и поджарить на смальце. Замесить полукрутое тесто из муки, яиц, сливочного масла, соли и воды. Смешать с жареными кубиками хлеба. Выделанные клецки сварить в подсоленной воде. Готовые клецки положить в горячий смалец, смешанный со сметаной, и прогреть.

СТОЛИЧНЫЕ ШАРИКИ ИЗ БУЛКИ
(венгерская кухня)

200 г булки, 200 г молока, 2 ст. ложки манной крупы, 2 яйца, 2 ст. ложки муки, зелень петрушки, соль

Черствую булку нарезать мелкими кубиками, подсушить в духовке и залить горячим кипяченым молоком. Когда кубики впитают в себя молоко, добавить яйца, муку и манку. Полученную массу мокрыми руками разделать на небольшие шарики и сварить в бульоне в течение 20—25 мин. Использовать при подаче супов или как гарнир к мясному блюду.

ШАРИКИ ИЗ ТЕРТЫХ СУХАРЕЙ
(венгерская кухня)

200 г сухарей тертых, 100 г сливочного масла, 2 яйца, $^1/_2$ стакана воды, соль

Сухой пшеничный хлеб пропустить через мясорубку и полученные сухари смешать со сливочным маслом и яйцом. Добавить воду, соль и хорошо перемешать. Полученную массу мокрыми руками разделать на небольшие шарики, сварить их в бульоне. Использовать в супах или подать как отдельное блюдо, полив маслом.

ШАРИКИ ИЗ СУХАРИКОВ
(венгерская кухня)

200 г булки, 2 ст. ложки жира, 1 луковица, $^1/_2$ стакана муки, 1 яйцо, $^3/_4$ стакана воды, черный молотый перец, соль, зелень петрушки

Булку нарезать кубиками и подрумянить в духовке при высокой температуре. В жире поджарить мелко нарезанный лук, добавить зелень петрушки, посолить, посыпать перцем и смешать с сухариками. На воде с добавлением яйца приготовить жидкое тесто, прибавить ранее приготовленную смесь с сухариками и оставить на 10—15 мин. Эту массу разделать на мелкие шарики и отварить в подсоленной воде (шарики готовы, когда всплывут). Использовать в супах или подать как отдельное блюдо, полив сливочным маслом.

КНЕДЛИКИ ИЗ ДРОЖЖЕВОГО ТЕСТА
С ДОБАВЛЕНИЕМ ХЛЕБА
(чешская кухня)

200 г хлеба белого, 2 стакана муки крупчатки, 1 ч. ложка измельченных дрожжей, $1^1/_2$ стакана молока, 1 желток, соль по вкусу

Дрожжи измельчить и размешать в теплом молоке. В просеянной муке сделать углубление, выпустить желток, влить молоко с дрожжами, посолить и замесить тесто. Добавить нарезанный кубиками сухой хлеб, вымесить и сформировать кнедлики в виде жгутов. Отварить в подсоленной воде в течение 25 мин. Использовать как самостоятельное блюдо или как гарнир.

КНЕДЛИКИ С ХЛЕБОМ, ПРИГОТОВЛЕННЫЕ В ГОРШОЧКАХ

200 г хлеба белого, $1^1/_2$ стакана муки крупчатки, $1^1/_2$ стакана молока, 1 яйцо, соль по вкусу

Просеять муку, посолить и замесить жидкое тесто с молоком и желтками. Добавить хлеб, нарезанный кубиками, взбитые белки и тотчас же выложить в глиняные горшочки, смазанные изнутри жиром (лучше салом), поставить их на водяную баню, сверху накрыть пергаментом или фольгой и варить в течение 25 мин. Готовые кнедлики отделить от стенок, вынуть и порезать с помощью нитки.

СДОБНЫЕ ХЛЕБНЫЕ КНЕДЛИКИ В САЛФЕТКЕ

200 г хлеба белого, 1 ст. ложка сливочного масла, 1 стакан молока, $1^1/_2$ яйца, 1 ст. ложка муки крупчатки

Хлеб нарезать кубиками 1×1 см, обжарить в масле, переложить в кастрюлю, залить подсоленным молоком, размешанным с яйцами. Через 15 мин, когда молоко впитается, добавить муку и слегка перемешать. В чистую влажную расстеленную на доске салфетку выложить массу, сформировать из нее валик и завернуть так, чтобы на салфетке не было складок. С обоих концов салфетку завернуть в противоположные стороны и дважды обвязать ниткой или шпагатом. Поместить в кастрюлю с кипящей водой и варить 30 мин. Первую обвязку снять через 8—10 мин кипения, вторую оставить до конца варки. Вынуть, развернуть салфетку и осторожно нарезать кнедлики, подать как гарнир к нежному мясу, дичи.

КНЕДЛИКИ С ПЕЧЕНЬЮ
(чешская кухня)

200 г хлеба пшеничного, 150 г печени, 1 луковица, 20 г шпика, $^1/_2$ стакана молока, 2 ст. ложки крахмала картофельного, соль и зелень по вкусу, 2 ст. ложки сливочного масла.

Хлеб нарезать кубиками и соединить с измельченными на мясорубке печенью, шпиком, луком и зеленью. Массу вымешать и залить смесью молока, крахмала и яиц. Оставить на холоде на 20 мин, затем посолить, можно добавить нарезан-

Оладьи из пшеничного хлеба

ную зелень петрушки. Сформовать клецки, обвалять их в крахмале и сварить в подсоленной воде в течение 10—15 мин. Подать, полив растопленным сливочным маслом.

ГАЛУШКИ КАРТОФЕЛЬНЫЕ
С ХЛЕБОМ
(польская кухня)

200 г хлеба пшеничного, 5—6 картофелин, $1^1/_2$ стакана молока, 1 яйцо, 1 ст. ложка манной крупы, 2 ст. ложки сливочного масла, соль по вкусу

Хлеб нарезать мелкими кубиками, поджарить на сливочном масле. Сырой картофель натереть, отжать и облить одним стаканом горячего молока. Сварить на оставшемся молоке манную кашу и смешать с картофелем, посолить, добавить слегка взбитое яйцо, размешать. Массу разделать на лепешки, на средину каждой уложить поджаренный хлеб, защипать и сварить в подсоленной воде. Подать со сметаной или сливочным маслом.

ГАЛУШКИ ИЗ ПШЕНИЧНОГО ХЛЕБА
(украинская кухня)

200 г хлеба пшеничного сухого, 2 яйца, $1^1/_2$ ст. ложки сахара, 2 ст. ложки сливочного масла, $^1/_2$ стакана молока, соль по вкусу

Хлеб истолочь в сухари, добавить яйца, растертые с сахаром, молоко, растопленное сливочное масло, соль. Массу вымешать и оставить в прохладном месте на 25—30 мин для набухания сухарей. Затем разделать на галушки и сварить в кипящей подсоленной воде. При подаче полить сливочным маслом.

БЛИНЧИКИ ИЗ БЕЛОГО ХЛЕБА
С ЧЕРНИКОЙ

150 г хлеба, 2 стакана молока, 3 яйца, 4 ст. ложки муки, 1 стакан черники, жир, 1 стакан сметаны, соль

Хлеб нарезать очень мелкими кубиками и смешать с молоком, яйцами, мукой и солью. Добавить перебранную промытую чернику и вновь перемешать. Небольшими порциями массу выложить на разогретую с жиром сковороду и пожарить с двух сторон. Подать со сметаной.

ВАРЕНИКИ ЛЕНИВЫЕ
С СУХАРЯМИ

1 стакан молотых сухарей (из пшеничного хлеба), 400 г творога, 2 яйца, 2 ст. ложки муки пшеничной, 2 ст. ложки сливочного масла, соль по вкусу

Сухари, сливочное масло, растертое с желтками, муку, соль перемешать с протертым творогом, ввести взбитые белки, еще раз осторожно перемешать и сформовать небольшие шарики.

Отварить их в слегка подсоленной воде при слабом кипении в течение 7—10 мин. Откинуть вареники на дуршлаг, дать стечь воде, полить сухарным соусом (см. с. 197).

ВАРЕНИКИ ЛЕНИВЫЕ
С ХЛЕБОМ И ИЗЮМОМ

200 г хлеба пшеничного, 200 г творога, 2 ст. ложки сливочного масла, 2 яйца, 1 ст. ложка сахара, 1 ст. ложка муки, 1 ст. ложка изюма, соль по вкусу

Натереть хлеб на терке и соединить с протертым творогом, добавить сахар, изюм, соль, взбитые яйца и перемешать до получения однородной массы. Сформовать из нее шарики, обвалять в муке и варить в подсоленной воде в течение 7—10 мин. Готовые вареники откинуть на дуршлаг (дать стечь воде), полить маслом и посыпать тертым хлебом.

● СОУСЫ

Соусы улучшают вкус и аромат блюд, придают им сочность. При правильном подборе соуса пищевая ценность их повышается, так как основу соусов составляют бульоны (мясные, рыбные, грибные), молоко, сметана, жиры, яйца и другие продукты. Например, блюда из капусты и хлеба становятся более калорийными при подаче их с сухарным соусом, а из других овощей и хлеба — со сметанными, молочными соусами.

Они улучшают внешний вид блюда, способствуют возбуждению аппетита, лучшему усвоению пищи. Так, соус майонез дает возможность красиво оформить салаты, грибной хорошо сочетается с хлебно-картофельными блюдами, соус абрикосовый — со сладкими хлебно-яблочными блюдами, масляные смеси — незаменимый полуфабрикат для приготовления бутербродов.

Важным условием успеха в приготовлении соусов является выбор продуктов и строгое соблюдение норм, указанных в рецепте для каждого вида соуса.

В этом разделе описаны соусы, в состав которых входит черствый хлеб, а также соусы и масляные смеси, используемые при приготовлении и подаче горячих и холодных блюд из хлеба.

СОУС КИСЛО-СЛАДКИЙ
СО РЖАНЫМ ХЛЕБОМ

5 стаканов мясного бульона, 2 ч. ложки сухарей ржаных, 1 ст. ложка жира животного топленого, $1/2$ луковицы, $1/2$ ст. ложки томата-пюре, 1 ч. ложка сахара, 1 ч. ложка 9%-ного уксуса

Сухой ржаной хлеб натереть на терку и полученные сухари всыпать в кипящий бульон, добавить слегка обжаренные лук с томатом, соль, уксус, сахар. Проварить в течение 10 мин. В конце варки положить лавровый лист. Использовать при приготовлении тушеной говядины.

СОУС БЕЛЫЙ

5 стаканов бульона мясного или рыбного, 3 ст. ложки маргарина, 2 ст. ложки муки, $^1/_2$ луковицы, 1 корень петрушки, сельдерей, соль, перец, лавровый лист, лимонная кислота по вкусу

В растопленный жир всыпать просеянную муку и при непрерывном помешивании, не допуская пригорания, слегка поджарить, охладить до 60—70 °C, влить $^1/_4$ часть горячего бульона, вымешать до образования однородной массы, затем постепенно добавить оставшийся бульон, нарезанную петрушку, сельдерей, лук и проварить 25—30 мин. В конце соус процедить, кусочки овощей протереть через сито, смешать и довести до кипения. Заправить лимонной кислотой и маргарином.

Использовать при подаче суфле рыбного с хлебом, суфле из кур с хлебом, булочек фаршированных, при приготовлении запеченного хлеба с яйцами.

СОУС МОЛОЧНЫЙ

4 стакана молока, 3 ст. ложки сливочного масла, 2 ст. ложки муки, $^1/_2$ ст. ложки сахара, соль по вкусу

Муку спассеровать на масле, развести горячим молоком, проварить 7—10 мин при слабом кипении. Затем добавить соль, сахар, процедить и довести до кипения.

Использовать при подаче запеченных блюд из овощей и хлеба, яиц, запеченных с хлебом, запеканки хлебной с творогом и морковью и др.

СОУС МОЛОЧНЫЙ
С ХЛЕБОМ

200 г хлеба пшеничного, 2 стакана молока, 2 стакана бульона, $^1/_2$ стакана сметаны, 2 ст. ложки натертого хрена, 1 ч. ложка сахара, 2 ст. ложки сливочного масла, соль по вкусу

Хлеб зачистить от корки, замочить в холодном молоке и проварить, как кашу. Добавить мясо-костный бульон и продолжать варить до желаемой густоты. Добавить сметану, натертый хрен, соль, сахар. Прекратив кипение, заправить маслом.

СОУС МОЛОЧНЫЙ
(сладкий)

4 стакана молока, 2 ст. ложки сливочного масла, 2 ст. ложки муки, $^1/_2$ стакана сахара, ванилин

Муку спассеровать на масле, развести горячим молоком, проварить 7—10 мин при слабом кипении. Затем положить соль, сахар, ванилин, процедить и довести до кипения.

Подавать к котлетам из белокочанной капусты с хлебом, запеканкам хлебным с творогом, к шарлоткам, пудингам.

СОУС СМЕТАННЫЙ

2 стакана сметаны, 2 ст. ложки муки, 2 стакана бульона, 3 ст. ложки сливочного масла

Муку спассеровать на масле, развести горячим бульоном, довести до кипения, добавить прокипяченную сметану, соль. Проварить 3—5 мин, процедить и снова довести до кипения.

Использовать к фаршированным хлебным начинками овощам, котлетам хлебным с репой, овощами, к запеканкам хлебным, колбаскам хлебным с яйцами, клецкам хлебным.

СОУС СМЕТАННЫЙ
С ТОМАТОМ

2 стакана сметаны, $1/2$ стакана томата-пюре, 2 ст. ложки муки, 2 стакана бульона, 3 ст. ложки сливочного масла.

Муку спассеровать на масле, развести горячим бульоном, довести до кипения, добавить пассерованный томат-пюре, прокипяченную сметану, соль. Варить 3—5 мин, процедить и снова довести до кипения.

Использовать при приготовлении перца, фаршированного хлебными начинками, подаче булочек, фаршированных мясными продуктами, капусты, фаршированной мясом и хлебом, омлета с хлебом и луком, запеканки хлебной с луком и яйцами, клецек картофельных, фаршированных хлебом.

СОУС СМЕТАННЫЙ
С ХЛЕБОМ

200 г хлеба пшеничного, 1 стакан натертого хрена, 2 ст. ложки уксуса, 2 стакана сметаны, 2 ч. ложки сахара, соль по вкусу

Хлеб натереть на терке, залить уксусом, добавить сметану и хорошо взбить. Затем добавить натертый хрен, соль, сахар. Все тщательно перемешать. Подать в холодном виде к отварному мясу и рыбе.

СОУС С ЯЙЦАМИ
И ХЛЕБОМ

3 стакана сливочного масла, 6 яиц, 100 г хлеба пшеничного, 2 ст. ложки зелени петрушки или укропа, лимонная кислота, соль по вкусу

Хлеб натереть на терке, поджарить на масле (1:1), добавить оставшееся сливочное масло, мелко нарезанные крутые яйца, зелень петрушки или укропа, соль и лимонную кислоту.

Использовать при подаче блюд из капусты и хлеба.

СОУС ТОМАТНЫЙ

2 стакана соуса белого, 2 стакана томат-пюре, 2 ст. ложки маргарина, $^1/_2$ моркови, $^1/_2$ луковицы, $^1/_2$ корня петрушки, 2 ч. ложки сахара, соль, перец черный горошком

Мелко нарезанные коренья и лук спассеровать, добавить томат-пюре и пассеровать еще 15—20 мин, соединить с белым соусом и проварить 25—30 мин. В конце варки добавить соль, сахар, перец черный горошек. Готовый соус процедить, протирая при этом овощи, довести до кипения, заправить лимонной кислотой и маргарином.

Использовать соус при приготовлении фаршированных блюд из овощей, подаче жареных блюд из овощей и хлеба, клецек хлебных.

СОУС ТОМАТНЫЙ
С ГРИБАМИ

3 стакана соуса томатного, 3 луковицы, 3—4 гриба белых свежих или сушеных, 1 ст. ложка маргарина, 2 ст. ложки сливочного масла, 2 зубка чеснока

Мелко нарезанный лук слегка спассеровать, добавить припущенные до полуготовности нарезанные ломтиками свежие или сушеные вареные грибы и жарить еще 3—5 мин. Затем соединить с томатным соусом и варить 10—15 мин. В конце варки положить измельченный чеснок и заправить сливочным маслом. Использовать при приготовлении фаршированных блюд из овощей, подаче картофельно-хлебных блюд.

СОУС С ХЛЕБОМ,
ЧЕСНОКОМ И ОРЕХАМИ

200 г хлеба пшеничного, $^1/_2$ стакана молока, 20 орехов грецких, 6 зубков чеснока, $^3/_4$ стакана растительного масла, 1 ст. ложка уксуса, соль и лимонная кислота по вкусу

Хлеб замочить в холодном молоке, после набухания отжать. Поджаренные орехи тщательно растереть и смешать с хлебом, добавить растертый чеснок, протереть массу через сито, помешивая влить тонкой струйкой растительное масло. Когда масса приобретет консистенцию густой сметаны, заправить ее солью, уксусом, лимонной кислотой и хорошо вымешать.

Подавать к блюдам из овощей, мяса.

СОУС ИЗ СУХАРЕЙ
СО СЛИВКАМИ

1 стакан толченых сухарей, 1 стакан сливок, $^1/_2$ стакана воды, 1—2 луковицы, 1 ст. ложка сливочного масла, мускатный орех, перец, соль по вкусу

Лук нарезать кольцами, залить водой, добавить перец, мускатный орех и припустить до размягчения. Затем отвар слить на толченые пшеничные сухари, когда они набухнут, размять и соединить с луком. Добавить сливки, сливочное масло, соль и протушить 10 мин.

Подавать к овощным, крупяным и мясным блюдам.

СОУС ХЛЕБНЫЙ
(английская кухня)

100 г хлеба пшеничного, 2 стакана молока, 1 луковица, 2 гвоздики, 1 ч. ложка измельченного мускатного ореха, 2 ст. ложки сливочного масла, 1 ст. ложка сливок, соль и перец по вкусу

В кипящее молоко положить луковицу, нашпигованную гвоздикой, и мускатный орех. Проварить на слабом огне около 30 мин. Добавить тертый хлеб, соль, перец и половину масла. Все перемешать и взбить. Затем прокипятить в течение 20 мин на очень слабом огне, непрерывно помешивая. Удалить луковицу, добавить оставшееся масло и сливки.

Использовать в горячем виде к мясным блюдам.

СОУС ГОЛЛАНДСКИЙ

3 стакана сливочного масла, 12 желтков, $3/4$ стакана воды, сок одного лимона, соль по вкусу

Сырые желтки смешать с холодной кипяченой водой, положить $1/3$ часть сливочного масла кусочками. Смесь проварить на водяной бане, непрерывно помешивая, до загустения (температура 75—80 °C). Затем влить тонкой струйкой оставшуюся часть растопленного сливочного масла и после полного соединения его с желтками заправить лимонным соком. Процедить и использовать при подаче блюд из капусты и хлеба.

СОУС ПОЛЬСКИЙ

3 стакана сливочного масла, 8 яиц, 2 ст. ложки зелени петрушки или укропа, лимонная кислота, соль по вкусу

В растопленное сливочное масло положить мелко нарезанные крутые яйца, зелень петрушки или укропа, соль и лимонную кислоту.

Использовать при подаче блюд из капусты и хлеба.

СОУС СУХАРНЫЙ

4 стакана сливочного масла, 200 г хлеба пшеничного сухого, лимонная кислота, соль по вкусу

Хлеб истолочь в сухари, поджарить на масле. Сливочное масло нагревать до тех пор, пока не испарится влага и не образуется светло-коричневый осадок. Затем масло процедить и добавить в него подготовленные сухари, соль, лимонную кислоту. Использовать к котлетам из капусты с хлебом, зразам хлебно-капустным, пудингу хлебному с капустой, к блюдам из кабачков.

СОУС С ХРЕНОМ

4 ст. ложки толченых сухарей, 2 ст. ложки муки, 2 ст. ложки сливочного масла, 4 ст. ложки тертого хрена, 2 ст. ложки уксуса, 2 стакана воды, соль по вкусу

Сливочное масло растереть с мукой. Добавить толченые сухари, хрен, соль, уксус, воду. Все тщательно перемешать и прокипятить. Подавать горячим к мясным блюдам.

СОУС ГРИБНОЙ

2—3 гриба сушеных, 3 стакана отвара грибного, 3 ст. ложки маргарина, $1^1/_2$ ст. ложки муки, 4—5 луковиц, 2 ст. ложки сливочного масла

Нарезанный лук спассеровать, добавить вареные измельченные грибы и жарить еще 3—5 мин. Пассерованную на жире муку развести горячим грибным отваром, проварить 5—6 мин. Посолить, процедить, затем добавить пассерованный лук с грибами и снова проварить 10—15 мин. Готовый соус заправить сливочным маслом.

Можно использовать при приготовлении и подаче всех картофельно-хлебных блюд.

СОУС ЯИЧНЫЙ СЛАДКИЙ

5 яиц, 3 желтка, $1^1/_2$ стакана сахара, 2 стакана воды, лимонная кислота

Растереть яйца с сахаром, добавить холодную кипяченую воду и лимонную кислоту. Непрерывно взбивая венчиком, проварить на водяной бане до образования густой пенистой массы.

Подавать соус к сладким шарлоткам, хлебным пудингам.

СОУС ШОКОЛАДНЫЙ

5 ст. ложек какао-порошка, 1 стакан сахара, 2 стакана молока цельного, сгущенного с сахаром, $1^1/_2$ стакана воды, ванилин по вкусу

Какао смешать с сахаром. Молоко сгущенное развести горячей водой, нагреть до кипения и при непрерывном помешивании влить в смесь какао с сахаром, довести до кипения, процедить и охладить. Добавить ванилин, растворенный в теплой воде.

Подавать к горячим сладким блюдам из хлеба.

СОУС АБРИКОСОВЫЙ

3 стакана абрикосов свежих нарезанных или $^3/_4$ стакана кураги, 2 стакана воды для кураги, $2^1/_2$ стакана сахара

Свежие абрикосы погрузить на 30—40 с в кипяток, снять с них кожицу, разрезать на 4 части, удалив косточки, засыпать сахаром, выдержать 2—3 ч и проварить в течение 5—8 мин.

Протереть и проварить при помешивании до загустения. Если готовить соус из кураги, то ее следует перебрать, промыть, залить холодной водой и оставить на 2—3 ч. Затем в этой же воде проварить до готовности, протереть, добавить сахар и при помешивании проварить до загустения. Готовый соус охладить и использовать к сладким хлебно-яблочным блюдам.

СОУС ОРЕХОВЫЙ
(миндальный)

$1^1/_2$ стакана миндаля очищенного, $^3/_4$ стакана сахара, 2 стакана молока цельного сгущенного с сахаром, $^1/_2$ стакана молока, $^1/_4$ стакана воды

Смесь сгущенного молока и воды нагреть до 80—85 ° и выдержать при этой температуре 5—8 мин, непрерывно помешивая. Горячую смесь процедить, охладить до комнатной температуры и смешать с очищенным измельченным жареным миндалем, растертым с сахаром (с миндаля предварительно снять кожицу, для чего погрузить на 1—2 мин в кипящую воду, промыть в холодной воде и подсушить при температуре 50—70 °C).

Подавать к горячим сладким блюдам из хлеба.

СОУС ЧЕРНОСМОРОДИНОВЫЙ

$1^1/_2$ стакана смородины черной, $2^1/_2$ стакана сахара, $^3/_4$ стакана воды

Ягоды перебрать, промыть, протереть, ввести в горячий раствор сахара, довести до кипения и охладить.

Подавать к сладким блюдам из хлеба.

СОУС КЛЮКВЕННЫЙ

$^3/_4$ стакана клюквы, $^3/_4$ стакана сахара, 1 ст. ложка крахмала, 4 стакана воды

Клюкву перебрать, промыть, протереть и отжать сок. Мезгу залить горячей водой, проварить 5—8 мин, затем процедить. В отвар добавить сахар, довести до кипения и влить крахмал, разведенный холодной кипяченой водой. Помешивая, быстро довести до кипения. Прекратив кипение, влить отжатый сок.

Подавать к сладким блюдам, в том числе к блюдам из хлеба.

СОУС ЛИМОННЫЙ

1 лимон, $1^3/_4$ стакана сахара, 7 желтков, 3 стакана воды

Сварить сахарный сироп на воде, использовав $^1/_2$ нормы сахара, добавить лимонную цедру, процедить, ввести выжатый из лимона сок и охладить. Оставшийся сахар растереть с желтками, соединить с сахарным сиропом и нагреть на водяной бане, не допуская кипения, чтобы не свернулись желтки. Охладить и использовать к пудингам, запеканкам.

СОУС ВАНИЛЬНЫЙ

3 стакана молока, 4 желтка, 1 стакан сахара, 1 ч. ложка муки, ванильный сахар

Желтки растереть с сахаром, добавить муку. Смесь постепенно развести горячим кипяченым молоком и нагревать до загустения, не допуская кипения. Соус процедить, добавить ванильный сахар и перемешать. Подавать к пудингам, запеканкам, кремам.

СОУС ЗЕМЛЯНИЧНЫЙ,
МАЛИНОВЫЙ ИЛИ ВИШНЕВЫЙ

3 стакана земляники, малины или вишни, $2^1/_2$ стакана сахара

Ягоды перебрать, удалить плодоножку, промыть, у вишен удалить косточки, пересыпать сахаром и оставить в холодном месте на 2—3 ч для выделения сока. Затем проварить 15— 20 мин. Охладить. Использовать при подаче сладких блюд из хлеба.

СОУС ЯБЛОЧНЫЙ

3—4 свежих яблока, $^1/_2$ стакана сахара, 1 ст. ложка крахмала картофельного, 4 стакана воды, корица и кислота лимонная по вкусу

Яблоки промыть, вычистить семенные гнезда, нарезать ломтиками, залить горячей водой и проварить 5—8 мин в закрытой посуде до готовности. Затем яблоки протереть, соединить с отваром, добавить сахар, лимонную кислоту, довести до кипения и ввести предварительно разведенный в охлажденном отваре крахмал. Довести до кипения и заправить корицей.

Подавать к горячим сладким блюдам из хлеба.

СОУС ИЗ ЭКСТРАКТА
ЯГОДНОГО

1 ст. ложка экстракта клюквенного или черносмородинового 1 стакан сахара, $1^1/_2$ ложки крахмала картофельного, 4 стакана воды

Экстракт развести горячей водой, процедить, добавить сахар, ввести предварительно разведенный в холодной воде крахмал картофельный и довести до кипения. Подавать к горячим сладким блюдам.

СИРОП ИЗ ЗЕМЛЯНИКИ
САДОВОЙ И ЛЕСНОЙ

5 стаканов ягод земляники, $2^1/_2$ стакана воды, 5 стаканов сахара, лимонная кислота по вкусу

Промытые ягоды размять деревянным пестиком до состояния пюре и дать отстояться на холоде в течение 48 ч. Процедить, в сок добавить воду, сахар и варить до загустения, снимая пену. В конце варки добавить кислоту и размешать. Подавать к сладким блюдам.

СИРОП ВИШНЕВЫЙ

5 стаканов плодов, $1^1/_2$ стакана сахара, $^1/_2$ стакана воды

Плоды промыть, удалить плодоножки, протереть, не удаляя косточек, настоять в течение 48 ч. Сок процедить, не выжимая плодов. Отдельно проварить сахар с водой до образования пены, полученный сироп залить в сок, смешать и проварить в течение 3 мин до исчезновения пены. Подавать к сладким блюдам.

СИРОП МАЛИНОВЫЙ И ЧЕРНОСМОРОДИНОВЫЙ

5 стаканов ягод, 5 стаканов сахара, 2 стакана воды

Сахар размешать в воде и довести до кипения, снять пену. В сахарный сироп положить ягоды и довести до кипения. Снять с огня, отстоять в течение 1—2 ч, процедить. Сироп проварить 5 мин. Подавать к сладким блюдам.

СИРОП МИНДАЛЬНЫЙ

300 г миндаля сладкого, 40 г миндаля горького, 3 стакана сахара, 2 стакана воды, апельсиновая эссенция

Миндаль очистить, истолочь в ступке, периодически добавляя воду и сахар, вылить в холщовый мешочек, из которого выжать образовавшееся миндальное молоко. Смешать с сахарным сиропом. Проварить и охладить. Для улучшения аромата добавить несколько капель апельсиновой эссенции.

СИРОП АПЕЛЬСИНОВЫЙ

3 апельсина средней величины, $2^1/_2$ стакана сахара, $1^3/_4$ стакана воды, 1 ч. ложка лимонной кислоты

Снятую с плодов цедру полностью залить холодной водой, выдержать в течение 30—60 мин, добавить 2—3 г лимонной кислоты. Сварить сахарный сироп на воде, отжать из апельсинов сок и влить его в этот сироп, добавить замоченную цедру. Все проварить в течение 5 мин, удалить цедру и снова проварить. Перед снятием с огня добавить в сироп оставшуюся лимонную кислоту.

СИРОП ЛИМОННЫЙ

5 лимонов средней величины, 5 стаканов сахара, $2^1/_2$ стакана воды.

Сахар развести водой и варить до загустения, процедить и добавить выжатый и процеженный сок лимонов. Полученную смесь довести до кипения.

СИРОП КОФЕЙНЫЙ

4 ст. ложки кофе натурального молотого, 2 стакана воды, 3 стакана сахара

Кофе залить кипятком, настоять 10—15 мин, процедить, соединить с сахаром и довести до кипения. Охладить и использовать при подаче сладких блюд из хлеба.

СИРОП ШОКОЛАДНЫЙ

$2^1/_2$ стакана сахара, $^2/_3$ стакана какао-порошка, 2 стакана воды, ванилин по вкусу.

Какао-порошок растереть с сахаром, добавить горячую воду и тщательно размешать. Полученную смесь довести до кипения. Ванилин растворить в теплой воде (1:20) и ввести в готовый шоколадный сироп. Охладить и подавать к сладким блюдам.

СЫРНОЕ МАСЛО

100 г сливочного масла, 100 г сыра твердого, 1 ст. ложка сметаны или белого соуса холодного, красный или черный перец

К размягченному сливочному маслу добавить тертый сыр, перец, сметану или белый соус и хорошо вымешать.

ЗЕЛЕНОЕ МАСЛО

100 г сливочного масла, 2 ст. ложки зелени укропа и петрушки, соль, лимонная кислота по вкусу

Листья укропа, петрушки промыть холодной водой, ошпарить кипятком, охладить, подсушить, мелко порубить и растереть с солью и лимонной кислотой, хорошо смешать с размягченным сливочным маслом.

СЕЛЕДОЧНОЕ МАСЛО

100 г сливочного масла, 30 г филе сельди, горчица или зеленый лук по вкусу

Филе сельди (без кожи и костей) пропустить через мясорубку, протереть через сито и соединить с размягченным сливочным маслом. Добавить горчицу или зеленый рубленый лук. Массу слегка взбить.

ЯИЧНОЕ МАСЛО

100 г сливочного масла, 1 яйцо, 1 ч. ложка измельченной зелени укропа или лука зеленого, соль, красный перец или горчица либо тертый хрен

Сливочное масло соединить с измельченными вареными желтками и взбить. Добавить нарубленные белок и зелень. Посолить. Для более острого вкуса можно добавить перец, горчицу или тертый хрен.

ТОМАТНОЕ МАСЛО

100 г сливочного масла, 2 ст. ложки томата-пюре, 1 ст. ложка творога, соль и красный стручковый перец

К взбитому маслу добавить томат-пюре и растертый творог. Взбить, посолить. Можно добавить щепотку растертого красного стручкового перца.

ГОРЧИЧНОЕ МАСЛО

100 г сливочного масла, горчица, соль
Размягченное взбитое масло заправить горчицей и солью.

ХРЕННОЕ МАСЛО

100 г сливочного масла, 1 ст. ложка хрена тертого, соль
Размягченное масло взбить и заправить хреном и солью.

ВЕТЧИННОЕ МАСЛО

100 г сливочного масла, 40 г ветчины нежирной, горчица или сметана по вкусу
Масло размягчить, взбить и добавить пропущенную через мясорубку ветчину, добавить горчицу или сметану.

ШПРОТНОЕ МАСЛО

100 г сливочного масла, 10—12 шпрот или сардин, соль по вкусу
Масло размягчить, добавить к нему измельченные вилкой шпроты или сардины, взбить и заправить солью.

КОЛБАСНОЕ МАСЛО

100 г сливочного масла, 50 г колбасы вареной, 1 яблоко, $^1/_4$ луковицы, соль, перец
К взбитому маслу добавить мелко нарубленную колбасу, натертое кислое яблоко, тертый сырой или измельченный жареный лук. Заправить солью и перцем.

●

ФАРШИ

При приготовлении фаршированных овощей, фаршированных булочек и батонов, запеканок, блинчиков, фаршированной птицы используют различные фарши, в том числе и с хлебом.
В разделе описаны фарши, в составе которых непременно имеется черствый хлеб. Готовить их необходимо незадолго до употребления, поскольку это скоропортящийся продукт.

ФАРШ ХЛЕБНЫЙ
С ЗЕЛЕНЫМ ЛУКОМ И ЯЙЦОМ

200 г хлеба пшеничного белого, 600 г лука зеленого (очищенного), 3 яйца, 4 ст. ложки маргарина, зелень петрушки, соль, перец по вкусу

Хлеб зачистить от корок, нарезать мелкими кубиками и поджарить на масле до подрумянивания. Сваренные вкрутую
яйца нарезать мелкими кубиками, соединить с хлебом, измельченным зеленым луком, растопленным маргарином, солью, перцем, мелко нарезанной зеленью петрушки и перемешать.
Использовать для фарширования помидоров.

ФАРШ ХЛЕБНО-ЯИЧНЫЙ
С МАЙОНЕЗОМ

200 г хлеба пшеничного, 3 яйца, 2 луковицы средних размеров, $^1/_2$ стакана майонеза, соль, перец по вкусу

Нарезать хлеб кубиками, подсушить в духовке до золотистого цвета. Вареное яйцо мелко порубить. Лук мелко нарезать
и припустить на сковороде. Все смешать, добавить соль, перец,
заправить майонезом. Использовать для начинки помидоров.

ФАРШ ХЛЕБНЫЙ
С РЕПЧАТЫМ ЛУКОМ

100 г хлеба пшеничного, 100 г ржаного, 2 луковицы, 2 ст.
ложки растительного масла или маргарина, 1 яйцо, по 1 ст. ложке мелко рубленной зелени петрушки и укропа, соль, перец
по вкусу

Хлеб размочить в воде, отжать и смешать с мелко нарезанным поджаренным луком. Добавить яйцо, зелень укропа и
петрушки, соль, перец. Все перемешать и использовать для фарширования помидоров, кабачков, перца.

ФАРШ ХЛЕБНЫЙ С СЫРОМ

200 г хлеба пшеничного, 150 г сыра, 2—3 зубка чеснока,
2 ст. ложки зелени петрушки

Хлеб и сыр натереть на терке, смешать, добавить мелко нарезанные зелень петрушки и чеснок, перемешать, использовать
для фарширования помидоров.

ФАРШ ИЗ СУХАРЕЙ

1 стакан сухарей из пшеничного хлеба, 3 ст. ложи сливочного масла, 1 зубок чеснока, 1 ст. ложка зелени петрушки,
соль, перец по вкусу

Толченые сухари смешать с мелко рубленной зеленью петрушки, заправить маслом, измельченным чесноком, солью, перцем. Использовать для фарширования помидоров.

ФАРШ ХЛЕБНЫЙ
С ВЕТЧИНОЙ

200 г хлеба пшеничного белого, $^1/_2$ стакана молока, 200 г
ветчины, 2 ст. ложки сливочного масла, 2 ст. ложки сметаны,
перец по вкусу

Хлеб залить молоком. Когда он размокнет, размять, соединить с измельченной ветчиной, маслом, сметаной. Заправить перцем. Использовать для фарширования булочек, помидоров, кабачков, перцев.

ФАРШ ХЛЕБНЫЙ
С КОЛБАСОЙ

200 г хлеба пшеничного, 200 г вареной колбасы, 2 яйца, 2 ст. ложки горчицы, перец и соль по вкусу

Хлеб замочить в воде, после набухания отжать. Пропустить с колбасой через мясорубку. Добавить сырые яйца, горчицу, соль, перец и перемешать. Использовать при приготовлении голубцов целых кочанов капусты.

ФАРШ ХЛЕБНЫЙ
С КОЛБАСОЙ И ГРИБАМИ

200 г хлеба пшеничного, 400 г вареной колбасы, 8 грибов сушеных, 2 яйца, соль, перец по вкусу

Замочить хлеб в воде, после набухания отжать, добавить мелко нарезанную вареную колбасу, предварительно замоченные отваренные измельченные грибы, сырые яйца, соль, перец. Массу вымешать и использовать для начинки голубцов.

ФАРШ ХЛЕБНЫЙ
С МЯСОМ И СЕЛЬДЬЮ

200 г хлеба пшеничного (без корок), 200 г отварного мяса, 1 сельдь, 2 картофелины, 1 яйцо, 2 ст. ложки сливочного масла, 1 стакан молока, перец по вкусу

Хлеб размочить в молоке, пропустить через мясорубку вместе с филе сельди, отварными мясом и картофелем. Добавить рубленые вареные яйца, сливочное масло. Массу вымешать, заправить перцем и использовать для фарширования булочек, батонов.

ФАРШ ХЛЕБНЫЙ
С ЯЙЦАМИ И ГРИБАМИ

200 г хлеба пшеничного, 6 яиц для кашки, 2 яйца для заправки фарша, 2 ст. ложки сливочного масла, 3 ст. ложки сливок, 4 гриба, 2 ст. ложки толченых орехов, 1 ст. ложка зелени петрушки, соль по вкусу

Смешать сырые яйца с кусочками сливочного масла и, непрерывно помешивая, проварить на слабом огне до кашицеобразного состояния. Хорошо растереть и добавить хлеб, сырые яйца, сливки, отваренные мелко нарезанные грибы, измельченную зелень петрушки, толченые орехи, соль. Тщательно смешать и использовать для фарширования помидоров, кабачков, перцев.

ФАРШ ХЛЕБНЫЙ С
ОТВАРНЫМ МЯСОМ

200 г хлеба пшеничного белого, 300 г мяса отварного, 5 ст. ложек сливочного масла, 2 среднего размера луковицы, 200 г бульона мясного, соль, перец, лимонный сок по вкусу

Хлеб залить бульоном. Отварное мясо нарезать кубиками, обжарить на масле, смешать с мелко нарезанным жареным луком, хлебом. Массу вымешать, заправить солью, перцем и лимонным соком. Использовать для фарширования булочек, помидоров, перцев, кабачков, в запеканках из картофеля.

ФАРШ ХЛЕБНЫЙ
С СЫРЫМ МЯСОМ

200 г хлеба пшеничного, 400 г мяса без костей, 2 яйца, 2 среднего размера луковицы, соль, перец, тмин по вкусу

Замочить хлеб в воде, после набухания отжать. Мясо пропустить через мясорубку вместе с хлебом, добавить мелко нарезанный пассерованный лук, яйца, соль, перец, тмин и хорошо перемешать. Использовать для фарширования голубцов, целых кочанов капусты.

ФАРШ ХЛЕБНЫЙ
С ПЕЧЕНЬЮ

200 г хлеба пшеничного, 200 г печени, 2 луковицы, 3 яйца, 3 ст. ложки сливочного масла, перец и соль по вкусу

Размочить в молоке хлеб. Печень нарезать ломтиками, слегка поджарить на масле и пропустить через мясорубку вместе с подготовленным хлебом. Добавить мелко рубленный пассерованный лук, желтки, взбитые в пену белки, соль, перец. Вымешать и использовать для фарширования помидоров.

ФАРШ РЫБНЫЙ
С ХЛЕБОМ

200 г хлеба пшеничного белого, 900 г филе рыбы, 2—3 луковицы, 80 г маргарина, 1 яйцо, 2 зубка чеснока, соль и перец по вкусу

Хлеб замочить в молоке и отжать. Рыбу без кожи и костей пропустить через мясорубку вместе с хлебом, пассерованным луком, чесноком. Добавить размягченный маргарин, яйца, соль, молотый перец и все тщательно перемешать. Использовать для фарширования рыбы.

ФАРШ ТВОРОЖНЫЙ
С ХЛЕБОМ

200 г хлеба пшеничного, 400 г творога, $1/2$ стакана сметаны, 1 ст. ложка изюма, $1/2$ стакана сахара, 2 яйца, лимонная цедра по вкусу

Хлеб зачистить от корки, нарезать мелкими кубиками и смешать с протертым творогом. Добавить сметану, изюм, тертую лимонную цедру, растертые с сахаром желтки и взбитые в пышную пену белки. Массу вымешать и использовать для начинки блинчиков.

ФАРШ С ХЛЕБОМ, КАРТОФЕЛЕМ И СОСИСКАМИ

200 г хлеба пшеничного, 3 картофелины, 2 луковицы, 4 ст. ложки зелени петрушки и укропа, 2 сосиски, 2 ст. ложки сливочного масла, 1 ст. ложка растительного масла, соль и перец по вкусу

Хлеб нарезать мелкими кубиками и обжарить на сливочном масле до золотистого цвета. Обжарить на растительном масле измельченный лук, сосиски, кубиками нарезанный картофель. Соединить все подготовленные продукты, добавить зелень, полить растопленным маслом и использовать для фарширования индейки, утки.

ФАРШ ХЛЕБНЫЙ С КЛЮКВОЙ

200 г хлеба пшеничного, 2 стакана клюквы, $1/2$ стакана сахара, 3 ст. ложки сливочного масла, соль и перец по вкусу

Хлеб нарезать кубиками и поджарить на масле. Клюкву промыть, просушить, подавить, засыпать сахаром и через час смешать с подготовленным хлебом, заправить перцем, солью и осторожно перемешать. Использовать для фарширования птицы.

ФАРШ ХЛЕБНЫЙ С ИЗЮМОМ И ЯБЛОКАМИ

200 г хлеба пшеничного, 2—3 луковицы, 3 яблока, 2 ст. ложки изюма, 6 ст. ложек сливочного масла, 3 ст. ложки измельченной зелени петрушки и укропа, $1/2$ стакана воды

Хлеб нарезать мелкими кубиками и поджарить на масле. Спассеровать лук, петрушку и укроп и соединить с подготовленным хлебом, изюмом, водой, яблоками, нарезанными кубиками. Все хорошо перемешать и использовать для фарширования птицы.

ФАРШ ХЛЕБНЫЙ С ЯБЛОКАМИ И СЕЛЬДЬЮ

200 г хлеба пшеничного, 2 яблока, 2 сельди, 1 луковица, 2 яйца, 3 ст. ложки растительного масла, 2 ст. ложки уксуса, молотый перец по вкусу

Замочить хлеб в воде и отжать. Сельдь очистить от кожи и

костей (соленую вымочить в молоке или чае). Яблоки очистить от кожицы и семян. Все подготовленные продукты пропустить через мясорубку вместе с луком. Добавить вареные рубленые яйца, растительное масло, молотый перец, уксус. Массу хорошо вымешать и использовать для фарширования отварного картофеля, свежих огурцов и помидоров.

ФАРШ ГРИБНОЙ
С ХЛЕБОМ

200 г хлеба пшеничного, 8—9 грибов сушеных, 3 ст. ложки маргарина или растительного масла, 1 луковица, 100 г соуса грибного (см. с. 198), перец молотый, соль по вкусу

Хлеб нарезать мелкими кубиками и поджарить на масле до подрумянивания. Сушеные белые грибы тщательно промыть, отварить, снова промыть и пропустить через мясорубку, слегка поджарить, добавив пассерованный лук, соль, перец, соус на грибном бульоне. Перед использованием смешать с хлебом.

Использовать для фарширования отварного картофеля, свежих огурцов, помидоров.

●

СЛАДКИЕ БЛЮДА

Даже самый вкусный обед с тщательно продуманным меню будет неполным без сладкого. Сладкими блюдами обычно завершается прием пищи.

В разделе описаны сладкие блюда, в состав которых входят как обязательные компоненты хлеб и сахар. Эти блюда не только вкусны, но и калорийны, так как, кроме хлеба и сахара, в них входят молоко и молочные продукты, яйца, мука, жиры, орехи, крахмал, желатин и др. Сладкие блюда, при приготовлении которых используются фрукты и ягоды, богаты витаминами.

В эти блюда добавляются ароматизирующие и вкусовые вещества: ванилин, корица, цедра плодов цитрусовых, кислота лимонная, кофе, какао и др.

Сладкие блюда можно подавать холодными (кисели, желе, муссы, кремы), горячими (шарлотки, запеканки, пудинги, суфле и др.). Большинство холодных и горячих сладких блюд подаются со сладкими соусами и фруктово-ягодными сиропами (см. раздел «Соусы»).

ХОЛОДНЫЕ СЛАДКИЕ БЛЮДА

КИСЕЛЬ ИЗ РЖАНОГО ХЛЕБА
И СУХОФРУКТОВ

200 г хлеба, 4 стакана воды, 70 г сухофруктов, 5 ст. ложек сахара, 1 ст. ложка крахмала, корица

Сухофрукты залить водой и варить до размягчения. Хлеб залить горячей водой, довести до кипения, протереть и влить к сухофруктам. Продолжая варку, добавить сахар, корицу и помешивая влить разведенный холодной водой крахмал, довести до кипения и охладить.

КИСЕЛЬ ИЗ РЖАНОГО ХЛЕБА И ФРУКТОВ СО СЛИВКАМИ

200 г хлеба, 4 стакана воды, 2 ст. ложки сахара, $^1/_4$ стакана клюквы, $^3/_4$ стакана сливок 35%-ных, 50 г сухофруктов, 1 ст. ложка крахмала

Сухофрукты залить водой и варить до размягчения. Хлеб залить горячей водой, довести до кипения, протереть и добавить в сухофрукты. Продолжая варку, добавить сахар, помешивая влить разведенный холодной водой крахмал. Довести до кипения, влить клюквенный сок. Охладить и подать со взбитыми сливками.

КИСЕЛЬ ИЗ ХЛЕБНОГО КВАСА

4 стакана кваса хлебного (см. с. 242), 1 стакан сахара, 1 ст. ложка крахмала картофельного, лимонная цедра

В процеженный хлебный квас добавить сахар, лимонную цедру, довести до кипения и влить помешивая разведенный холодным квасом крахмал. Довести до кипения, но не кипятить. Охладить.

ЖЕЛЕ ИЗ ХЛЕБА

200 г хлеба ржаного, черствого, 4 стакана воды, 1 стакан сахара, 3 ст. ложки желатина, лимонная кислота, фруктово-ягодный сироп

Хлеб залить кипящей водой, настоять 15 мин, процедить. В настой добавить сахар, лимонную кислоту, ввести предварительно замоченный в холодной воде (1:4) желатин, подогреть до его растворения. Разлить в формы, охладить до студенеобразного состояния. Перед подачей к столу форму на несколько секунд опустить в горячую воду, накрыть ее тарелкой, перевернуть форму, чтобы жслс переложить в тарелку. Полить фруктово-ягодным сиропом.

ЖЕЛЕ С СУХАРИКАМИ

100 г сухариков пшеничных, 1 стакан сахара, 1 стакан малинового или вишневого сока, 1 л воды, 3 ст. ложки желатина

В горячей воде растворить сахар, довести до кипения, слегка охладить и ввести предварительно замоченный в холодной воде (1:4) желатин. Подогреть до растворения желатина, добавить вишневый или малиновый сок, процедить и помешивая ввести тонкой струйкой истолченные сухарики. Разлить в формочки, охладить. Перед подачей формочки на несколько секунд опустить в горячую воду, накрыть тарелкой и переложить в нее же желе.

МУСС ХЛЕБНЫЙ С КЛЮКВОЙ

150 г хлеба ржаного, 4 ст. ложки сахара, 30 г клюквы, 3 стакана воды, 4 ч. ложки желатина, корица по вкусу

Хлеб измельчить на терке. Клюкву промыть и выжать сок. Соединить хлеб с соком, водой, сахаром, добавить корицу, довести до кипения. Массу слегка охладить, ввести набухший желатин и помешивая подогреть до его растворения. После этого охладить до температуры 16—18 °C и взбить до пышной пены. Разлить в гофрированные формы, выдержать на холоде до студнеобразного состояния. Перед подачей к столу форму на несколько секунд опустить в горячую воду, накрыть тарелкой и переложить в нее мусс.

МУСС ХЛЕБНЫЙ С СИРОПОМ

150 г хлеба ржаного, 3 стакана воды, 4 ст. ложки сахара, 4 ч. ложки желатина, корица, 4 ст. ложки сиропа ягодного

Хлеб натереть на терку, залить кипящей водой, добавить корицу, сахар и перемешать. Набухший желатин растворить на водяной бане (посуду с ним поставить в кастрюлю с кипящей водой). Хлебную массу взбить до пышной пены, добавляя струйкой растворенный желатин, вылить в формы и поставить в холодильник. Перед подачей к столу опустить форму на несколько секунд в горячую воду, накрыть тарелкой, выложить на нее мусс, полить фруктово-ягодным сиропом.

КРЕМ УКРАИНСКИЙ

200 г ржаного хлеба, $2^1/_2$ стакана сливок 30%-ных, $^3/_4$ стакана сахара, $1^1/_2$ стакана молока, 2 яйца, 4 ч. ложки желатина

Сухой хлеб истолочь в сухари и слегка подсушить. Приготовить яично-молочную смесь: яйца растереть с сахаром, добавить тонкой струйкой кипяченое горячее молоко и прогреть смесь при температуре 70 °C (на водяной бане). При помеши-

Желе из хлеба

вании ввести предварительно замоченный и растворенный желатин, добавить ванилин.

Охлажденные сливки взбить до получения густой пышной массы и влить, непрерывно помешивая, в охлажденную до комнатной температуры яично-молочную смесь, ввести подготовленные сухари. Готовый крем разлить в формы и охладить. Перед подачей форму на несколько секунд опустить в горячую воду, затем встряхнуть ее и выложить крем в вазочку или на тарелку.

КРЕМ СЛИВОЧНЫЙ
СО РЖАНЫМ ХЛЕБОМ

200 г хлеба ржаного, 3 стакана сливок 30%-ных, 5 ст. ложек сахара, 4 ч. ложки желатина, варенье для подачи

Черствый хлеб измельчить на терке. Замочить желатин.

Сливки взбить, добавить сахар, хлеб и при непрерывном помешивании — растворенный желатин на водяной бане. Разлить крем в формочки, охладить. Переложить крем из формочек (см. предыдущий рецепт) в креманку или вазочку и подать с вареньем.

ЧЕРНИКА С ГРЕНКАМИ

200 г хлеба пшеничного, 2 стакана черники, 4 ст. ложки сахара, $2^1/_2$ ст. ложки сливочного масла, 2 ст. ложки сахарной пудры, $^1/_4$ стакана орехов (ядро)

Хлеб нарезать на мелкие кубики, смешать с сахаром и обжарить на масле. Чернику перебрать, промыть, соединить с сахаром, добавить немного воды, поставить на огонь и слегка ее припустить. Гренки и ягоды уложить слоями, охладить, посыпать измельченными поджаренными орехами и сахарной пудрой.

ТЕРТЫЙ ХЛЕБ
СО СВЕЖИМИ ЯГОДАМИ
(немецкая кухня)

200 г хлеба пшеничного или ржаного, $^1/_2$ стакана ягод свежих (малина, земляника садовая или лесная), 2 ст. ложки сахара, $^1/_2$ стакана молока

Хлеб натереть на терку с крупными отверстиями, уложить в салатники или вазочку, сверху положить ягоды, посыпать сахарным песком и залить охлажденным молоком.

ХЛЕБ ТЕРТЫЙ
С ЯБЛОЧНЫМ ПЮРЕ
И ВАРЕНЬЕМ

200 г хлеба ржаного, 5—6 яблок, $^1/_2$ стакана варенья, 1 стакан сахара, 2 белка, 1 лимон для сока, 2 ст. ложки сливочного масла

Хлеб натереть на терке с крупными отверстиями и слегка обжарить на сливочном масле. Яблоки испечь в духовке до полуготовности, протереть через сито, добавить сахар и варенье, ввести взбитые белки и заправить лимонным соком. Полученной пышной массой переслоить подготовленный хлеб. Украсить ягодами из варенья.

ХЛЕБ
С ЯГОДАМИ
И СЛИВКАМИ

200 г свежего пшеничного или ржаного хлеба, $^1/_2$ стакана свежих ягод (малина, земляника, ежевика), $^1/_2$ стакана сливок, сахар по вкусу

Хлеб нарезать ломтиками толщиной 0,5 см, уложить в глубокую тарелку, сверху положить ягоды, посыпать их сахаром и покрыть взбитыми сливками.

Желе с сухариками

ТЕРТЫЙ ХЛЕБ
С ТВОРОГОМ
И ВЗБИТЫМИ СЛИВКАМИ

200 г хлеба пшеничного, 2 ст. ложки сливочного масла, 1 стакан сливок 30%-ных, 1 стакан творога, $^1/_2$ стакана сахара

Хлеб натереть на терке с крупными отверстиями и поджарить на сливочном масле. Творог протереть через сито, добавить сахар, взбитые сливки и перемешать. Подготовленные продукты уложить в вазочки слоями, сверху положить взбитые с сахаром сливки и посыпать тертым хлебом.

ТЕРТЫЙ ХЛЕБ
СО ВЗБИТЫМИ СЛИВКАМИ
ИЛИ СМЕТАНОЙ
(латышская кухня)

200 г хлеба ржаного, 1 стакан сливок или сметаны, 3 ст. ложки сахара, 1 ст. ложка сливочного масла, $^1/_2$ стакана джема или варенья

Сухой хлеб измельчить на терке и поджарить на сливочном масле. Сметану или сливки взбить в пышную пену с сахаром. Подготовленные продукты уложить в креманку или вазочку слоями. Сверху положить варенье или джем.

ТЕРТЫЙ ХЛЕБ
С КУРАГОЙ

200 г хлеба ржаного, $^3/_4$ стакана кураги, $1^1/_2$ ст. ложки сахара, $^1/_4$ стакана сливок 30%-ных, 1 ст. ложка сахарной пудры, лимонная кислота

Черствый хлеб измельчить на терке. Курагу промыть, залить холодной водой, через 8—10 ч отварить в этой же воде и протереть через сито. В полученное пюре добавить сахар, лимонную кислоту, хлеб и перемешать. Массу выложить горкой и украсить взбитыми с сахарной пудрой сливками.

ТЕРТЫЙ ХЛЕБ
С ВАРЕНЬЕМ
(латышская кухня)

200 г хлеба ржаного, $^3/_4$ стакана варенья, 1 стакан сливок 30%-ных, 2 ст. ложки сахарной пудры

Черствый хлеб измельчить на мелкой терке, соединить с вареньем (лучше брусничным), уложить горкой и украсить взбитыми с сахарной пудрой сливками.

ТЕРТЫЙ ХЛЕБ
С ЯБЛОКАМИ И ТВОРОГОМ

200 г хлеба ржаного, $^1/_2$ стакана сахара, $1^1/_2$ стакана творога, 1 стакан сливок 30%-ных, 5—6 яблок, корица

Черствый хлеб измельчить на терке, соединить с корицей и сахаром. Яблоки очистить от кожицы и семенных камер, нарезать ломтиками, пересыпать сахаром, корицей и припустить, добавив немного воды. Творог протереть через сито, добавив сахар, взбитые сливки и перемешать. Подготовленные продукты уложить слоями (чередуя несколько раз), украсить взбитыми сливками с ломтиками яблок. Охладить в холодильнике и подать к столу.

ТЕРТЫЙ ХЛЕБ С ЧЕРНИКОЙ
(шведская кухня)

200 г хлеба пшеничного, сухого, 2 стакана черники, $^1/_4$ стакана сахара, 1 ст. ложка сливочного масла, сок $^1/_4$ лимона, 1 ст. ложка сахарной пудры, орехи

Хлеб растолочь в сухари. Соединить их с сахаром и помешивая слегка обжарить на сливочном масле. Чернику соединить с сахаром и немного припустить ее с добавлением воды.

Уложить ягоды и сухари, чередуя слоями, в салатник и охладить. Подать, полив лимонным соком, смешанным с сахарной пудрой, посыпав сверху рублеными орехами.

ХЛЕБ
С КЛЮКВЕННЫМ СИРОПОМ
(латышская кухня)

200 г хлеба ржаного, 1 стакан сиропа, молоко для подачи
Для сиропа: $^1/_2$ стакана воды, 1 ст. ложка сахара, $^1/_2$ стакана клюквенного сока, 1 ст. ложка меда

Хлеб нарезать мелкими кубиками или накрошить, залить клюквенным сиропом, оставить до полного набухания. Подать с молоком.

Для приготовления клюквенного сиропа довести до кипения воду с сахаром, добавить клюквенный сок и мед.

ГОРЯЧИЕ СЛАДКИЕ БЛЮДА

ЯБЛОКИ НА КРУТОНАХ

200 г хлеба пшеничного, 6—8 яблок, 3 ст. ложки сливочного масла, 4 белка, $^3/_4$ стакана сахара, $^1/_2$ стакана сиропа из земляники садовой или варенье

Яблоки очистить от кожицы и семенных камер, отварить в воде, охладить и уложить на крутоны (ломтики поджаренного хлеба). Сверху из кондитерского мешка на каждое яблоко выпустить смесь взбитых в пышную пену белков с густым сахарным сиропом. Запечь в горячей духовке. При подаче полить сиропом или вареньем

КАША ИЗ ПШЕНИЧНЫХ БУЛОЧЕК
(детская кухня)

200 г булочек, 2 стакана молока, 2 ст. ложки сахара, 1 ст. ложка сливочного масла, 4 ст. ложки пюре из печеных яблок, соль по вкусу

Булочки нарезать кубиками и подсушить в духовке. Залить их кипящим сладким молоком, дать набухнуть, протереть через сито и прокипятить. В полученную кашу добавить пюре из печеных яблок. При подаче заправить сливочным маслом.

«ЗОЛОТАЯ» КАША

200 г хлеба пшеничного, 1 стакан молока, 1 яйцо, 1—2 моркови, 1 ст. ложка сахара, 1 ст. ложка сливочного масла, соль

Белый хлеб замочить в молоке, добавить мелко натертую морковь, яйца, соль, сахар. Размешать и выложить на смазанную жиром сковороду. Запечь в духовке до слегка румяной корочки.

КОЛБАСКИ
ХЛЕБНО-СМЕТАННЫЕ
СЛАДКИЕ

200 г хлеба пшеничного, 100 г сливочного масла, $^1/_2$ стакана сметаны, 2 яйца, 2 ст. ложки изюма, 2 ст. ложки сахара, 2 ст. ложки муки

Хлеб натереть на терке, добавить сливочное масло, растертое со сметаной, яйца, изюм и сахар. Все смешать до получения крутой массы, разделать на колбаски, обвалять в муке и обжарить в сливочном масле. Подать со сметаной или сладким фруктово-ягодным соусом.

ШАРЛОТКА
«НА СКОРУЮ РУКУ»

1 булка городская, 1 яйцо, 2 ст. ложки молока, 2—3 яблока, 2 ст. ложки сахара

У городской булки срезать верхушку, вынуть мякиш, чтобы внутри образовалось пустота, смочить булку смесью из яйца с молоком так, чтобы корочка пропиталась ею, нафаршировать мелко нарезанными яблоками с сахаром, накрыть верхушкой и запечь в духовке.

ШАРЛОТКА
С ВИШНЯМИ ИЛИ СЛИВАМИ
(польская кухня)

200 г хлеба пшеничного, 1 стакан вишен или слив, $^1/_2$ стакана сахара, $^1/_2$ стакана молока, 1 яйцо, 1 ст. ложка панировочных сухарей, $^1/_2$ ч. ложки ванильного сахара

Мусс хлебный с сиропом

Хлеб зачистить от корок, нарезать тонкими ломтиками. Вишни или сливы промыть, удалить косточки, слегка отжать сок, пересыпать сахаром. На смазанную маслом и посыпанную сухарями сковороду уложить ломтики хлеба, смоченного в смеси из молока, яиц и сахара, сверху — подготовленные ягоды и накрыть оставшимися ломтиками хлеба. Залить яично-молочной смесью и запечь в горячей духовке до румяной корочки. Подать, посыпав сахарным песком, смешанным с ванильным сахаром.

ШАРЛОТКА
С ЯБЛОКАМИ

200 г хлеба пшеничного, 1 стакан молока, 2 яйца, 4 яблока, $^1/_2$ стакана сахара, 2 ст. ложки сливочного масла, 1 ст. ложка панировочных сухарей, корица, абрикосовый соус

Хлеб зачистить от корок и нарезать тонкими ломтиками. Яблоки очистить от кожицы и семенных камер, нарезать тонкими ломтиками, посыпать сахаром, корицей и добавить хлеб, нарезанный мелкими кубиками. На дно и стенки формы или глубокой сковороды, смазанной маслом и посыпанной сухарями, уложить ломтики хлеба, смоченные с одной стороны в смеси из молока, яиц и сахара (смоченной стороной к стенкам посуды), сверху — подготовленный яблочный фарш, затем накрыть ломтиками хлеба кверху стороной, смоченной в яично-молочной смеси. Вылить остатки смеси сверху и запечь в духовке до румяной корочки. Подать с абрикосовым соусом (см. с. 198).

ШАРЛОТКА
С ЯБЛОКАМИ АРОМАТИЗИРОВАННАЯ

200 г хлеба ржаного, 6 яблок, $^3/_4$ стакана сахара, 4 ст. ложки сливочного масла, 1 ст. ложка панировочных сухарей, цедра одного лимона, $^3/_4$ стакана белого вина, $^1/_2$ ч. ложки корицы, $^1/_2$ ч. ложки гвоздики, сладкий соус (см. раздел «Соусы»).

Хлеб зачистить от корок, натереть на терке, добавить масло, лимонную цедру, сахар и толченую гвоздику. Яблоки очистить от кожицы и семенных камер, нарезать тонкими ломтиками, добавить сахар, корицу, лимонную цедру, белое вино и слегка припустить. Форму смазать маслом, посыпать сухарями, уложить половину хлебной массы, на нее яблочный фарш и сверху опять хлебную массу. Выпечь в духовке. Подать со сладким соусом

ШАРЛОТКА
С ЯБЛОКАМИ И ИЗЮМОМ
(болгарская кухня)

200 г хлеба пшеничного, 8 яблок, 2 ст. ложки изюма, 3 ст. ложки сливочного масла, 1 ст. ложка панировочных сухарей, $^1/_2$ стакана молока, 1 яйцо, абрикосовый соус (см. с. 198).

Хлеб зачистить от корок, нарезать тонкими ломтиками и пропитать растопленным сливочным маслом с одной стороны. Яблоки с неразваривающейся мякотью очистить, удалить семенные камеры, нарезать тонкими ломтиками, поджарить на масле и перемешать с промытым и распаренным изюмом. Охладить.

Хлебными ломтиками (смоченной стороной наружу) обложить дно и стенки смазанной маслом и посыпанной сухарями формы. Сверху уложить яблочный фарш с изюмом и накрыть оставшимися ломтиками хлеба. Залить яично-молочной смесью и выпекать в духовке 40—50 минут при закрытой крышке. Подать с абрикосовым соусом.

ШАРЛОТКА
С ЯБЛОКАМИ И СМЕТАНОЙ

300 г хлеба ржаного, 5 яблок, $^1/_2$ стакана сахара, 5 ст. ложек сливочного масла, 2 яйца, $^1/_2$ стакана сметаны, 1 ст. ложка панировочных сухарей, сливки

Сухой хлеб зачистить от корок и натереть на терке. Яблоки кислых сортов очистить от кожицы и семенных камер, нарезать ломтиками, посыпать сахаром. Смазать форму маслом, посыпать панировочными сухарями, уложить тертый хлеб, полить маслом, сверху слой яблок, опять слой хлеба, политый маслом. Залить смесью желтков, сметаны, сахара и взбитых белков. Запечь в духовке до румяной корочки. Подать со взбитыми с сахаром сливками.

ШАРЛОТКА
С ЧЕРНОПЛОДНОЙ РЯБИНОЙ

200 г хлеба пшеничного, 2 стакана черноплодной рябины, 2 яблока, $^1/_2$ стакана сахара, 2 ст. ложки сливочного масла, 2 ст. ложки панировочных сухарей, сладкий соус (см. раздел «Соусы»)

Хлеб нарезать тонкими ломтиками, смочить в смеси из молока, яиц и сахара. Ягоды черноплодной рябины промыть, засыпать сахаром, добавить тертые яблоки сорта Антоновка. На смазанную маслом и посыпанную сухарями сковороду уложить смоченные ломтики хлеба, сверху фарш и накрыть оставшимися ломтиками хлеба. Залить яично-молочной смесью и запечь в духовке до румяной корочки. Подать со сладким соусом.

ШАРЛОТКА
ИЗ РЖАНЫХ СУХАРЕЙ
С ЯБЛОКАМИ

300 г хлеба ржаного, 2 ст. ложки сливочного масла, 5 яблок, $^1/_2$ стакана сахара, $^1/_2$ лимона (цедра), сливки

Сухой хлеб зачистить от корок, натереть на терке, поджарить на масле. Яблоки очистить от кожицы и семенных камер, нарезать ломтиками, засыпать сахаром, добавить тертую цедру лимона и припустить в горячей воде до размягчения. В форму, смазанную маслом, насыпать слой поджаренного тертого хлеба, затем слой яблок, опять слой хлеба и слой яблок и т. п. Верхний слой должен быть из хлеба. Накрыть чистой салфеткой и положить сверху легкий пресс на 20—25 мин. Затем пресс снять и поставить выпекать шарлотку в духовку. Подать со слегка взбитыми сливками.

ШАРЛОТКА
С ФРУКТАМИ И ОРЕХАМИ

200 г хлеба пшеничного, $^3/_4$ стакана молока, 300 г персиков или груш, $^1/_3$ стакана орехов толченых, 2 ст. ложки сливочного масла, 2 ст. ложки сахара, $^1/_2$ ч. ложки ванильного сахара, 1 ст. ложка сахарной пудры, молоко или сливки для подачи

Мусс хлебный с клюквой

Хлеб нарезать тонкими ломтиками, обмакнуть в молоке, обложить ими дно и стенки смазанной маслом формы, сверху посыпать сахаром, уложить нарезанные дольками персики или груши. Посыпать поджаренными толчеными орехами, полить сливочным маслом и накрыть оставшимися ломтиками хлеба, смоченными в молоке, сбрызнуть сливочным маслом, залить взбитыми с подслащенным молоком яйцами с добавлением ванильного сахара. Выпечь в умеренно нагретой духовке. Подать, посыпав сахарной пудрой, с молоком или сливками.

ШАРЛОТКА
ИЗ РЖАНОГО ХЛЕБА
С ГРУШАМИ

200 г хлеба ржаного, 3—4 нетвердых груши, $^1/_3$ стакана сахара, 2 ст. ложки сливочного масла, 1 стакан молока, 1 яйцо, $^1/_2$ ч. ложки корицы

Хлеб натереть на терке, поджарить на масле, добавив сахар. Затем залить кипящим молоком, размешать и слегка охладить. Добавить желтки, корицу, взбитые в пышную пену белки. Половину массы выложить в смазанную маслом форму, сверху уложить очищенные от кожицы и семян, разрезанные пополам груши и прикрыть оставшейся хлебной массой. Сбрызнуть маслом и выпечь в духовке до румяной корочки. Подать с молоком или сладким соусом (см. раздел «Соусы»).

ШАРЛОТКА
СО СМОРОДИНОЙ

200 г хлеба пшеничного, $1^1/_2$ стакана смородины, $^1/_2$ стакана сахара, 2 ст. ложки сливочного масла, 1 яйцо, $^1/_4$ стакана молока

Хлеб нарезать тонкими ломтиками и обложить ими дно и стенки смазанной маслом формы. Сверху выложить протертую с сахаром смородину, снова ломтики хлеба и смородину и т. д. Верхний слой должен быть из хлеба. Залить смесью яйца, молока и сахара и выпечь в духовке. Подать с молоком.

ШАРЛОТКА
ИЗ ХЛЕБА С ТЫКВОЙ

200 г хлеба пшеничного белого, 1 кг тыквы, $1^1/_2$ стакана молока, 3 яйца, $^1/_2$ стакана сахара, 3 ст. ложки сливочного масла, ванилин, корица, соль по вкусу

Форму или глубокую сковороду смазать маслом, на дно и стенки уложить ломтики черствого хлеба, сверху разложить слой мелко нарезанной тыквы, посыпать сахаром, корицей и ванилью. Накрыть оставшимися ломтиками хлеба, залить смесью из яиц, молока, соли и сахара. Сбрызнуть маслом и запечь.

ШАРЛОТКА
С ПОВИДЛОМ

200 г хлеба пшеничного, $^3/_4$ стакана повидла, 1 стакан молока, 3 яйца, 2 ст. ложки сахарной пудры

Нарезать хлеб тонкими ломтиками и уложить на дно смазанной маслом формы. На них выложить сплошным слоем повидло и прикрыть оставшимися ломтиками. Залить смесью из желтков и молока и выдержать, пока молоко не впитается. Затем нанести взбитые с сахарной пудрой в пышную пену белки и сразу поставить выпекать в умеренно нагретую духовку. Подать с молоком или сладким соусом.

ШАРЛОТКА
ИЗ РЖАНОГО ХЛЕБА
СО СВЕКЛОЙ

200 г хлеба, $^1/_2$ свеклы средней величины, 2 яйца, 2 ст. ложки варенья или изюма либо кураги, 1 ч. ложка жира, 1 ст. ложка панировочных сухарей

Хлеб нарезать ломтиками и слегка смочить в воде. Вареную свеклу натереть на терке, добавить яйца, варенье или изюм либо чуть проваренную курагу. На смазанную маслом и посыпанную сухарями сковороду уложить хлеб, затем свекольный фарш, на него ломтики хлеба (шарлотку можно готовить многослойную). Залить яйцами и запечь до румяной корочки. Подать со сметаной или сладким соусом.

ШАРЛОТКА
ХЛЕБНАЯ С ТВОРОГОМ

200 г хлеба пшеничного, 500 г творога, $2^1/_2$ стакана молока, 3 ст. ложки сахара, 2 ст. ложки панировочных сухарей, 1 ст. ложка муки, 2 яйца, 2 ст. ложки сливочного масла или маргарина

Хлеб нарезать на ломтики и смочить их во взбитой яично-молочной смеси. Творог протереть через сито, добавить в него панировочные сухари, сахар, муку и небольшое количество молока. Ломтики хлеба переложить слоями творожного фарша в смазанной маслом форме или сковороде. Нижний и верхний слои должны быть из хлеба. Сверху сбрызнуть растопленным маслом или маргарином, посыпать сахаром и запечь в духовке до румяной корочки. Подать со сметаной или фруктово-ягодным соусом (см. раздел «Соусы»).

ЗАПЕКАНКА МАННАЯ
С ХЛЕБОМ И ВИШНЯМИ

200 г хлеба пшеничного, 1 стакан манной крупы, 2 стакана вишни, 4 стакана молока, $^1/_2$ стакана сахара, 1 ч. ложка миндаля или орехов, 3 ст. ложки сливочного масла, 3 яйца, соль по вкусу

В кипящее молоко всыпать соль, сахар, тертый миндаль или орехи, масло и помешивая тонкой струей всыпать манную крупу. Проварить до загустения. Слегка охладить, добавить яйца, тертый мякиш хлеба и вишню без косточек. Массу вымешать и выложить в смазанную маслом и посыпанную сухарями сковороду или форму. Запечь в духовке. Подать со сладким соусом.

ЗАПЕКАНКА ХЛЕБНАЯ

200 г хлеба ржаного, 1 стакан сливок 35%-ных, $^1/_2$ стакана сахара, 1 яйцо, 1 ст. ложка сливочного масла, 1 ст. ложка панировочных сухарей, корица

Хлеб замочить в сливках, протереть и добавить яйца, корицу и сахар. Массу вымешать и выложить на смазанную маслом и посыпанную сухарями сковороду. Запечь в духовке. Подать с холодным молоком.

Коктейль фруктово-ягодный с хлебом

ЗАПЕКАНКА
ХЛЕБНАЯ С ОРЕХАМИ

200 г хлеба пшеничного, $1/2$ стакана орехов (ядро), 1 стакан сливок, 5 ст. ложек сливочного масла, $1/3$ стакана сахара, 4 яйца, $1/2$ стакана варенья, 1 ст. ложка панировочных сухарей, сладкий соус

Хлеб зачистить от корок, натереть на терке, смешать с поджаренными орехами, сливками, растопленным сливочным маслом, вареньем, растертыми с сахаром яйцами. Размешать и выложить на смазанную маслом и посыпанную сухарями сковороду. Поверхность загладить и смазать сливками. Запечь до румяной корочки. Подать со сладким соусом.

ЗАПЕКАНКА
ИЗ РЖАНОГО ХЛЕБА
С ЛИМОНОМ

200 г хлеба, 3 ст. ложки сливочного масла, 4 яйца, 3 ст. ложки сахара, 1 небольшой лимон, $3/4$ стакана сметаны, сладкий соус при подаче

Хлеб зачистить от корок, натереть на терке, соединить с растопленным сливочным маслом, сметаной, яйцами, растертыми с сахаром, лимонным соком и натертой цедрой лимона. Вымешать и выложить в смазанную маслом и посыпанную сухарями сковороду. Смазать поверхность массы смесью яйца со сметаной и выпечь в духовке. Подать с вареньем или со сладким соусом.

ЗАПЕКАНКА
ИЗ РЖАНОГО ХЛЕБА
С ЯБЛОКАМИ

200 г хлеба ржаного, 2 ст. ложки сливочного масла, 3 ст. ложки сахара, 2 яблока, $1/4$ стакана молока, 2 яйца, 1 ст. ложка панировочных сухарей, корица

Хлеб зачистить от корок, натереть на терке, добавить растопленное масло, ломтиками нарезанные яблоки, корицу, яйца и молоко. Перемешать и выложить массу на смазанную маслом и посыпанную сухарями сковороду. Запечь до образования золотистой корочки.

ЗАПЕКАНКА ХЛЕБНАЯ
С ЧЕРНОСЛИВОМ И ОРЕХАМИ

200 г хлеба пшеничного, $1^1/2$ стакана молока, $1/4$ стакана орехов (ядро), $1/2$ стакана чернослива, 3 яйца, $1/2$ стакана сахара, 1 ст. ложка сливочного масла, 1 ст. ложка панировочных сухарей

Хлеб замочить в молоке. Чернослив промыть, залить водой, довести до кипения и оставить для набухания. Затем удалить косточки и измельчить. Орехи поджарить и потолочь. Яйца растереть с сахаром. Подготовленные продукты соединить и выложить в смазанную маслом и посыпанную сухарями форму. Выпечь в духовке. Подать с фруктовым сиропом или сладким соусом.

ЗАПЕКАНКА ХЛЕБНАЯ С ЯБЛОЧНЫМ ПЮРЕ

200 г хлеба пшеничного, 1 стакан молока, 1 стакан яблочного пюре, 50 г маргарина, 2 ст. ложки сахара, $1/2$ ч. ложки корицы

Сухой хлеб без корок размочить в молоке и после набухания размешать до однородной массы. Половину массы выложить в смазанную маслом и посыпанную сухарями форму или сковороду, сверху уложить яблочное пюре. Закрыть хлебной массой, смазать маргарином и запечь в духовке. Посыпать сахаром, корицей и подать в той же посуде со сладким соусом.

ЗАПЕКАНКА С ЯБЛОКАМИ

200 г батона, 1 стакан молока, 1 яйцо, 2 ст. ложки сахара, 4—5 яблок, 1 ст. ложка сливочного масла

Мякиш черствого батона нарезать ломтиками; яблоки, удалив семенные камеры, также нарезать ломтиками и пересыпать сахарным песком. В смазанную маслом и обсыпанную сухарями форму (или кастрюлю) уложить слой ломтиков хлеба, залить частью смеси яиц с молоком, уложить слой яблок, снова залить этой смесью и запечь в духовке до румяной корочки. Подать со сладким соусом.

ПУДИНГ ХЛЕБНЫЙ ПАРОВОЙ
(польская кухня)

200 г хлеба пшеничного, $1/4$ стакана молока, 2 ст. ложки сливочного масла, $1/2$ стакана сахара, 3 яйца, 20 г цедры апельсиновой, 2 ст. ложки изюма, 4 ст. ложки сухарей

Хлеб замочить в молоке, отжать, добавить сливочное масло, желтки, растертые с сахаром, сухари, промытый изюм и апельсиновую цедру. Все вымешать и ввести взбитые в пышную пену белки. Еще раз осторожно перемешать и выложить массу в смазанную маслом форму. Довести до готовности на водяной бане.

ПУДИНГ ХЛЕБНЫЙ, СВАРЕННЫЙ В САЛФЕТКЕ

200 г хлеба пшеничного, 1 стакан молока, 1 яйцо, 2 ст. ложки сахара, 1 ст. ложка сливочного масла

Хлеб залить горячим молоком и отставить для набухания, затем размять, добавить желток, растертый с сахаром, и взбитый белок. Массу перемешать, выложить на смазанную маслом салфетку, концы ее завязать, опустить в кипящую воду и варить до готовности в течение часа. Подать со сливками или сладким соусом.

ПУДИНГ С ИЗЮМОМ
И МИНДАЛЕМ,
СВАРЕННЫЙ В САЛФЕТКЕ

200 г булки, $^3/_4$ стакана молока, 2 яйца, 2 ст. ложки сахара, 1 ст. ложка сливочного масла, $^1/_4$ стакана растертого миндаля, $^1/_2$ стакана изюма, шоколадный соус (см. раздел «Соусы»).

Зачистить батон от корки, залить его кипящим молоком и оставить для охлаждения. Затем хорошо размять и добавить растертые с сахаром желтки, миндаль, изюм, взбитые в пену белки и все хорошо вымешать. Массу уложить на смазанную маслом салфетку, концы ее связать и опустить в подсоленный кипяток. Варить в течение часа. Вынуть, положить на дуршлаг,

Тертый хлеб с творогом и вареньем

чтобы стекла вода, развязать салфетку, выложить пудинг на блюдо, облить шоколадным соусом и подать к столу.

ПУДИНГ ЛИМОННЫЙ С ОРЕХАМИ
(венгерская кухня)

200 г булки, $^3/_4$ стакана молока, 3 ст. ложки сливочного масла, 4 яйца, $^2/_3$ стакана сахарной пудры, 2 ст. ложки изюма, $^1/_2$ стакана молотых орехов или миндаля, $^1/_2$ лимона, 1 ст. ложка панировочных сухарей, варенье

Размочить булку в молоке, протереть через сито и прогреть со сливочным маслом, чтобы масса легко отстала от стенок кастрюли. Немного охладить, добавить желтки, сахарную пудру, изюм, молотые орехи или миндаль, тертую цедру лимона и взбитые в пышную пену белки. Выложить в форму, смазанную маслом и посыпанную панировочными сухарями, и довести до готовности на водяной бане. Подать с вареньем.

ПУДИНГ ЛИМОННЫЙ
(детская кухня)

200 г батона, 2 ст. ложки сливочного масла, 4 ст. ложки сахара, 2 яйца, цедра 1 лимона, 1 ч. ложка лимонного сока, сода

Зачистить батон от корки, замочить в холодной воде. После набухания отжать воду, добавить масло, сахар, мелко нарезанную цедру, лимонный сок, пищевую соду, разведенную водой. Вымешать, добавить слегка взбитые яйца и выложить в смазанную маслом форму, которую поставить в сковороду с водой и довести до готовности в духовке в течение 1,5 ч.

ПУДИНГ С ПЕЧЕНЫМИ ЯБЛОКАМИ

200 г хлеба пшеничного, 4 яйца, $^1/_2$ стакана сахара, 100 г сливочного масла, 6 яблок печеных, 1 ст. ложка панировочных сухарей, сливки

Зачистить хлеб от корок, натереть на терке, добавить желтки, растертые с сахаром, сливочное масло. Все продукты перемешать, хорошо растереть, затем добавить протертые печеные яблоки, взбитые в пышную пену белки и осторожно смешать. Массу выложить на салфетку, смазанную маслом, концы ее связать и поместить в горячую воду, два раза довести до кипения. Вынуть массу из салфетки, сложить в форму, смазанную маслом и обсыпанную сухарями, и запечь в духовке в течение часа. Подать со сливками.

ПУДИНГ С ИНЖИРОМ

200 г хлеба пшеничного, 5 ст. ложек измельченного сушеного инжира, 2 ст. ложки сахара, 3 ст. ложки сливочного масла, 2 яйца, $1^1/_2$ стакана молока, 2 ст. ложки панировочных сухарей

Хлеб размочить в молоке, добавить желтки, растертые с сахаром, растопленное сливочное масло, сушеный инжир. Все тщательно перемешать и ввести взбитые с сахаром белки. Массу выложить в форму, смазанную маслом и обсыпанную панировочными сухарями. Довести до готовности на водяной бане в течение 2 ч. Подать со сладким соусом.

ПЛУМ-ПУДИНГ С ЦУКАТАМИ, СВАРЕННЫЙ В САЛФЕТКЕ
(английская кухня)

200 г хлеба пшеничного, 100 г говяжьего жира, $1/2$ стакана сахара, 1 ч. ложка измельченного мускатного ореха, 5 яиц, $1/2$ стакана мелко нарезанных цукатов, $1/2$ стакана толченого миндаля, 1 ст. ложка коньяка, соль по вкусу

Хлеб зачистить от корки, натереть на терке и добавить мелко нарубленный говяжий жир, сахар, изюм, мускатный орех, яйца, лимонные или апельсиновые цукаты, миндаль, коньяк, соль. Массу перемешать, выложить в салфетку, смазанную маслом, связать концы узлом и отварить в воде в течение 20—30 мин.

ПЛУМ-ПУДИНГ С ЯБЛОКАМИ И ВАРЕНЬЕМ, СВАРЕННЫЙ В САЛФЕТКЕ
(английская кухня)

200 г булки, 100 г говяжьего жира, 2 кислых яблока, $1/2$ стакана изюма, $1/3$ стакана цукатов, $1/2$ стакана варенья из черной смородины, $1/2$ ч. ложки ванильного сахара, $1/2$ стакана сахара, $1/2$ стакана муки, $1/2$ стакана рома

Батон натереть на терку, добавить рубленый говяжий жир с мукой, изюм, ванильный сахар, нарезанные мелкими кубиками цукаты, варенье, сахар, ром. Хорошо вымешать и ввести взбитые яйца. Аккуратно перемешать, выложить в смазанную маслом салфетку (для удобства салфетку предварительно уложить в дуршлаг). Концы ее связать узлом, продеть в узел палку, которую положить на кастрюлю с водой так, чтобы салфетка с пудинговой массой опустилась полностью в воду, и варить в течение 1,5 ч. Готовый пудинг выложить из салфетки на блюдо, полить горячим ромом и подать в горячем виде.

ПЛУМ-ПУДИНГ ИЗ СУХАРЕЙ С ЯБЛОКАМИ И ИЗЮМОМ, СВАРЕННЫЙ В САЛФЕТКЕ
(английская кухня)

2 стакана толченых сухарей из пшеничного хлеба, 1 стакан сахара, 2 ст. ложки сливочного масла, $3/4$ стакана изюма, 2 ст. ложки мелко нарезанных лимонных цукатов, 2 яйца, 1 стакан протертых яблок или $1/2$ стакана молока

Сухари растереть со сливочным маслом, добавить изюм, цукаты, желток, растертый с сахаром, взбитые белки, размешать и поставить в прохладное место на несколько часов. Затем добавить протертые яблоки. Массу переложить в форму, смазанную маслом, поставить в посудину с водой и варить в течение 2—3 ч. При подаче переложить из формы на тарелку и полить сливками или фруктовым соусом.

ПУДИНГ РАЙСКИЙ

200 г сухарей пшеничных толченых, 8 яблок, 4 ст. ложки сахара, 4 ст. ложки изюма, 6 яиц, 2 ч. ложки сока апельсина

Сухари смешать с измельченными на терке яблоками, изюмом, растертыми с сахаром желтками. Ввести взбитые белки и сок апельсина, массу аккуратно перемешать и выложить в форму, смазанную маслом. Довести до готовности на водяной бане в течение 1,5—2 ч. Подать со сладким соусом.

Шарлотка с яблоками

ПУДИНГ ИЗ СУХАРЕЙ
ШОКОЛАДНЫЙ С МИНДАЛЕМ
(английская кухня)

1 стакан толченых пшеничных сухарей, 3 ст. ложки какао, 2 ст. ложки сливок, 3 ст. ложки сахара, 1 стакан молока, 2 ст. ложки сливочного масла, 3 яйца, 1 ст. ложка коньяка, 2 ст. ложки тертого миндаля, $^1/_2$ ч. ложки соды, 2 ст. ложки муки

Сухари смешать с какао, добавить молоко и сливки, оставить для набухания на 10 мин. Затем добавить масло, растертое с сахаром и желтками, муку, соду, миндаль и коньяк. Размешать и ввести взбитые в пышную пену белки. Массу вымешать и уложить в форму, смазанную маслом. Довести до готовности на водяной бане в течение часа. Подать с ванильным соусом.

ПЛУМ-ПУДИНГ С ИЗЮМОМ
СЛИВОЧНЫЙ,
СВАРЕННЫЙ В САЛФЕТКЕ
(английская кухня)

3 стакана хлеба пшеничного тертого, 6 яиц, 1 стакан сахара, 1 стакан растопленного сливочного масла, $^1/_2$ стакана муки, $^1/_2$ стакана изюма, 2 ст. ложки измельченных цукатов, $^1/_3$ стакана рома или вина

Растереть добела желтки с сахаром, влить растопленное сливочное масло, смешать с тертым хлебом, мукой, добавить изюм, лимонную цедру, цукаты, соль, влить ром или вино, взбитые в пену белки. Массу перемешать и выложить на салфетку, смазанную маслом, концы которой связать, и опустить в кипящую воду. Варить до готовности около часа. Вынуть с воды, освободить от салфетки, переложить на блюдо и подать со сладким соусом.

ПУДИНГ ЛИМОННЫЙ
ИЗ СУХАРЕЙ,

2 стакана сухарей пшеничных толченых, 6 ст. ложек сливочного масла, $^1/_2$ стакана сахара, 4 яйца, лимонная цедра $^1/_3$ лимона, 2 ст. ложки изюма

Сухари смешать со сливочным маслом, желтками, растертыми с сахаром, изюмом и натертой лимонной цедрой. Ввести взбитые в пышную пену белки, осторожно перемешать. Массу выложить в форму, смазанную маслом, и довести до готовности на водяной бане. Подать со сладким соусом.

ПУДИНГ С ТВОРОГОМ
(детская кухня)

200 г хлеба пшеничного, 100 г сливочного масла, 6 яиц, $^1/_2$ стакана сахара, 1 стакан сливок, 1 ст. ложка панировочных сухарей, лимонная цедра

Хлеб зачистить от корок и натереть на терке. Творог протереть через сито, добавляя сливки так, чтобы получилась однородная густая кашица, добавить желтки, растертые с сахаром и маслом, тертые лимонную цедру и хлеб. Вымешать и ввести взбитые в пышную пену белки. Полученную массу выложить в форму, смазанную маслом и посыпанную сухарями, запечь в духовке. Подать с фруктово-ягодным соусом.

ПУДИНГ ИЗ СУХАРЕЙ
ШОКОЛАДНЫЙ ПАРОВОЙ

200 г хлеба пшеничного сухого, 3 ст. ложки какао-порошка, $^1/_2$ стакана сахара, 1 стакан молока, 3 ст. ложки сливочного масла, 3 ст. ложки муки, $^1/_2$ ч. ложки соды, 2 ст. ложки измельченного миндаля, 1 ст. ложка коньяка

Сухари залить какао. После набухания смешать с растертыми с сахаром и сливочным маслом желтками, мукой, содой,

Колбаски хлебно-сметанные сладкие

миндалем, коньяком. Ввести взбитые в пышную пену белки и осторожно перемешать. Выложить в смазанную маслом форму и довести до готовности на водяной бане. Подать со сладким соусом.

ПУДИНГ ИЗ РЖАНОГО ХЛЕБА СО СМЕТАНОЙ И ПРЯНОСТЯМИ

200 г хлеба ржаного сухого, $^1/_2$ стакана растопленного сливочного масла, $^1/_2$ стакана сахара, $^1/_2$ стакана сметаны, 6 яиц, $^1/_3$ ч. ложки корицы, $^1/_3$ ч. ложки гвоздики

Сухари смешать с растопленным маслом, добавить сметану, растертые с сахаром желтки, толченые корицу и гвоздику. Размешать и ввести взбитые в пышную пену белки. Выложить полученную массу в смазанную маслом форму и выпечь в духовке или довести до готовности на пару. Подать со сметаной или сладким фруктово-ягодным соусом.

ПУДИНГ С ТВОРОГОМ

200 г хлеба пшеничного, 400 г творога, $^1/_2$ стакана молока, 3 яйца, $^1/_2$ стакана сахара, 3 ст. ложки сливочного масла, 1 ст. ложка панировочных сухарей

Хлеб размочить в молоке. Творог протереть через сито. Желтки растереть с сахаром и маслом. Подготовленные продукты смешать, ввести взбитые в пышную пену белки и осторожно перемешать. Выложить в смазанную маслом и посыпанную сухарями форму, поставить в посуду с водой и довести до готовности в духовке. Подать с вареньем или сладким соусом.

ПУДИНГ С КРЕМОМ
(детская кухня)

200 г хлеба пшеничного белого, $^1/_2$ стакана молока, 1 ст. ложка сливочного масла, 1 яйцо, 1 ч. ложка муки, 1 ч. ложка сахара

Хлеб зачистить от корок, нарезать ломтиками, намазать их маслом и положить слоем в форму, смазанную маслом, сверху залить заварным кремом и оставить для пропитывания ломтиков хлеба. Затем печь в духовке в течение 30 мин до желтоватого цвета.

Заварной крем. Растереть желток с сахаром, добавить молоко, муку, размешать. Помешивая, довести до кипения и проварить 5 мин.

ПУДИНГ ВАНИЛЬНЫЙ
(по болгарски)

200 г хлеба пшеничного, 1 стакан молока, $^1/_2$ стакана сахара, 2 яйца, $^1/_2$ ч. ложки ванильного сахара, 1 ч. ложка масла сливочного, 1 ст. ложка сахарной пудры

Хлеб нарезать мелкими кубиками и подсушить. Добавить желтки, растертые с сахаром и молоком, ванильный сахар. Массу вымешать, ввести взбитые в пышную пену белки и выложить в смазанную маслом форму. Запечь до румяной корочки. Готовый пудинг нарезать на кусочки и подать с вареньем или сладким соусом.

ПУДИНГ ИЗ РЖАНОГО ХЛЕБА

200 г хлеба ржаного, $^1/_2$ стакана сметаны, 2 ст. ложки сахара, 2 яйца, 1 ст. ложка лимонной цедры, 1 ч. ложка лимонного сока, 1 ст. ложка сливочного масла, 1 ч. ложка сахарной пудры

Ломтики черствого хлеба подсушить в духовке, измельчить. В сухари положить сметану, сахар, взбитые яйца, мелко нарезанную цедру лимона, лимонный сок и все тщательно вымешать, выложить в форму, смазанную маслом и обсыпанную сухарями. Запечь в духовке. Подать его со сметаной, посыпав сахарной пудрой.

ПУДИНГ ИЗ РЖАНОГО ХЛЕБА
СО СМЕТАНОЙ

200 г хлеба ржаного сухого, 2 стакана сметаны, 3 яйца, $^1/_2$ стакана сахара, 1 ч. ложка сливочного масла, 1 ст. ложка панировочных сухарей

Хлеб истолочь в сухари, смешать со сметаной, сахаром и взбитыми яйцами. Перемешать и выложить на смазанную маслом и посыпанную сухарями сковороду или форму. Запечь в духовке до румяной корочки. Подать с молоком или с фруктово-ягодным соусом.

ПУДИНГ ИЗ РЖАНОГО
ХЛЕБА С КОРИЦЕЙ

200 г хлеба ржаного, 3 ст. ложки сливочного масла, $^1/_2$ стакана сметаны, 6 яиц, $^1/_2$ стакана сахара, гвоздика, корица

Хлеб измельчить на терке, добавить растопленное сливочное масло, сметану, желтки, растертые с сахаром, корицу и толченую гвоздику. Хорошо вымешать, ввести взбитые белки, осторожно перемешать и выложить в смазанную маслом форму. Довести до готовности на водяной бане. Подавать со сладкими соусами.

ПУДИНГ ХЛЕБНЫЙ С ИЗЮМОМ

200 г хлеба пшеничного сухого, 2 яйца, 1 стакан молока, $^1/_2$ стакана сахара, $^1/_2$ стакана изюма, 1 ст. ложка сливочного масла, 1 ст. ложка панировочных сухарей, $^1/_2$ ч. ложки ванильного сахара

Хлеб залить теплым молоком. Когда сухари набухнут, добавить растертые с сахаром желтки, ванильный сахар, промытый изюм. Массу вымешать и ввести взбитые в пышную пену белки. Осторожно перемешать и выложить в смазанную маслом и посыпанную сухарями форму. Запечь до румяной корочки. Подать, посыпав сахарной пудрой, со сладким соусом или молоком.

ПУДИНГ ИЗ СУХАРЕЙ
СО СЛИВКАМИ

1 стакан толченых сухарей из пшеничного хлеба, 1 стакан из ржаного хлеба, 1 стакан сливок, $^1/_2$ стакана сливочного масла, $^1/_2$ стакана сахара, 5 яиц, 2 ст. ложки изюма, 2 ст. ложки толченого миндаля

К сухарям из пшеничного и ржаного хлеба добавить растертые добела с желтками и сахаром сливочное масло, миндаль, изюм и сливки. Тщательно все перемешать и осторожно влить взбитые в пену белки. Массу выложить в форму, смазанную маслом, и запечь в духовке (25—30 мин). Подать со сладким фруктово-ягодным соусом.

ПУДИНГ ХЛЕБНЫЙ
С ОРЕХАМИ И ВАРЕНЬЕМ

200 г хлеба пшеничного, 1 стакан сахара, 1 стакан измельченных орехов, 3 стакана сливок, $^1/_2$ стакана сливочного масла, 7 яиц, 2 ст. ложки нарезанных цукатов, $^1/_2$ стакана варенья, 1 ст. ложка панировочных сухарей

Хлеб зачистить от корок, натереть на терке, добавить сливки, орехи и помешивая проварить. Образовавшуюся сплошную массу охладить, добавить сливочное масло, растертые с сахаром желтки, цукаты, ягодное варенье без сока, взбитые в пышную пену белки. Размешать и выложить в смазанную маслом и посыпанную сухарями форму. Выпечь в духовке. Подать со сладким соусом или взбитыми сливками.

ПУДИНГ ХЛЕБНЫЙ
С ЯБЛОКАМИ И ОРЕХАМИ

200 г хлеба пшеничного, 10—12 яблок, $^1/_2$ стакана сахара, 1 стакан измельченных орехов, $^1/_2$ стакана изюма, $^1/_3$ ч. ложки молотой корицы, 6 яиц

Хлеб зачистить от корок, нарезать мелкими кубиками, добавить мелко нарезанные яблоки, измельченные поджаренные орехи, промытый изюм, корицу, растертые с сахаром желтки. Смешать и ввести взбитые в пышную пену белки, снова осторожно перемешать. Выложить в смазанную маслом и посыпанную сухарями форму. Выпечь в духовке до румяной корочки. Подать с абрикосовым соусом.

Пудинг ванильный

ПУДИНГ С ЯГОДАМИ

200 г хлеба пшеничного, $^1/_3$ стакана молока, 1 яйцо, 2 ст. ложки сахара, 1 стакан ягод без косточек, сахарная пудра

Хлеб замочить в молоке, протереть и добавить желтки, растертые с сахаром, свежие или консервированные ягоды без косточек, взбитые в пышную пену белки. Массу перемешать и выложить в смазанную маслом и посыпанную сухарями форму. Запечь в духовке. Подать, посыпав сахарной пудрой, с вареньем, джемом или сладким соусом.

ПУДИНГ С ИЗЮМОМ
И ОРЕХАМИ

200 г хлеба пшеничного, $^1/_3$ стакана молока, $^1/_2$ стакана орехов (ядро), $^1/_3$ стакана изюма, $^1/_2$ стакана сахара, 2 яйца, 1 ст. ложка сливочного масла, 1 ст. ложка панировочных сухарей, лимонная цедра по вкусу

Хлеб без корки залить горячим молоком, оставить на 30—40 мин для набухания. Хорошо растереть и добавить желтки, растертые с сахаром, сливочное маслом, изюм, цедру лимона и измельченные поджаренные орехи. Массу перемешать и ввести взбитые в пышную пену белки. Осторожно смешать и выложить в смазанную маслом и посыпанную сухарями форму. Запечь в духовке. Подать со сливками, фруктовым сиропом или с яичным соусом (см. раздел «Соусы»).

ПУДИНГ С ИЗЮМОМ
И ЦУКАТАМИ

200 г хлеба пшеничного, 1 стакан молока, 2 ст. ложки сливочного масла, 3 яйца, 2 ст. ложки изюма, 1 ст. ложка мелко нарезанных цукатов, 2 ст. ложки сахара, 1 ст. ложка панировочных сухарей

Хлеб без корки залить горячим молоком, оставить до набухания. Хорошо растереть и добавить масло, промытый изюм, цукаты, растертые желтки с сахаром и взбитые в пышную пену белки. Массу перемешать и выложить в смазанную маслом и посыпанную сухарями форму. Запечь в духовке до румяной корочки. Посыпать сахаром и подать со сладким соусом.

ПУДИНГ ХЛЕБНЫЙ
С ЧЕРНОСЛИВОМ

200 г хлеба пшеничного, 1 стакан молока, 2 яйца, 2 ст. ложки сахара, 1 ст. ложка сливочного масла, 2 ст. ложки измельченного чернослива без косточек, 2 ст. ложки панировочных сухарей

Хлеб зачистить от корок, залить молоком и оставить для набухания. Размешать до однородной массы, добавить растертые с сахаром желтки, сливочное масло, промытый и измельченный чернослив без косточек, взбитые в пышную пену белки. Массу перемешать и выложить в смазанную маслом и посыпанную сухарями форму. Запечь в духовке в течение 30—40 мин. Подать с клюквенным или смородиновым соусом.

ПУДИНГ ХЛЕБНЫЙ С ВИШНЕЙ И КОРИЦЕЙ

200 г хлеба пшеничного, $1^1/_2$ стакана вишен без косточек, $^1/_2$ стакана сахара, $1^1/_2$ стакана молока, 3 ст. ложки растопленного сливочного масла, 3 яйца, $^1/_3$ ч. ложки корицы, 1 ст. ложка панировочных сухарей

Хлеб зачистить от корок, натереть на терке, залить молоком, добавить желтки, растертые с сахаром, растопленное сливочное масло, корицу, вишню без косточек и взбитые в пышную пену белки. Массу перемешать и переложить в смазанную маслом и посыпанную сухарями форму. Выпечь в духовке. Подать с яблочным соусом.

ПУДИНГ ХЛЕБНО-ОРЕХОВЫЙ С ШОКОЛАДНЫМ СОУСОМ

(венгерская кухня)

200 г хлеба пшеничного, 3 ст. ложки сливочного масла, 1 стакан измельченных грецких орехов, 1 ст. ложка какао, 8 яиц, 50 г красного сухого вина или 1 ст. ложка рома, 2 ст. ложки муки, 2 стакана молока, 1 стакан сахара, $^1/_2$ ч. ложки ванильного сахара

Для соуса: 2 ст. ложки муки, 1 ст. ложка какао, $^1/_2$ стакана сахара, 2 стакана молока, 50 г красного сухого вина или 1 ст. ложка рома

Хлеб зачистить от корок и замочить в молоке. Сливочное масло растереть с сахаром, желтками, соединить с отжатым хлебом. Ввести грецкие орехи, муку, вино или ром, ванильный сахар и взбитые в пышную пену белки. Вымешать, выложить в смазанную маслом форму, поставить в посуду с горячей водой и запечь в духовке. Подать с соусом.

Для соуса муку, сахар, какао размешать с частью холодного молока и вылить в кипящее молоко. Проварить, охладить и заправить ромом или вином.

ПУДИНГ С ХЛЕБНОЙ КРОШКОЙ

200 г хлеба ржаного, 300 г сливочного масла, 1 стакан сахарной пудры, 1 ст. ложка шоколада, 1 ст. ложка миндаля молотого, 5 яиц, 1 ч. ложка измельченной лимонной цедры

Хлеб натереть на терке. Масло смешать с сахаром и взбить венчиком до образования густой белой пышной массы, постепенно, непрерывно помешивая, ввести в нее один за другим желтки, а затем два целых яйца. Полученную смесь размешать с хлебной крошкой, шоколадом, натертым на крупной терке, мелко нарезанной лимонной цедрой, миндалем. Хорошо взбить оставшиеся белки и, размешивая, постепенно добавить в смесь. Приготовленную таким образом массу вылить в форму, смазанную маслом и посыпанную мукой. Варить на водяной бане до готовности. Перед подачей пудинг вынуть из формы и полить ванильным соусом.

ПУДИНГ
ИЗ РЖАНЫХ СУХАРЕЙ
С МЕДОМ И ОРЕХАМИ

200 г хлеба ржаного, 2 ст. ложки муки, $3^{1}/_{2}$ яйца, $^{1}/_{2}$ стакана сахара, 2 ст. ложки сливочного масла, 2 ст. ложки орехов измельченных, $^{1}/_{2}$ стакана меда, 1 ст. ложка сахарной пудры

Сухой хлеб истолочь в сухари, смешать с растертыми с сахаром желтками, размягченным сливочным маслом, мукой, измельченными орехами. Ввести взбитые до пышной массы белки. Осторожно перемешать и выложить в смазанную маслом

Яблоки на крутонах

форму. Запечь в духовке. При подаче пудинг полить разогретым медом и посыпать сахарной пудрой.

ПУДИНГ АРОМАТНЫЙ

200 г хлеба пшеничного, 3 ст. ложки сливочного масла, $^1/_2$ стакана белого столового вина, 3 яйца, 2 ст. ложки сахара, цедра $^1/_2$ лимона, 1 ст. ложка панировочных сухарей, корица, кардамон по вкусу

Хлеб натереть на терке, поджарить на масле и залить горячим вином. Когда масса набухнет, добавить растертые с сахаром желтки, корицу, толченый кардамон, мелко нарезанную цедру и взбитые в пышную пену белки. Вымешать и выложить в смазанную маслом и посыпанную сухарями форму. Запечь в духовке до румяной корочки. Подать с фруктовым сиропом или фруктово-ягодным соусом.

ПУДИНГ ИЗ РЖАНОГО
ХЛЕБА С ЯБЛОКАМИ

200 г хлеба ржаного, 8 яблок средней величины, 1 ст. ложка манной крупы, 2 ст. ложки сахара, 2 яйца, 1 стакан молока, 1 ст. ложка панировочных сухарей

Хлеб зачистить от корок, натереть на терке и слегка подсушить. Смешать с измельченными на терке яблоками, манной крупой, молоком, растертыми с сахаром желтками. Ввести взбитые в пышную пену белки, осторожно перемешать, выложить в смазанную маслом и посыпанную сухарями форму, сверху украсить дольками яблок и запечь в духовке.

ПУДИНГ ИЗ РЖАНОГО
ХЛЕБА С ОРЕХАМИ

200 г хлеба ржаного, $^1/_2$ стакана сахара, 2 ст. ложки сливочного масла, 2 ст. ложки мелко нарезанной лимонной цедры, 2 стакана орехов, 2 яйца, 1 ст. ложка панировочных сухарей

Хлеб замочить в воде, после набухания отжать его. Добавить желтки яиц, растертые с сахаром, сливочное масло, лимонную цедру, измельченные орехи, взбитые в пышную пену белки. Осторожно перемешать и выложить в смазанную маслом и посыпанную сухарями форму. Запечь в духовке. Подать со сладким соусом из чернослива.

ПУДИНГ СУХАРНЫЙ
С МОРКОВЬЮ, ЧЕРНОСЛИВОМ
И ЯБЛОКАМИ

200 г сухарей ванильных, 2 яблока, 2 средних моркови, 2 ст. ложки нарезанного чернослива, 5 яиц, $1^3/_4$ стакана молока, 3 ст. ложки сливочного масла, корица по вкусу

Яблоки промыть, очистить, мелко нарезать и припустить в воде. Промытую, очищенную морковь нарезать мелкой соломкой и также припустить. Чернослив тщательно промыть, замочить на 1—1,5 ч, сварить, удалить косточки и нарезать мелкими кусочками. Подготовленные продукты смешать с растертыми с сахаром желтками, молотыми ванильными сухарями и корицей. Все хорошо размешать, ввести в смесь взбитые белки. Массу уложить в форму, смазанную маслом и посыпанную сухарями, и запечь. Подать со сладким фруктово-ягодным соусом.

ПУДИНГ ИЗ СУХАРЕЙ
СО СЛИВКАМИ

200 г сухарей ржаных и пшеничных, 3 яйца, 4 ст. ложки сливочного масла, $1/4$ стакана сахара, 2 ст. ложки орехов (ядро), 2 ст. ложки изюма, $3/4$ стакана сливок

В измельченные сухари добавить измельченные поджаренные орехи, промытый изюм, сливки, желтки, растертые с сахаром, перемешать и ввести взбитые в пышную пену белки. Подготовленную массу выложить в смазанную маслом и посыпанную сухарями форму. Запечь до румяной корочки. Подать с фруктово-ягодным сиропом.

ПУДИНГ ИЗ СУХАРЕЙ
С ЯБЛОКАМИ И ИЗЮМОМ

1 стакан толченых сухарей из пшеничного хлеба, $1^1/_2$ стакана шинкованных яблок, 4 яйца, $1^1/_2$ столовых ложки сахара, 2 ст. ложки сливочного масла, $3/4$ стакана молока, $1/2$ стакана изюма, 5 шт. миндаля

В толченые пшеничные сухари добавить молоко, желтки, растертые с сахаром и маслом, размешать, чтобы не было комков. Ввести изюм, горький миндаль (для запаха), вымешать и оставить на 30 мин. Когда сухари набухнут, положить яблоки, взбитые в пышную пену белки, осторожно перемешать и выложить в смазанную маслом и посыпанную сухарями форму. Запечь в духовке.

ПУДИНГ ХЛЕБНЫЙ
С ТЫКВОЙ И ЯБЛОКАМИ

200 г хлеба пшеничного, 700 г тыквы, $3/4$ стакана молока, 10 яблок, 4 ст. ложки сахара, $1/2$ стакана изюма, 2 яйца, 2 ст. ложки сливочного масла

Хлеб натереть на терке. Мякоть тыквы нарезать кубиками, залить молоком и проварить до полуготовности. Затем добавить мелко нарезанные яблоки, сливочное масло, сахар и варить до полной готовности. Всыпать натертый хлеб и, непрерывно помешивая, варить еще 5—7 мин. Всыпать ошпаренный кипятком изюм, перемешать. Охладить до 50—60 °C, ввести яичные желтки и взбитые в пышную пену белки, осторожно перемешать. Массу выложить в смазанную маслом и посыпанную сухарями форму или сковороду и запечь в духовке. При подаче полить сметаной.

ПУДИНГ ХЛЕБНЫЙ
С МОРКОВЬЮ И ИЗЮМОМ

200 г хлеба пшеничного, $^1/_2$ кг моркови, $^1/_2$ стакана сахара, 3 ст. ложки сливочного масла, 5 яиц, $^1/_2$ стакана изюма или цукатов, соль по вкусу

Сухой хлеб истолочь в сухари. Морковь сварить и протереть. Пюре соединить с сухарями, добавить растертые в пену желтки, сливочное масло и сахар, нарезанные цукаты или изюм, соль. Вымешать, ввести взбитые белки и осторожно еще раз перемешать. Массу выложить в смазанную маслом и посыпанную сухарями форму, запечь в духовке до румяной корочки.

СУФЛЕ ИЗ БУЛОЧЕК
С ВАНИЛЬНОЙ ПОДЛИВОЙ
(венгерская кухня)

200 г булочек, 4 ст. ложки сливочного масла, 3 яйца, крепкий черный кофе, 2 ст. ложки сахара.

Для подливы: 1 стакан сливок, 2 желтка, 2 ст. ложки сахара, 1 ч. ложка муки, ваниль

Булочки зачистить от корок и замочить в черном кофе. Слегка отжать и добавить растопленное сливочное масло, сахар, желтки. Хорошо растереть до однородной массы, добавить взбитые в пышную пену белки, перемешать и выложить в смазанную сливочным маслом форму. Запечь в горячей духовке или довести до готовности на пару в плотно закрытой форме. Перед подачей на стол полить ванильной подливой.

Подлива. Непрерывно помешивая, закипятить сливки с ванилью. Смешать сахар с яичными желтками и мукой, добавить кипяченые сливки с ванилью. Помешивая, проварить.

СУФЛЕ ИЗ БУЛОЧЕК
С ОРЕХАМИ
(венгерская кухня)

200 г булки, 1 стакан молока, $^1/_2$ стакана сливочного масла, 8 яиц, $^1/_2$ стакана миндаля, $^3/_4$ стакана сахара, $^1/_2$ стакана изюма, лимонная или апельсиновая цедра, корица по вкусу

Булочки замочить в молоке, после набухания протереть. Смешать с растопленным сливочным маслом. Добавить желтки, растертые с сахаром, очищенный молотый миндаль или другие орехи, тертую лимонную или апельсиновую цедру, изюм, корицу и взбитые в пышную пену белки. Массу осторожно перемешать и выложить в форму, смазанную маслом и посыпанную сухарями. Выпекать в течение часа в духовке. Подать со сметаной или сладким фруктово-ягодным соусом.

СУФЛЕ ИЗ ХЛЕБА
(детская кухня)

200 г хлеба пшеничного, 1 стакан молока, 1 ст. ложка сливочного масла, 6 яиц, $^3/_4$ стакана сахара

Хлеб без корок замочить в молоке, а когда он набухнет, размять. Добавить растопленное сливочное масло, растертые с сахаром желтки и взбитые в пену белки. Массу осторожно вымешать, чтобы не осели белки, и выложить в смазанную маслом форму. Посыпать сверху сахарным песком и запечь в духовке или довести до готовности на водяной бане. Подать со сметаной или со сладким фруктово-ягодным соусом.

●

КВАСЫ

У каждого народа есть свой любимый прохладительный напиток. Очень популярным из напитков в России, на Украине, в Прибалтике является хлебный квас. В наше время русский квас «перекочевал» в Болгарию, ГДР, Чехословакию, ФРГ и даже в Японию.

Хлебный квас имеет приятный вкус и аромат, хорошо утоляет жажду, обладает тонизирующими свойствами благодаря содержащимся в нем экстрактивным веществам, углекислоте и продуктам брожения (молочная кислота и небольшое количество спирта — 0,3—0,5 %).

Квас содержит углеводы, белки, витамины группы В, минеральные соли (кальций, марганец, фосфор и магний). Химический состав кваса определяет его диетические и даже лечебные свойства. Благодаря содержанию молочной и угольной кислот напиток стимулирует секрецию пищеварительных желез, тем самым способствуя повышению аппетита и усвоению пищи. Ценно и то, что квас, как и хлеб, не приедается.

Замечательные свойства кваса проявляются наиболее полно, когда его пьют охлажденным. Готовый квас необходимо использовать в течение 2—3 дней, так как при более длительном хранении он теряет свой вкус, становится кислым.

Квас используется для приготовления некоторых холодных первых блюд.

КВАС ОКРОШЕЧНЫЙ

1 кг хлеба ржаного, $^3/_4$ стакана сахара, 20 г дрожжей, 7 л воды

Хлеб нарезать мелкими ломтиками, подсушить в духовке до коричневого цвета, измельчить, чтобы размер частиц не превышал 5—6 мм и засыпать тонкой струей при непрерывном помешивании в кипяченую охлажденную до 80 °С воду. Оставить на 1—1,5 ч для настаивания в теплом месте. Несколько раз перемешать. Полученное сусло слить, а сухари снова залить водой, вторично настоять 1—1,5 ч и слить сусло. В полученное от первого и второго настаивания сусло добавить сахар, дрожжи, разведенные небольшим количеством сусла. Температура его при введении дрожжей должна быть доведена до 23—25 °С и поддерживаться в течение всего брожения 8—12 ч. После окончания брожения квас процедить и вынести на холод.

Использовать для приготовления окрошек, свекольника, ботвиньи.

КВАС «ПЕТРОВСКИЙ»

1 кг хлеба ржаного, 75 г дрожжей, 4 ст. ложки меда, 100 г (1 корень) хрена, $1^1/_2$ стакана сахара, 6 л воды

Хлеб нарезать ломтиками и подсушить в духовке до коричневого цвета. Залить его кипятком, закрыть крышкой и оставить на 6—8 ч. Затем жидкость отцедить, добавить в нее тонкими ломтиками нарезанный хрен, сахар, мед, дрожжи и поставить в теплое место на 6—10 ч для брожения. После этого процедить, охладить и подавать с кусочками пищевого льда.

КВАС РУССКИЙ

1 кг хлеба ржаного, 50 г дрожжей, 1 стакан сахара, $^1/_4$ стакана изюма, 6 л воды

Хлеб нарезать ломтиками, подсушить в духовке, уложить в кастрюлю и залить кипятком, закрыть крышкой и дать постоять 6—8 ч. Затем жидкость процедить, влить в нее разведенные теплой кипяченой водой дрожжи, добавить сахар и поставить в теплое место на 6—10 ч для брожения. Выбродивший квас процедить, разлить в бутылки, предварительно положив в них по несколько изюминок, плотно закупорить и хранить на холоде в лежачем положении.

Употреблять через 12 ч.

КВАС ИМБИРНЫЙ
(литовская кухня)

3 стакана сухарей ржаных, $1^1/_2$ стакана яблочного сиропа, $1^1/_2$ стакана сахара, 35 г дрожжей, 5 г имбиря, 5,5 л воды

Сухари залить кипятком, оставить в теплом месте на 5—6 ч, после чего сусло слить. Положить в воду имбирь, прокипятить 20 мин, процедить и соединить с суслом. Напиток довести до кипения, охладить и добавить в него сироп, сахар, дрожжи, затем размешать и поставить для брожения на 5—6 ч. После окончания брожения охладить и можно использовать в течение 2—3 дней.

КВАС ЗАПОРОЖСКИЙ
(украинская кухня)

1 кг хлеба ржаного сухого, 25 г дрожжей, 1 стакан сахара, $^1/_4$ лимона, изюм

Подсушенные ломтики хлеба залить кипятком и оставить для настаивания на 8 ч. Процедить, добавить в сусло дрожжи, сахар, нарезанный кусочками лимон без семян и оставить в теплом месте для брожения на 8 ч. Затем квас процедить, разлить в бутылки, предварительно положив в каждую по изюминке, и плотно закупорить. Как только квас начнет бродить, вынести его на холод. Использовать через 12 ч.

КВАС С МЯТОЙ

1 кг хлеба ржаного, 1 стакан сахара, 25 г дрожжей, 2 ст. ложки муки, 1 ч. ложка мяты измельченной сухой, 6 л воды

Квас «Петровский»

Хлеб нарезать мелкими ломтиками, подсушить в духовке до коричневого цвета, залить кипятком, закрыть крышкой и через 10—12 ч процедить. Муку размешать с небольшим количеством сухарного настоя, добавить дрожжи и поставить в теплое место для брожения. В части сухарного настоя заварить мяту (прокипятить), всыпать сахар. Как только дрожжи подойдут, влить их в основную массу сухарного настоя, добавить настой с мятой и сахаром, перемешать и оставить в теплом месте для брожения на 5—6 ч до появления сверху густой пены. Аккуратно снять пену, процедить и разлить в бутылки. Плотно их закупорить и поставить на холод.

Употреблять через 12 ч.

КВАС С ИЗЮМОМ И МЯТОЙ

1 кг сухарей из бородинского хлеба, 4 стакана сахара, 3 ст. ложки настоя мяты (50 г мяты) или 1 ст. ложка мятной эссенции, 25 г дрожжей, 10 л воды, 2 ст. ложки изюма

Квас запорожский

Сухари залить кипятком и настаивать в течение 3—4 ч. Затем процедить, в настой добавить сахар, настой мяты или мятной эссенции, разведенные в настое дрожжи, размешать до растворения сахара и оставить для брожения на 3—4 ч. Разлить в бутылки, предварительно положив в них по 2—3 изюминки и не закупоривая выдержать при комнатной температуре до тех пор, пока в квасе не начнут подниматься вверх пузырьки. Затем бутылки закупорить и вынести на холод. Вкусен квас через 1—2 дня.

КВАС КАЗАЦКИЙ
(украинская кухня)

1 кг хлеба ржаного, 25 г дрожжей, 1 ч. ложка муки пшеничной, 2 стакана сахара, 2 лимона, 7 л воды

Хлеб подсушить до коричневого цвета, залить кипятком и оставить для настаивания на 8 ч. После этого процедить. В небольшом количестве настоя развести дрожжи, добавить муку, размешать и оставить в теплом месте для брожения. С окончанием брожения в процеженный настой добавить сахар, сброженную закваску с дрожжами, размешать до растворения сахара и оставить в теплом месте на 10—12 ч, после чего квас процедить, разлить в бутылки, предварительно положив в каждую кружочек лимона, закупорить, оставить на 2 ч в теплом месте, а затем вынести на холод.

КВАС-СЫРЕЦ
(украинская кухня)

1 кг хлеба ржаного, $^1/_2$ стакана муки ржаной, 20 г дрожжей, 7 л воды

Нарезанный ломтиками хлеб подсушить в духовке, $^2/_3$ количества муки заварить кипятком вместе с хлебом, накрыть полотенцем и оставить на 20—24 ч. Оставшуюся муку развести теплой водой, добавить дрожжи и оставить для брожения на сутки. Полученную закваску влить в подготовленную смесь хлеба, муки, воды, хорошо размешать и развести теплой водой. Оставить для брожения на 2 дня. Процедить, охладить, и квас готов к употреблению. Хранить его в прохладном месте.

КВАС С КОРИЦЕЙ
(украинская кухня)

1 кг хлеба бородинского, 1 ст. ложка корицы, 6 л воды, 4 стакана сахара, 1 л кипятка для разведения сахара, 25 г дрожжей, 2 ст. ложки муки ржаной, 1 свекла для сока

Бородинский хлеб нарезать мелкими ломтиками, смешать с корицей и залить крутым кипятком. Когда смесь остынет до температуры 24—25 °C, влить в нее закваску (заранее сброженные дрожжи с мукой). Все перемешать и оставить для брожения на 5 дней. После этого добавить разведенный в кипятке сахар и поставить в холодное место для продолжения брожения. Когда квас закиснет и отстоится, слить его в другую посуду, подкрасить соком красной свеклы и прокипятить 15—20 мин. Затем охладить, разлить в бутылки, закупорить их, поместить на сутки в теплое место, а потом поставить в холодильник. После охлаждения квас готов к употреблению.

КВАС С ЧЕРНОСМОРОДИНОВЫМИ ЛИСТЬЯМИ

1 кг хлеба ржаного, 1 стакан сахара, 3 л воды, 3 ст. ложки измельченных черносмородиновых листьев, 30 г дрожжей, 2 ст. ложки муки пшеничной

Подсушенный хлеб, вымытые черносмородиновые листья, сахарный песок поместить в кастрюлю и залить кипятком, тщательно перемешать, закрыть крышкой и настоять в теплом месте в течение 3—4 ч. Охлажденное сусло осторожно слить в

Квас русский

другую посуду, добавить стакан закваски (заранее сброженные дрожжи с мукой) и оставить на 2—3 дня в холодном месте. Когда сусло достаточно закиснет, слить его, прокипятить в течение нескольких минут (при этом снимать образующуюся пену), в горячем виде процедить. Затем охладить, разлить в бутылки, закупорить и поставить в холодное место на 7 суток, после чего квас готов к употреблению.

КВАС С ЛИМОНОМ

500 г хлеба ржаного, 2 стакана сахара, 20 г дрожжей, 1 ст. ложка лимонной кислоты или 2 лимона для сока, 5 л воды

Хлеб подсушить, залить кипятком, дать постоять несколько часов. Когда остынет, процедить, добавить сахар, дрожжи, лимонный сок или лимонную кислоту. Оставить на 24 ч, затем разлить в бутылки, закупорить и вынести на 3 дня в холодное место.

КВАС ИЗ РЖАНЫХ КОРОК
(татарская кухня)

1 кг корок ржаного хлеба, 3 л воды

С ржаного хлеба срезать поджаристые верхние корки, нарезать их на мелкие кусочки и залить кипяченой теплой водой. Плотно закрыть и оставить на 7—8 дней в теплом месте для настаивания и брожения. После окончания брожения процедить и охладить.

● ПИРОГИ, КАРАВАИ, БАБКИ, ТОРТЫ И ПИРОЖНЫЕ

Используя остатки хлеба, сухари, добавляя молоко, масло, яйца, фрукты и другие продукты, можно приготовить различные изделия к горячим и холодным напиткам. Это пироги, караваи, бабки, торты, пирожные и др.

По вкусу эти изделия из хлеба не уступают выпеченным из теста, а такие, как торты без выпечки из булки, ванильных сухарей, пирожное «Картошка», готовятся очень быстро и даже без тепловой обработки.

Из пшеничных и ржаных сухарей можно приготовить бисквиты. Оформив их различными кремами, джемами, вареньем и другими продуктами, получают торты, пирожные.

Научиться готовить такие изделия не так уж сложно. Основное условие — соблюдение норм используемых продуктов и последовательности приемов приготовления.

ПИРОГ С ОРЕХАМИ

200 г хлеба пшеничного белого, 2 ст. ложки маргарина, 2 ст. ложки сахара, 3 яйца, 3 ст. ложки орехов, 1 стакан молока, 1 ст. ложка панировочных сухарей

Нарезанный хлеб замочить в молоке, а когда он набухнет, отжать. Растереть маргарин с сахаром и желтками, смешать с хлебом и поджаренными измельченными орехами. Через час в массу добавить взбитые белки, выложить ее в смазанную жиром и посыпанную толчеными сухарями форму. Выпекать в духовке в течение 50—60 мин.

ПИРОГ ЗИМНИЙ

200 г хлеба пшеничного, 1 стакан молока, 50 г маргарина, 3 ст. ложки сахара, $1/2$ стакана фиников, 1 яблоко, 5—6 орехов грецких, 4 яйца, 1 ст. ложка панировочных сухарей, ванилин, соль

Хлеб замочить в молоке, а когда он размокнет, добавить размягченный маргарин, желтки, растертые с сахаром и солью, измельченные финики и яблоки, крупно рубленные грецкие орехи, ванилин. Массу перемешать и ввести взбитые в пышную пену белки, еще раз осторожно вымешать и переложить в смазанную маслом и посыпанную сухарями форму. Выпечь в духовке в течение 50 мин.

ПИРОГ С ИЗЮМОМ

200 г хлеба пшеничного, 2 ст. ложки сливочного масла, 3 яйца, $1/2$ стакана сливок, 2 ст. ложки изюма

Четвертую часть хлеба нарезать тонкими ломтиками, поджарить на растительном масле и уложить на дно смазанной маслом формы. Оставшийся хлеб натереть на терке. Желтки взбить со сливками, добавить сливочное масло, изюм, тертый хлеб и все хорошо перемешать. В массу ввести взбитые белки и вылить в форму на жареные ломтики хлеба. Выпекать в духовке в течение 25—30 мин.

ПИРОГ С ЧЕРНИКОЙ

200 г хлеба пшеничного, 1 стакан черники, $1/2$ стакана сахара, $1/2$ стакана молока, 2 яйца, 2 желтка, $1/2$ стакана панировочных сухарей, 1 ст. ложка сливочного масла, 2 ст. ложки муки пшеничной, цедра 1 лимона, 1 ч. ложка корицы, $1/2$ ч. ложки ванильного сахара

Хлеб нарезать ломтиками, обмакнуть в смесь молока с яйцом, обвалять в панировочных сухарях и поджарить. Форму или сковороду смазать маслом, посыпать сухарями, на дно и стенки положить половину гренков, сверху — половину черники, смешанной с сахаром и корицей, на нее уложить оставшиеся гренки, на них — вторую половину черники, заправленной сахаром с корицей. Прикрыть слоем теста, приготовленного из растертого масла с желтками, муки, тертой лимонной цедры, ванильного сахара. Поверхность смазать яйцом, посыпать сухарями и сахаром. Выпечь в духовке при температуре 200—220 °С в течение 40—50 мин.

ПИРОГ СУХАРНЫЙ
С ЧЕРНИКОЙ

200 г сухарей из пшеничного хлеба, 2 стакана черники, 1 стакан молока, 3 ст. ложки сахара, 3 яйца, 2 ст. ложки крахмала, $1/2$ ч. ложки ванильного сахара, $1/2$ стакана кефира или простокваши, 1 ст. ложка панировочных сухарей, соль по вкусу

Сухари размочить в молоке, растереть до однородной массы и выложить в смазанную жиром и посыпанную панировочными сухарями форму или сковороду. Сверху уложить чернику, смешанную с частью сахара, и залить смесью из желтков, сахара, ванильного сахара, кефира или простокваши, крахмала и взбитых белков. Выпечь пирог в горячей духовке в течение 40—50 мин.

Каравай из хлеба

ПИРОГ ХЛЕБНО-ЯБЛОЧНЫЙ

200 г хлеба пшеничного, 3 яблока, 1 яйцо, $^1/_2$ стакана сахара, 2 ст. ложки сливочного масла, 1 ч. ложка корицы, 1 ст. ложка панировочных сухарей

Хлеб зачистить от корки, натереть на терке. Яблоки очистить, нарезать ломтиками, смешать с сахаром и кусочками сливочного масла. Форму или сковороду смазать нерастопленным маслом, посыпать сухарями, положить слой яблок, сверху уложить тертый хлеб, смешанный со взбитыми яйцами, посыпать смесью сахара и корицы. Запечь в духовке в течение 40—50 мин.

ПИРОГ С ВАРЕНЬЕМ

200 г хлеба пшеничного, $^3/_4$ стакана молока, 3 яйца, $^1/_2$ стакана сахара, 2 ст. ложки сливочного масла, $^1/_4$ стакана изюма, 1 ст. ложка панировочных сухарей, цедра лимона, соль, $^1/_2$ стакана варенья, сахарная пудра

Хлеб нарезать ломтиками и замочить в молоке. После набухания размешать, чтобы не было комков, добавить растертые с сахаром желтки, растопленное сливочное масло, измельченную цедру, изюм. Массу посолить, вымешать и ввести взбитые в пышную пену белки. Выложить массу, переслаивая вареньем, в смазанную маслом и посыпанную сухарями форму. Верхним слоем должна быть хлебная масса. Сверху посыпать молотыми сухарями и выпекать 25—30 мин. Готовый пирог посыпать сахарной пудрой.

ПИРОГ СО СЛИВАМИ

200 г хлеба пшеничного, 2 яйца, 2 стакана слив, $^1/_2$ стакана сахара, 2 ст. ложки сливочного масла

Хлеб зачистить от корок, натереть на терке, смешать с яйцами. Половину полученной массы уложить в форму или сковороду, смазанную маслом, сверху положить слой пюре из слив, прикрыть оставшейся хлебной массой. Посыпать сахаром и выпечь в духовке до румяного цвета.

Пюре. Сливы промыть в воде, удалить косточки, сложить в кастрюлю, залить небольшим количеством воды и сварить до мягкости. Откинуть на сито, чтобы стекла вода, протереть, смешать с сахаром.

ПИРОГ С ВИШНЕЙ

200 г хлеба пшеничного, 1 стакан молока, 100 г сливочного маргарина, $^1/_2$ стакана сахара, 3 яйца, 3 стакана вишни без косточек, 2 ст. ложки коньяка, 2 ст. ложки панировочных сухарей.

Хлеб без корок нарезать ломтиками, размочить в молоке, отжать и растереть. Сливочный маргарин, сахар, желтки хорошо растереть, добавить подготовленный хлеб, вишню без косточек, коньяк и соль, взбитые в пышную пену белки. Массу осторожно вымешать и выложить в форму, смазанную маслом и посыпанную сухарями. Выпечь пирог в духовке в течение 40—45 мин.

ПИРОГ С КОНСЕРВИРОВАННЫМИ ФРУКТАМИ

200 г хлеба пшеничного, 5 яиц, $^1/_2$ стакана сахара, 3 ст. ложки муки, 1 ч. ложка сливочного масла, $^1/_2$ ч. ложки ванильного сахара, 1 стакан консервированных фруктов (ягод)

Сухой хлеб потолочь, просеять через сито. Желтки растереть с сахаром и ванилином до кремообразного состояния, добавить толченые сухари, муку, взбитые в пышную пену белки и аккуратно вымешать. Массу выложить в смазанную маслом и посыпанную сухарями форму. Выпечь в духовке в течение 40—50 мин. При подаче украсить сверху пирог консервированными ягодами или фруктами.

Пирог со сливами

ПИРОГ ШОКОЛАДНЫЙ

200 г хлеба ржаного, 3 ст. ложки сливочного масла, $1/2$ стакана сметаны, 2 яйца, $1/2$ стакана сахара, 1 ст. ложка какао-порошка, 1 ст. ложка молотых сухарей, сахарная пудра

Хлеб зачистить от корок, натереть на терке, соединить с растопленным маслом. Добавить сметану, растертые с сахаром желтки, какао и тщательно растереть. Ввести взбитые в пену белки. Полученную массу выложить в смазанную маслом и посыпанную сухарями форму. Выпекать в духовке 30—35 мин. Готовый пирог посыпать сахарной пудрой.

ПИРОГ ОТКРЫТЫЙ
СО СМОРОДИНОЙ

200 г хлеба пшеничного, 1 стакан молока, 2 стакана смородины, 2 ст. ложки сливочного масла, 3 ст. ложки сахара, $1/2$ ч. ложки корицы, 1 яйцо, 4 ст. ложки панировочных сухарей, 2 ст. ложки сахарной пудры

Хлеб размочить в молоке, добавить сливочное масло и обжарить массу на небольшом огне. Слегка охладить, заправить корицей, добавить желтки и взбитые в пышную пену белки. Массу перемешать, обложить ею дно и стенки смазанной маслом формы или сковороды. Сверху уложить смородину, протертую с сахаром. Посыпать панировочными сухарями и выпечь в духовке в течение 40 мин. Готовый пирог посыпать сахарной пудрой.

ПИРОГ ИЗ РЖАНОГО ХЛЕБА
С ВАРЕНЬЕМ

200 г хлеба ржаного, 3 яйца, $1/2$ стакана сахара, $1/2$ стакана клюквенного или черносмородинового варенья, 4 ст. ложки сливочного масла, соль, 1 ст. ложка сахарной пудры, 1 ст. ложка панировочных сухарей

Хлеб замочить в холодной воде. Когда он набухнет, отжать, добавить растертые с сахаром яйца, соль, клюквенное или черносмородиновое варенье. Массу перемешать, выложить в смазанную маслом и посыпанную сухарями форму и выпечь в духовке. Пирог подать горячим, посыпав сахарной пудрой.

СЛАДКИЙ ПИРОГ
ИЗ РЖАНЫХ СУХАРЕЙ
С ЯБЛОКАМИ

1,5 стакана сухарей ржаных молотых, 1,5 стакана сахара, 4—5 яблок, 4 ст. ложки сливочного масла

Для варенья: 1—2 яблока, 4 ст. ложки сахара

Измельченные сухари просеять через сито, растереть со сливочным маслом. Форму или сковороду смазать маслом, посыпать сухарями, уложить слой нарезанных ломтиками яблок (удалив из них сердцевину с семенами), посыпать их сахаром.

Сверху уложить часть подготовленных сухарей, посыпать сахаром, затем снова слой яблок, на них — слой сухарей. Выпечь пирог в духовке при температуре 180—200 °C в течение 50—60 мин.

Готовый пирог выложить на блюдо. Из части яблок и сахара сварить густое варенье и смазать сверху остывший пирог.

ПИРОГ ИЗ РЖАНЫХ СУХАРЕЙ С МЕДОМ И ОРЕХАМИ

1 стакан сухарей ржаных молотых, 2 яйца, 2 ст. ложки сахара, 1 ст. ложка сливочного масла, 1 ст. ложка измельченных орехов, 2 ст. ложки меда, 1 ч. ложка сахарной пудры

Желтки растереть с сахаром, добавляя размягченное сливочное масло, молотые сухари, измельченные поджаренные орехи. Размешать и ввести взбитые в пышную пену белки. Полученную массу выложить в смазанную маслом и посыпанную су-

Бабка с яблоками и творогом

харями форму. Выпечь при температуре 200—220 °C в духовке. В готовом пироге вырезать углубление, заполнить его медом, закрыть срезанной корочкой и посыпать сахарной пудрой.

ТВОРОЖНЫЙ ПИРОГ

2 стакана сухарей ржаных молотых из бородинского хлеба, 2 ст. ложки пшеничной муки, 2 ст. ложки меда, 1 ст. ложка повидла, 3 яйца, $^1/_2$ стакана сахара, $^1/_2$ ч. ложки соды, соль по вкусу, 1 ст. ложка мелко нарезанных цукатов, 1 ст. ложка молотых орехов

Для начинки: 2 стакана творога, 2 желтка, $^3/_4$ стакана сахара, сок с $^1/_3$ лимона

Яйца растереть с сахаром, добавить мед, повидло, сухари, муку, соду. Перемешать. Полученную массу выложить на смазанную маслом и посыпанную мукой сковороду или противень и выпечь ее в духовке на слабом огне. Выпеченный корж разрезать на три коржа, каждый намазать начинкой, сложить

Бабка из ржаного хлеба со свеклой

друг на друга. Верх также покрыть начинкой, посыпать цукатами и молотыми поджаренными орехами.

Начинка. Творог протереть через сито, добавить растертые с сахаром желтки, сок лимона.

ПИРОГ ОТКРЫТЫЙ
С ТВОРОГОМ

1 стакан сухарей ржаных молотых, 1 ст. ложка муки пшеничной, 1 ст. ложка меда, 1 ст. ложка повидла, $1^1/_2$ яйца, 2 ст. ложки сахара, сода, соль

Для начинки: 1 стакан творога, 1 желток, 3 ст. ложки сахара, 1 ст. ложка сметаны

Яйца растереть с сахаром, добавить мед, повидло, толченые сухари, муку, соду, тщательно перемешать. Полученную массу выложить на смазанный маслом и посыпанный мукой противень или сковороду. Сверху уложить протертый и смешанный с желтками, сахаром, сметаной творог. Выпечь в духовке в течение 40—50 мин.

БАБКА С ЯБЛОКАМИ
И ТВОРОГОМ

200 г хлеба пшеничного или ржаного, 1 стакан молока, 2 ст. ложки сахара, $^1/_2$ стакана творога, 5 яблок, 2 ст. ложки панировочных сухарей или манной крупы, 2 ст. ложки сливочного масла, 1 ст. ложка панировочных сухарей для обсыпки сковороды

Хлеб замочить в сладкой яично-молочной смеси, после набухания растереть, добавить протертый творог, мелко нарезанные яблоки, панировочные сухари или манную крупу. Хорошо перемешать и выложить в смазанную маслом и посыпанную сухарями форму или сковороду. Выпечь в духовке до румяного цвета.

БАБКА С ТВОРОГОМ

200 г хлеба пшеничного, 2 стакана творога, 2 ст. ложки изюма, 2 стакана молока, 3 ст. ложки сахара, 2 яйца, 2 ст. ложки сливочного масла

Хлеб нарезать ломтиками толщиной 1 см, смочить их с одной стороны в смеси из яиц, молока и сахара. Смоченной стороной вниз уложить ломтики в смазанную маслом форму, закрыв, таким образом, ее дно и стенки. Сверху поместить начинку, прикрыть ее ломтиками хлеба, уложив их смоченной стороной вверх. Запечь в духовке при температуре 200—220 °C.

Для начинки творог протереть через сито, смешать его с сахаром, яйцами и изюмом.

БАБКА С ТВОРОЖНО-ЯБЛОЧНОЙ НАЧИНКОЙ

200 г хлеба пшеничного, $^3/_4$ стакана молока, 1 ст. ложка сухарей, 1 яйцо, 1 стакан творога, 3 яблока, $^1/_2$ стакана сахара, 2 ст. ложки сливочного масла, соль по вкусу

Хлеб нарезать ломтиками толщиной 1 см, смочить их в смеси из молока и взбитых яиц, уложить на дно смазанной маслом и посыпанной сухарями формы, на них положить тонкий слой творожно-яблочной начинки. Чередуя таким образом слои, заполнить форму, последний должен быть из хлеба, на который уложить кусочки сливочного масла, посыпать сахаром и запечь в духовке до образования румяной корочки.

Для начинки творог протереть через сито, посолить, добавить яйца, сухари, мелко нарезанные яблоки и хорошо перемешать.

БАБКА С МОРКОВНО-ЯБЛОЧНЫМ ФАРШЕМ

200 г хлеба ржаного, 1 яйцо, 2—3 моркови, 2—3 яблока, 2 ст. ложки сахара, 3 ст. ложки сливочного масла, 1 ст. ложка панировочных сухарей

Хлеб зачистить от корки и натереть на терке с крупными отверстиями. Добавить яйца и хорошо перемешать. Морковь также натереть на терке, припустить с добавлением небольшого количества воды и сливочного масла. К готовой моркови добавить нарезанные ломтиками яблоки. Сняв с огня, заправить начинку сахаром. В смазанную маслом и посыпанную сухарями форму уложить слой хлебной массы, на него — слой начинки и т. д. В верхнем слое должна быть хлебная масса, которую необходимо сбрызнуть маслом. Выпечь бабку в духовке при температуре 180—200 °C.

БАБКА ИЗ РЖАНОГО ХЛЕБА СО СВЕКЛОЙ

200 г хлеба ржаного, 2 свеклы (200 г), 2 яйца, 3 ст. ложки изюма, 1 ст. ложка сливочного масла или маргарина, 1 ст. ложка панировочных сухарей

Хлеб натереть на терке, соединить с натертой вареной свеклой, добавить яйца, изюм и тщательно вымешать. Полученную масу переложить в смазанную маслом и посыпанную сухарями форму, смазать сверху яйцами и запечь в духовке при температуре 200—220 °C.

КАРАВАЙ ЯИЧНЫЙ

200 г хлеба пшеничного, 1 стакан молока, 2 яйца, 2 ст. ложки сливочного масла, $^1/_2$ ст. ложки панировочных сухарей, 2 ст. ложки сахарной пудры

Хлеб натереть на терке, залить горячим молоком и оставить на час для набухания. Затем размешать, добавить желтки, растертые с сахаром, размягченное сливочное масло и взбитые в пышную пену белки. Осторожно перемешать и быстро выложить в смазанную маслом и посыпанную сухарями форму. Выпечь при температуре 200—220 °C в течение 35—40 мин. Готовый каравай посыпать сахарной пудрой.

КАРАВАЙ ЛИМОННЫЙ

200 г хлеба пшеничного, $^3/_4$ стакана молока, 2 ст. ложки сливочного масла, $^1/_3$ стакана сахара, 2 яйца, цедра $^1/_2$ лимона, 1 ст. ложка панировочных сухарей

Хлеб натереть на терке, залить горячим молоком и оставить на час для набухания. Растереть масло с сахаром, желтками, тертой лимонной цедрой и смешать с хлебной массой. Ввести взбитые белки и выложить массу в смазанную маслом и посыпанную сухарями форму. Выпечь при температуре 180—200 °C. Готовый каравай посыпать сахарной пудрой.

Бабка с морковно-яблочным фаршем

БИСКВИТ ИЗ РЖАНОГО
ХЛЕБА С МИНДАЛЕМ

1 стакан сухарей из ржаного хлеба, 1 стакан сахара, 20 шт. миндаля, 10 яиц, 1 ст. ложка сливочного масла

Сухари просеять. Сахар растереть с желтками, пока масса не побелеет, добавить сладкий миндаль, всыпать сухари, ввести взбитые в пышную пену белки. Аккуратно вымешать и выложить в форму, смазанную маслом и посыпанную сухарями. Выпечь в духовке при температуре 180—200 °C.

БИСКВИТ ХЛЕБНЫЙ С КАКАО

$1^3/_4$ стакана сухарей из ржаного хлеба, 2 ст. ложки муки, 2 ст. ложки крахмала картофельного, $1^3/_4$ стакана сахара, 15 яиц, $^1/_2$ ч. ложки корицы, 1 ст. ложка какао, 1 ст. ложка сливочного масла

Просеянные сухари залить молоком, тщательно перемешать и оставить на 15 мин. В набухшие сухари всыпать просеянную муку, крахмал, какао, корицу и хорошо перемешать. Яйца взбить с сахаром и ввести в подготовленную сухарную массу. Аккуратно вымешать и переложить в сковороду или круглую форму, покрытую промасленной пергаментной бумагой. Выпечь в духовке при температуре 180—200 °C. Использовать к чаю, для приготовления тортов, пирожных.

БИСКВИТ С ОРЕХАМИ

3 стакана сухарей из ржаного хлеба, $^1/_2$ стакана муки пшеничной, 1 стакан сахара, 7 яиц, 1 стакан орехов измельченных, $^1/_2$ стакана изюма, 150 г сливочного масла

Для обсыпки: 2 ст. ложки орехов измельченных, 1 ст. ложка сахара

Сухари просеять и перемешать с мукой. Желтки отделить от белков и растереть с сахаром добела, добавить измельченные поджаренные орехи, размягченное сливочное масло, изюм, подготовленный хлеб с мукой и ввести взбитые в пышную пену белки. Массу перемешать и выложить в форму, смазанную маслом. Поверхность посыпать орехами, смешанными с сахаром. Выпечь при температуре 200—220 °C. После охлаждения бисквит вынуть из формы и разрезать на порции. Можно использовать для приготовления тортов и пирожных.

ТОРТ ИЗ БУЛКИ
БЕЗ ВЫПЕЧКИ

200 г булки сухой, 200 г сливочного масла, 1 яйцо, $^3/_4$ стакана сахара, ванильный сахар, варенье

Булку натереть на терке и всыпать в сливочное масло, растертое с яйцом и сахаром, добавить ванильный сахар и хо-

Кекс с изюмом

рошо вымешать. Форму смочить водой, плотно выложить в нее приготовленную массу и поставить на холод на 2 ч. Затем торт переложить на блюдо, украсить вареньем и подать к столу.

ТОРТ СУХАРНЫЙ
С ЗАВАРНЫМ КРЕМОМ

1 стакан сухарей из ржаного хлеба, 5 яиц, $^1/_2$ стакана сахара

Для крема: 2 яйца, 1 ст. ложка муки, 1 стакан молока, $^1/_2$ стакана орехов измельченных, $^2/_3$ стакана сахара, 100 г сливочного масла

Сухари просеять через сито. Желтки отделить от белков, растереть с сахаром добела, добавить сухари, взбитые в густую пену белки, перемешать и выложить в форму или сковороду, выстеленную промасленной пергаментной бумагой. Выпечь в духовке при температуре 200—220 °C. После охлаждения торт разрезать на 2—3 слоя, каждый смазать заварным кремом, сложить один на другой, придав торту первоначальную форму.

Бисквит с орехами

Оставшимся кремом намазать верхний слой и посыпать орехами.

Крем. Яйца смешать с сахаром, добавить муку, теплое молоко, орехи. Размешать до однородной массы и довести на слабом огне, помешивая, до консистенции густой сметаны. Охладить и, взбивая, ввести размягченное сливочное масло.

ТОРТ СУХАРНЫЙ
СО СЛИВОЧНЫМ КРЕМОМ

1 стакан сухарей из пшеничного хлеба, 6 яиц, $^3/_4$ стакана сахара, $^1/_2$ стакана орехов измельченных, ванилин по вкусу

Для крема: 200 г сливочного масла, 250 г сгущенного молока

Сухари просеять через сито. Желтки отделить от белков и растереть добела с сахаром, добавить ванилин, орехи, сухари. Массу размешать и ввести взбитые в пышную пену белки. Еще раз аккуратно вымешать и выложить в форму или сковороду, выстеленную промасленной пергаментной бумагой. Выпечь в духовке при температуре 200—220 °C. После охлаждения разрезать на три слоя, каждый смазать сливочным кремом и уложить друг на друга, придав торту первоначальную форму.

Крем. Размягчить сливочное масло и, взбивая, добавить частями сгущенное молоко. Крем взбить до пышной консистенции.

ТОРТ КОФЕЙНЫЙ
БЕЗ ВЫПЕЧКИ

500 г хлеба пшеничного, сухого, 200 г сливочного масла, $1^3/_4$ стакана сахара, 2 яйца, 2 стакана молока, 3 ст. ложки кофе молотого, $^1/_4$ стакана орехов толченых

Сухари залить горячим, сваренным на молоке кофе (1 стакан), и оставить на 20—30 мин для набухания. Яйца растереть с сахаром, соединить с оставшимся молоком и, постепенно помешивая, проварить до загустения. Молочно-яичную смесь охладить и взбить с размягченным маслом. Полученный крем разделить на две части, в одну из них добавить набухшие сухари и выложить на блюдо, сверху выложить оставшийся крем. Посыпать торт толчеными орехами и поставить в холодильник на 1—2 ч.

ТОРТ ОБЫКНОВЕННЫЙ

200 г хлеба пшеничного, 1 стакан молока, 2 яйца, $^3/_4$ стакана сахара, 1 ст. ложка сливочного масла, 2 ст. ложки измельченных орехов, 1 стакан повидла или джема, 3 ст. ложки сахарной пудры, ванильный сахар, корица или ром, цедра цитрусовых

Нарезать ломтиками хлеб, половину из них намочить в молоке и уложить на дно смазанной маслом формы для торта.

Посыпать измельченными поджаренными орехами, сверху уложить слой джема или повидла, ароматизированного ванильным сахаром, корицей или ромом, посыпать цедрой. На начинку уложить ломтики хлеба, смоченные в молоке, залить смесью из взбитых желтков, сахара, молока и выпечь при температуре 220—240 °C.

Взбить в пышную пену белки с сахарной пудрой и этой массой покрыть вынутый из духовки торт. Затем снова поставить его в слабо нагретую духовку и подрумянить.

ТОРТ С ШОКОЛАДОМ
(венгерская кухня)

1 стакан сухарей из пшеничного хлеба, 6 яиц, 1 стакан сахара, 2 ст. ложки тертого шоколада, 1 стакан миндаля измельченного, корица, гвоздика, лимонная цедра, $^1/_2$ стакана повидла или варенья

Для глазури: $^1/_2$ стакана сахара, $^2/_3$ стакана воды, 1 ст. ложка тертого шоколада или какао, 50 г сливочного масла

Растереть добела с сахаром 3 целых яйца и 3 желтка. Добавить шоколад, просеянные сухари, корицу, гвоздику, тертую лимонную цедру и миндаль. Массу перемешать, ввести взбитые белки, осторожно снова перемешать и выложить в форму для торта, покрытую промасленной пергаментной бумагой. Выпечь в духовке при температуре 200—220 °C. Охладить, разрезать на два слоя, намазать каждый повидлом или вареньем, сложить слои друг на друга, придав первоначальную форму. Сверху торт смазать шоколадной глазурью.

Глазурь. Сварить сироп из сахара и воды. Растереть сливочное масло и шоколад или какао до однородной консистенции и постепенно влить в смесь тонкой струйкой сироп. Покрывать торт глазурью сразу, пока она не застыла.

ЧЕШСКИЙ ТОРТ

$1^1/_2$ стакана сухарей из черствой булки, 8 яиц, 2 стакана сахара, 1 стакан молотых орехов, 1 ст. ложка сливочного масла, 3 апельсина

Для сиропа: 1 стакан молотых орехов, $^1/_2$ стакана сахара, $1^1/_2$ стакана молока

Для крема: 3 яйца, 1 стакан сахара, 1 ч. ложка картофельного крахмала, 1 ч. ложка муки, 1 стакан молотых орехов, $1^1/_2$ стакана молока, 200 г сливочного масла

Для помадки: 2 ст. ложки какао, $^3/_4$ стакана сахара, $^3/_4$ стакана воды, 50 г сливочного масла

Желтки растереть с сахаром, всыпать натертые на мелкой терке смешанные с молотыми орехами сухари, сверху положить взбитые в пышную пену белки и осторожно тщательно вымешать. Полученную массу переложить в круглую смазан-

Торт сухарный с кремом

ную маслом и посыпанную сухарями форму. Выпечь в духовке при температуре 200—220 °C. Готовый бисквит разрезать на три коржа, каждый пропитать ореховым сиропом. Сложить их один на другой. Верхний намазать кремом, по самому краю уложить дольки апельсинов — одну около другой, чтобы они покрыли крем. Не заполненную дольками середину торта залить помадкой, чтобы она образовала круг. Сверху слегка посыпать рублеными орехами. Бока торта также обмазать помадкой.

Сироп ореховый. В кипящее молоко всыпать молотые орехи, сахар и варить до тех пор, пока орехи не станут мягкими. Охладить.

Крем. Яйца растереть с сахаром, добавить картофельный крахмал, пшеничную муку и молотые орехи. Все хорошо вымешать, помешивая, постепенно залить горячим молоком, поставить на слабый огонь и проварить до получения густой массы. Слегка охладить и добавить, взбивая, размягченное сливочное масло.

Помадка. Какао смешать с сахаром, добавить воду, поставить на огонь и, помешивая, проварить до загустения. Снять с огня, ввести сливочное масло, размешать и немедленно залить торт помадкой.

ТОРТ МИНДАЛЬНЫЙ

500 г хлеба ржаного, 1 стакан сахара, 100 г мармелада, 2 ст. ложки миндаля горького тертого, 1 ст. ложка крахмала картофельного, $^1/_2$ стакана сиропа сахарного, 8 яиц, $^1/_2$ ч. ложки гвоздики, $1^1/_2$ стакана сливочного крема (см. с. 263).

Высушенный хлеб истолочь в сухари, просеять. Желтки растереть с сахаром добела, соединить с сухарями, добавить миндаль, гвоздику, крахмал, перемешать и в конце добавить взбитые в пену белки. Массу выложить в выстеленную промасленную бумагой форму для торта и выпечь в духовке при температуре 200—220 °C. Готовый торт разрезать на два слоя, пропитать их сиропом, смазать кремом, соединить, придав ему первоначальную форму. Этим же кремом намазать торт сверху. Украсить мармеладом.

ТОРТ БИСКВИТНЫЙ
ХЛЕБНО-ОРЕХОВЫЙ

2 стакана орехов молотых, 1 стакан сухарей тертых, из черствой булки, $2^1/_4$ стакана сахара, 9 яиц

Для подготовки формы: 50 г сливочного масла, $^1/_4$ стакана сухарей

Для начинки: 2 стакана орехов очищенных, $^1/_2$ стакана сахара, 4 яйца

Для помадки: 300 г сахара, 1 стакан воды, 1 лимон для сока

Торт хлебный «Птичье молоко»

Для крема: 100 г сливочного масла, $^1/_2$ стакана сахара, 2 яйца, $^1/_2$ пакетика ванильного сахара

Натертые на мелкой терке сухари смешать с молотыми орехами и всыпать в растертые с сахаром желтки. Ввести взбитые в пышную пену белки и осторожно сверху вниз перемешать. Смазать форму густым слоем масла, посыпать сухарями, выложить в нее приготовленную массу и выпечь в духовке при температуре 180—200 °C в течение часа. Готовый бисквит разрезать по горизонтали на три пласта, каждый намазать ореховой начинкой, сложить один на другой и покрыть подогретой помадкой бока торта и верхний пласт. Пока помадка не застыла, по краю торта разложить на расстоянии 2 см один от другого отобранные из общего количества нераздробленные половинки орехов. В центре выложить половинками орехов такой же круг диаметром 6—7 см. Когда помадка хорошо застынет, с помощью кондитерского мешочка заполнить пространство между орехами кремом. Торт готов.

Начинка. Смешать молотые орехи с белками и сахаром и на слабом огне прогреть, помешивая до тех пор, пока масса не загустеет.

Помадка. Сахар залить кипящей водой, влить лимонный сок и сварить, закрыв крышкой, на сильном огне до загустения. Варить до тех пор, пока капля сиропа, опущенная в стакан с холодной водой, не превратится сразу в шарик, который не расходится. Готовую помадку сбрызнуть холодной водой и охладить до 60 °C, затем растереть деревянной ложкой, чтобы получилась гладкая белая масса.

Крем. Растереть масло, сахар и яйца в пышную однородную массу, ввести ванильный сахар.

ТОРТ БЕЗ ВЫПЕЧКИ
ИЗ СУХАРЕЙ С ИЗЮМОМ

400 г сухарей ванильных, 400 г сливочного масла, 2 яйца, 1 стакан изюма, 3 ст. ложки сахара, шоколад

Промыть перебранный изюм и распарить в кипятке. Растереть сырые яйца с сахаром и сливочным маслом. Добавить молотые ванильные сухари и изюм. Массу хорошо вымешать, плотно уложить в гладкую форму, смоченную водой, и поставить на холод на 2—3 ч. Выложив торт из формы на блюдо, посыпать тертым шоколадом и подать на стол.

СОЛОЖЕНИКИ ИЗ СУХАРЕЙ
С ВИШНЯМИ
(украинская кухня)

$1^1/_2$ стакана сухарей из пшеничного хлеба, 200 г сливочного масла, 8 яиц, 1 стакан миндаля измельченного, цедра одного лимона, 1 ч. ложка корицы, 1 стакан вишен без косточек или варенья

Размягчить сливочное масло, добавить к нему сахар, яйца, измельченный миндаль и растереть массу до однородной консистенции в течение 30 мин. Добавить тертую лимонную цедру, корицу, измельченные и просеянные сухари, вишни или варенье без жидкости. Массу хорошо вымешать и выложить в форму, смазанную маслом и посыпанную сухарями. Выпечь в духовке при температуре 200—220 °С.

СОЛОЖЕНИКИ ИЗ РЖАНЫХ СУХАРЕЙ
(украинская кухня)

$^3/_4$ стакана сухарей из ржаного хлеба, $^1/_3$ стакана муки пшеничной, 30 яиц, 3 ч. ложки корицы, 50 шт. гвоздики, 3 стакана сахара, 200 г варенья или повидла

Растереть с сахаром желтки, добавить корицу, гвоздику, просеянные сухари и муку. Массу хорошо перемешать до одно-

Торт из хлеба желированный

родной консистенции и ввести взбитые белки. Осторожно сверху вниз еще раз перемешать и вылить в две одинаковые формы, смазанные маслом и посыпанные сухарями. Выпечь в духовке при температуре 200—220 °С. Готовые соложеники вынуть из форм, один из них смазать сверху вареньем или повидлом, на него уложить другой.

МАКОВНИК ПО-ПОЛЬСКИ

500 г хлеба пшеничного белого, $1^1/_2$ стакана мака, $1^1/_4$ стакана молока, $^1/_2$ стакана сахара, 4 ст. ложки изюма, $^1/_4$ стакана орехов, шоколадные конфеты или орехи дольками

Залить мак сладким кипящим молоком. Добавить изюм, дробленые орехи. Дно формы выложить ломтиками хлеба толщиной 1 см, обмакнув их в слитое с мака молоко. На хлеб вылить маковую массу, затем — снова слой хлеба и т. д. Верхний слой должен быть маковым. Блюдо поставить в холодильник на 1,5—2 ч. Перед подачей на стол украсить орехами или шоколадными конфетами.

ТОРТ ХЛЕБНЫЙ
«ПТИЧЬЕ МОЛОКО»

200 г хлеба белого, сухого, $^3/_4$ стакана сахара, 2 яйца, 4 желтка, $^1/_2$ ч. ложки соды, $^1/_2$ ч. ложки уксуса

Для крема: 1 ст. ложка желатина, 7 ст. ложек воды, 4 белка, 1 стакан сахара

Хлеб натереть на терке. Сухари ввести во взбитую смесь яиц и сахара. Массу перемешать, добавить соду, погашенную уксусом, и вылить в смазанную маслом круглую форму. Выпечь при температуре 200—220 °С. Охладить. Выложить из формы и полить сверху кремом «Птичье молоко».

Можно разрезать бисквит на две части, смазать половиной крема, а вторую половину использовать для оформления торта сверху.

Крем «Птичье молоко». Желатин замочить в холодной кипяченой воде и оставить на 40—60 мин для набухания, затем растворить на водяной бане, охладить, влить в хорошо взбитую смесь белков с сахаром. Использовать крем сразу же.

ТОРТ ИЗ ХЛЕБА
ЖЕЛИРОВАННЫЙ

400 г хлеба пшеничного, 500 г желе фруктового, 1 стакан консервированных ягод и фруктов

Для фруктово-ягодного желе: 2 стакана сладкого фруктово-ягодного сиропа, 1 ст. ложка желатина

Хлеб круглой формы зачистить от корочки и разрезать на 2—3 лепешки толщиной 0,5—1 см. Нижнюю лепешку покрыть слоем полузастывшего ягодного желе, охладить, накрыть второй лепешкой, на которую сверху также уложить слой полузастывшего желе. Снова охладить до полного застывания его. Сверху покрыть желе, охладить. На желе выложить консервированные ягоды и фрукты и на холоде залить слоем желе.

Фруктово-ягодное желе. Желатин замочить в холодной кипяченой воде (1 часть желатина, 5—10 частей воды) и оставить на 40—60 мин. Затем желатин отжать от воды и ввести в слегка охлажденный после кипячения сладкий фруктово-ягодный сироп. Подогреть, помешивая до растворения желатина. Охладить, чтобы можно было намазывать хлеб.

ТОРТ С ВИШНЯМИ ЖЕЛИРОВАННЫЙ

400 г хлеба пшеничного, 4 стакана воды, 5 стаканов вишен, 1 ч. ложка корицы, 4—5 шт. гвоздики, 1 стакан сахара, 3 ст. ложки желатина

Хлеб нарезать кубиками 3×3 см, подсушить в духовке. В кипящую воду положить гвоздику, корицу и сахар, довести до кипения. В этот сироп опустить вишни без косточек, довести до кипения, вынуть их и ввести набухший желатин. В сироп с растворенным желатином обмакнуть подготовленные сухарики, выложить их плотно на блюдо, сверху — подготовленные вишни, затем опять сухарики и т. д. Охладить и полить оставшимся сиропом с желатином. Когда он застынет, подать на стол.

КЕКС С ИЗЮМОМ

200 г хлеба белого, сухого, $^1/_2$ стакана молока, 1 ст. ложка сливочного масла, 2 яйца, $^1/_4$ стакана изюма, 2 ст. ложки сахара

Хлеб без корочки натереть на мелкой терке, залить молоком, дать постоять 30 мин. Размешать до однородной массы, добавить растертые с сахаром желтки, растопленное сливочное масло, пропаренный изюм и взбитые в пышную пену белки. Все перемешать, выложить в форму, смазанную маслом и посыпанную сухарями. Запечь в духовке. Когда кекс остынет, выложить на блюдо и посыпать сахарной пудрой.

ПИРОЖНОЕ «КАРТОШКА»

500 г сухарей ванильных, 100 г сливочного масла, 100 г сгущенного молока, 2 ст. ложки какао или $^1/_2$ стакана варенья, $^1/_2$ стакана орехов измельченных, 1 стакан молока, 3 ст. ложки сахарной пудры

Размягченное сливочное масло взбить деревянной ложкой со сгущенным молоком до однородной массы. Добавить любое варенье либо порошок какао. Ванильные сухари натереть на терке или пропустить через мясорубку, добавить орехи. Тщательно перемешать сухари с приготовленной массой, добавить кипяченое холодное молоко, перемешать и выделать шарики —

«картошку», обсыпать их порошком какао и поставить на холод, через час посыпать сахарной пудрой и подать к столу.

ПИРОЖНОЕ БЕЗ ВЫПЕЧКИ

5 стаканов толченых сухарей из пшеничного хлеба, 1 стакан сахара, 1 стакан молока, 150 г сливочного масла, 1 ст. ложка какао, 10—15 орехов грецких

Сухой хлеб истолочь в сухари, смешать с поджаренными измельченными орехами. Сахар растворить в молоке и закипятить, добавить сливочное масло, какао, подготовленные сухари с орехами. Массу тщательно перемешать, сформовать из нее шарики, обкатать их в сухарях, смешанных с какао и сахаром.

ПИРОЖНОЕ ПРОСТОЕ

200 г булочек, 4 яйца, $^1/_2$ стакана сухарей панировочных, 5 ст. ложек сливочного масла, $^3/_4$ стакана повидла или джема, 3 ст. ложки сахарной пудры, ванилин или корица

Черствые булочки нарезать ломтиками толщиной 1 см, обмакнуть их во взбитое яйцо, обвалять в сухарях или муке, снова обмакнуть в яйцо и обжарить с двух сторон в жире до золотистого цвета. После охлаждения смазать повидлом или джемом и, соединив попарно, уложить на блюдо. Посыпать сахарной пудрой, смешанной с ванилином или корицей.

ПИРОЖНОЕ ИЗ ТЕРТОЙ БУЛКИ
(украинская кухня)

1 стакан сухарей тертых, 150 г сливочного масла, 1 стакан сахара, 1 стакан миндаля измельченного, 4 яйца, цедра с 1 лимона, $^1/_2$ ч. ложки корицы

Сухую булку натереть на терке, сухари просеять и соединить с сахаром, измельченным миндалем, добавить размягченное сливочное масло, растертую цедру лимона, корицу, желтки и вымешать до однородной массы. Разделить на две части, раскатать пластами шириной 8 см и выпечь в духовке. На один пласт уложить мармелад, сверху покрыть взбитыми с сахаром в пышную пену белками, накрыть вторым пластом и еще теплым разрезать поперек на отдельные пирожные квадратной или прямоугольной формы.

ПИРОЖНОЕ ИЗ ТЕРТОЙ
БУЛКИ С ИЗЮМОМ
(украинская кухня)

$2^1/_2$ стакана сухарей тертых, 200 г сливочного масла, 2 стакана сахарной пудры, 10 желтков, 2 стакана изюма, $^1/_2$ стакана миндаля измельченного, цедра с 1 лимона

Сухую булку натереть на терке. Полученные сухари просеять и соединить с расплавленным маслом, добавить сахарную пудру, желтки, распаренный изюм, измельченный миндаль и лимонную цедру. Массу хорошо вымешать так, чтобы изюм, миндаль и цедра распределились в ней равномерно. Раскатать в пласт толщиной 1 см, нарезать прямоугольниками, смазать желтками и выпечь при температуре 220—240 °С.

СУХАРИ ГЛАЗИРОВАННЫЕ
(украинская кухня)

400 г булки, 3 ст. ложки сливочного масла

Для помадки: 2 белка, 1 стакан сахарной пудры, сок с $^1/_2$ лимона

Булку нарезать ломтиками толщиной 0,5 см, поставить в горячую духовку до зарумянивания, сбрызнуть растопленным маслом и снова на 1 мин поставить в духовку. Вынуть из духовки, заглазировать, для чего гренки намазать помадкой и оставить в теплом месте для подсушивания.

Помадка. Белки смешать с сахарной пудрой, добавить лимонный сок и взбить до загустения.

СУХАРИ С ОРЕХАМИ
(украинская кухня)

400 г булки сладкой, 1 стакан молока, 2 яйца, 1 стакан орехов измельченных, 1 стакан сахара, 2 ч. ложки корицы

Сухую сладкую булку нарезать ломтиками толщиной 0,5 см, обмакнуть в смесь яйца с молоком, обвалять в смеси измельченных орехов, сахара и корицы, уложить на противень и подсушить в духовке при температуре 120—150 °С.

ПИРОЖНОЕ «ТРУБОЧКИ ИЗ БУЛКИ И ВИШЕН»

200 г булки, $^1/_2$ стакана сахара, $2^1/_2$ стакана вишен, 3 яйца, $^1/_2$ стакана молока, 4 ст. ложки панировочных сухарей, 3 ст. ложки сливочного масла, 1 стакан маргарина для жарки, сахарная пудра

Булку нарезать на кубики и обжарить в масле. Из вишен вынуть косточки, смешать с сахаром и сварить на небольшом огне до загустения. Соединить подготовленные вишни с булкой и, если масса получилась жидкой, добавить жареных кубиков. В массу влить яйца, вымешать и сформовать трубочки длиной 8 см, диаметром 2 см. Обмакнуть трубочки в смесь молока с яйцом, обвалять в панировочных сухарях и обжарить в кипящем жире. Готовые трубочки обсыпать сахарной пудрой.

ПИРОЖНОЕ С ИЗЮМОМ
И ОРЕХАМИ

1 стакан тертых сухарей из пшеничной булки, 2 яйца, $^1/_2$ стакана сахара, 1 ст. ложка муки, 2 ст. ложки изюма, 2 ст. ложки орехов измельченных, 20 г дрожжей, соль по вкусу

Для помадки: 1 белок, $^1/_2$ стакана сахарной пудры, 1 ст. ложка какао, сок с $^1/_4$ лимона

Сухую булку натереть на терке и смешать с пшеничной мукой. Яйца взбить с сахаром, добавить смесь сухарей с мукой, изюм, измельченные орехи и размягченные дрожжи с сахаром. Массу вымешать, раскатать слоем в 0,5—0,7 см и выложить на смазанный жиром лист. Выпечь в духовке при температуре 220—240 °C. Горячую лепешку сразу же нарезать на прямоугольные пирожные, покрыть помадкой.

Помадка. Взбить белки с сахарной пудрой, добавить какао-порошок и лимонный сок.

СОДЕРЖАНИЕ

Гаевая Р. А, Ященко М. А.

Г13   Хлеб на вашем столе.— К.: Урожай,
1988.—288 с.: ил.— ISBN 5-337-00074-8

Рассказывается об истории рождения хлеба в далекой древности,
его пищевой ценности, воспитании бережного отношения к хлебу, о
значении в диетическом питании. Приведены многочисленные рецепты
блюд, в состав которых входит хлеб. Даны советы хозяйкам, как
испечь хлеб в домашних условиях, как сохранить его свежим, использовать черствые остатки.
Книга рассчитана на массового читателя.

ББК 36.992

Г $\dfrac{2903000000—054}{М204(04)—88}$ КУ-№3-380-88 (т. п. 88-153)